D0357259

Collection Science politique
dirigée par André Bernard

Déjà parus dans
la même collection:

*Le processus électoral*
*au Québec*
les élections provinciales
de 1970 et 1973
(en collaboration)

*Partis politiques*
*au Québec*
(en collaboration)

Věra Murray
*Le Parti québécois:*
*de la fondation*
*à la prise du pouvoir*

André Bernard
*Québec:*
*élections 1976*

Edmond Orban
*Le Conseil nordique:*
*un modèle de*
*Souveraineté-Association?*

Gaétan Rochon
*Politique et*
*contre-culture:*
*essai d'analyse interprétative*

Pierre Fournier
*Le patronat québécois*
*au pouvoir: 1970-1976*

André Bernard et
Bernard Descôteaux
*Québec:*
*élections 1981*

Évelyne Tardy et al
*La politique: un monde d'hommes?*
Une étude sur les mairesses au Québec

# Liberté fragile

## Les Cahiers du Québec

# Thomas R. Berger

# Liberté fragile

## Droits de la personne et dissidence au Canada

**Traduit de l'anglais par**
**Marie-Cécile Brasseur**
**en collaboration avec Daniel Séguin**

**Cahiers du Québec** Collection Science politique

**Hurtubise HMH**

**Données de catalogage avant publication (Canada)**

Berger, Thomas R.

Liberté fragile : droits de la personne et dissidence au Canada

(Cahiers du Québec. Collection Science politique)
Traduction de:Fragile freedoms.
Comprend des bibliogr. et un index.

2-89045-760-5

1. Droits de l'homme - Canada - Histoire. 2. Minorités - Canada - Histoire. 3. Dissidents - Canada - Histoire. I. Titre. II. Collection.

JC599.C3B4714 1985 323.4'0971 C85-094261-6

*Cette traduction a été publiée grâce à une subvention de la Fédération canadienne des sciences sociales, dont les fonds proviennent du Conseil de recherches en sciences humaines du Canada.*

*Graphiste-conseil:*
Pierre Fleury

*Illustration:*
Raymond Bellemare

*Exécution de la maquette de couverture:*
Denis Brodeur

*Photocomposition:*
Atelier LHR

Éditions Hurtubise HMH Limitée
7360, boulevard Newman
Ville de LaSalle, Québec
H8N 1X2

Téléphone: (514) 364-0323

ISBN: 2-89045-760-5

Dépôt légal/4e trimestre 1985
Bibliothèque nationale du Québec
Bibliothèque nationale du Canada





Imprimé au Canada

*«Si les droits de la personne et l'harmonie entre peuples de culture différente sont catégories du Beau, l'État devient alors une œuvre d'art qui jamais n'est achevée.»*

F.R. SCOTT

***Du même auteur:***

*Le Nord: terre lointaine, terre ancestrale*
Rapport de l'enquête sur le pipeline de la vallée du Mackenzie
Ottawa, Approvisionnements et Services, 2 vol., 1977

*Village Journey*
The Report of the Alaska Native Review Commission
New York, Hill and Wang, 1985

# *Remerciements*

L'origine de *Liberté fragile* remonte à une série de conférences préparées dans le cadre d'un séminaire sur les libertés civiles que j'avais mené, en collaboration avec le professeur Robin Elliot, à la faculté de Droit de l'Université de Colombie britannique, en 1980 et 1981. Le contenu de ces conférences a été approfondi pour les besoins d'un autre cours que j'ai donné au département d'Études canadiennes de l'Université Simon Fraser. L'accueil que les étudiants m'ont réservé m'a conduit à penser que les idées développées lors de ces conférences pouvaient s'adresser à un plus large public.

Ma secrétaire, Mme Amber Halliday, a dactylographié le texte des conférences avec toute la compétence dont elle est capable. Le manuscrit issu des notes de cours a été dactylographié par Mme Esther Horswill et ma fille Erin, qui toutes deux ont fait preuve de beaucoup de patience et d'application, tout au long des nombreuses révisions que le texte a subies. À Erin et à Mmes Halliday et Horswill, tous mes remerciements.

Le juge Harry Boyle a lu le manuscrit encore à l'état d'ébauche et m'a encouragé à poursuivre. Alan Cooke, de l'Institut de recherche Hochelaga, a passé le texte au crible, et ses suggestions en ont grandement amélioré le style. À tous deux, de même qu'aux nombreux amis et collègues qui m'ont fait part de leurs commentaires sur un chapitre ou l'autre, toute ma reconnaissance.

# *Table des matières*

# *Introduction*

Dans le monde d'aujourd'hui, la liberté est fragile. Partout, idéologies et orthodoxie étouffent les droits de la personne; la diversité est proscrite, la dissidence réprimée.

Alexandre Soljenitsyne, Steve Biko, Lech Walesa, Jacob Timerman, ces noms ont fait des droits de la personne l'une des grandes questions de notre époque. Ils ont conféré forme et substance à la lutte opposant liberté et oppression. À l'instar de ces noms célèbres, nombreux sont ceux qui ont été emprisonnés, torturés et, dans certains cas, exécutés au nom de la liberté qu'ils revendiquaient pour eux-mêmes et leurs compatriotes. Ils ont réclamé le droit de contester les idées politiques servant de fondement au régime de leur propre pays. Ils parlent au nom du genre humain.

Les déportations de masse, la terreur et la torture, les préjugés raciaux, la persécution politique et religieuse, la destruction, enfin, des institutions qui donnent à un peuple le sens de son identité, voilà autant d'agressions contre la dignité et la condition humaines; hommes et femmes de tous pays perçoivent l'odieux de tels actes. Dans les démocraties occidentales, nous chérissons tout particulièrement nos institutions représentatives, la primauté du droit, la démocratie et l'application régulière de la loi. Ces traditions confirment le droit à la dissidence que ce soit dans le domaine de la politique, de la religion, des sciences ou des arts.

Il s'agit pour nous des droits de la personne, mais leur importance va bien au-delà de l'individu puisqu'ils assurent le maintien de la diversité et l'épanouissement des minorités.

Il est parfois malaisé de répondre aux questions que soulèvent les minorités. Certaines aspirent à l'intégration, sinon à l'assimilation, tandis que d'autres la redoutent. Les premières craignent que les distinctions culturelles ne contribuent à réduire leurs chances de participer pleinement à la vie politique, sociale et économique alors que les secondes cherchent à défendre et à protéger de telles distinctions, convaincues que leur effacement conduira à l'assimilation et à l'abandon de leur identité. Bien des États-nations modernes jettent l'anathème sur la diversité. Leur gouvernement peut devenir un instrument de répression qui privera une minorité du droit de parler sa langue, de pratiquer sa religion, de perpétuer un mode de vie distinct de celui de la majorité; bref, il la privera de la liberté d'être.

Bien qu'il n'y ait pas lieu de nous fustiger, notre histoire n'est pas exempte de tels préjugés. Nous respectons les droits de la personne et la primauté du droit. Une tradition intellectuelle, fondée sur les avantages de la libre enquête et sur une longue expérience de la démocratie libérale, nous a permis de tirer des leçons de l'histoire. Nous ne pouvons toutefois pas nous targuer d'être supérieurs à cet égard. S'ils ont soutenu les droits de la personne, les Canadiens ont aussi succombé à la tentation de l'intolérance. S'ils ont parfois écouté les voix de la contestation, ils les ont aussi étouffées. L'examen de notre histoire nous permettra de mieux comprendre comment recréer un monde qui favorise l'épanouissement des droits et des libertés fondamentales de la personne.

Le combat pour la survie quotidienne occupe tout entier les peuples et les gouvernements de bien des pays. Dans certains cas, la primauté du droit et le développement des institutions démocratiques devront peut-être attendre. Il existe toutefois des pays bien nantis en ressources naturelles, où la technologie est avancée et dont la population est instruite, qui continuent pourtant de nier à leur peuple les droits de la personne. Les tyrans de la droite, tout comme ceux de la gauche, empruntent le vocabulaire de la démocratie: ils tiennent des simulacres d'élections, promettent de respecter les droits de la personne, promulguent des constitutions qui garantissent en vain l'égalité des races, des langues et des religions.

Les peuples de toutes ces nations ont en commun la nostalgie profonde de la liberté; ils désirent tous vivre sous un gouvernement responsable, là où l'ordre public ne s'achète pas au prix de la dignité humaine. Les démocraties occidentales ont des gouvernements stables qui dirigent le peuple avec l'assentiment de la majorité; les citoyens peuvent y participer aux décisions qui régissent leur vie, et le pouvoir y changer de main sans mort ni violence. Tous les peuples aspirent à une certaine mesure d'autodétermination et devraient pouvoir y parvenir comme ils l'entendent, selon leurs coutumes; dans cette quête de l'autonomie, nombreux sont ceux qui cherchent à imiter les institutions démocratiques des pays de l'Ouest.

Dans le monde occidental, la liberté est d'autant plus précieuse qu'elle est fragile; fondé sur le principe d'une société juste, le concept de liberté évolue dans la pensée occidentale depuis le classicisme. Et pourtant, du fait que nos gouvernements démocratiques ont acquis leur forme actuelle dans les Etats-nations ethniquement bien définis comme la France et l'Angleterre, nous n'avons pas complètement élaboré ou établi des garanties institutionnelles protégeant les minorités linguistiques, religieuses, culturelles ou raciales.

À vrai dire, nos vues sur les droits de la personne ne se sont élargies que récemment pour inclure les droits des minorités. Les gouvernements s'opposent habituellement à la décentralisation du pouvoir, à l'implantation de la diversité, à ce qu'ils considèrent comme un affaiblissement de l'État-nation. Ceci est particulièrement vrai lorsqu'un seul peuple dominant tient l'État pour son instrument politique propre. Il arrive alors que le gouvernement considère les langues et les cultures minoritaires comme des anomalies passagères. Au Canada, il s'est cependant avéré qu'une telle diversité constituait l'essence de notre histoire.

Les droits de la personne et la dissidence au Canada ne peuvent être examinés isolément. Nos succès, nos échecs, nos tentatives en vue de nous adapter aux minorités ne concernent pas que les Canadiens. Si des peuples qui diffèrent sur le plan de la race, de la culture, de la religion et de la langue peuvent vivre en harmonie dans un grand État fédéral, peut-être pourront-ils apprendre à vivre en harmonie dans le monde entier.

Mais qu'en est-il de l'expérience canadienne? Que nous enseigne notre histoire et qu'enseigne-t-elle au reste du monde? Le Canada a adopté une nouvelle constitution et une charte des droits et libertés. Ce faisant, il a rompu les derniers liens de la dépendance coloniale. En outre, le fait même d'établir une constitution nous a forcés à préciser l'idée que nous nous faisions du Canada. Une constitution n'est pas un simple outil permettant de régler les différends en cours. C'est une structure juridique qui révèle nos valeurs, un document qui exprime le respect que nous devons au passé, mais qui s'adresse aussi aux générations à venir.

Notre constitution ne vise pas le seul partage des revenus et des ressources entre le gouvernement central et les provinces. Comme l'Acte de l'Amérique du Nord britannique, elle établit le partage du pouvoir de légiférer entre le Parlement et les provinces. Il s'agit là d'une répartition réelle du pouvoir, celui qu'exerce la majorité par l'entremise du gouvernement fédéral ou par le jeu des gouvernements provinciaux. Toute personne sensée comprendra cependant qu'il faut limiter ce pouvoir: il doit exister des garanties pour les droits des minorités et des dissidents; on doit protéger ceux qui autrement seraient impuissants à se défendre.

Le Canada n'est pas un État-nation semblable à ceux d'Europe, où se sont développées nos notions de démocratie et d'application régulière de la loi. Il y a ici deux peuples fondateurs, les Français et les Anglais, dans le cadre d'un seul État; il y a des peuples autochtones dont l'histoire leur permet de revendiquer un statut particulier; il y a enfin une diversité de groupes ethniques et de races qui ont émigré au Canada. C'est ainsi que de nombreuses minorités linguistiques, raciales, culturelles et ethniques peuplent le pays. Chacune d'entre elles a droit à des garanties collectives et individuelles en vertu de la Constitution et de la Charte des droits et libertés; chacune d'entre elles est en droit de compter sur la bonne volonté de la majorité. Pour toutes ces minorités, le droit à la différence constitue le pivot de la liberté.

Le Canada compte deux grandes sociétés, l'une anglophone, l'autre francophone, unies par les circonstances et par l'histoire. L'examen de notre passé révèle que la mise au point des relations entre ces deux sociétés forme la question centrale de notre histoire. On ne peut en effet discuter des institutions canadiennes autrement qu'en étudiant l'évolution des rapports entre les Anglais et les Français sur le continent. Comment ces deux communautés allaient aménager leurs rapports fut le thème dominant des discussions constitutionnelles qui ont abouti à la Confédération de 1867. Ce thème, bien qu'il s'estompe parfois, continue d'obscurcir les débats constitutionnels de notre époque.

Ces deux sociétés, urbaines, industrielles et bureaucratiques, ont aujourd'hui beaucoup en commun. Leurs différences culturelles et linguistiques conservent certes leur importance — d'ailleurs ne sont-elles pas à la source de cette tension créative qui caractérise la politique canadienne? — mais elles ne représentent plus une menace pour l'un ou l'autre groupe. Comme l'a remarqué Pierre Trudeau: «Les dés sont jetés au Canada. Aucun de nos deux groupes linguistiques ne peut obliger l'autre à s'assimiler.»

Il n'en fut pas toujours ainsi. La conquête de la Nouvelle-France par les Britanniques en 1759 a entraîné une série de tentatives visant l'assimilation des Québécois. Ceux-ci ont vaillamment résisté; ils sont passés de 60 000 à six millions d'habitants, et leur culture est plus que jamais florissante. Leur histoire incarne le combat de toutes les minorités.

À présent, chaque province canadienne compte une minorité francophone ou anglophone, dualité qui place la condition des minorités au cœur même de notre aménagement institutionnel. Qui plus est, l'hétérogénéité inhérente à notre vaste nation a engendré de très nombreuses formes de dissidence.

Ce livre ne concerne donc pas Laval, Frontenac, Wolfe ou Montcalm. Il ne traite pas de la Confédération, du Canadien Pacifique et de la Police à cheval du Nord-Ouest, non plus que des exploits canadiens lors de la Première ou de la Seconde Guerre mondiale. *Liberté fragile* aborde plutôt l'expulsion et le retour des Acadiens, la destruction de la nation Métis et la perte de son territoire dans les plaines; il traite de la crise des écoles au Manitoba où l'on niait aux Canadiens français le droit de fréquenter l'école française, et de la crise des écoles en Ontario où on leur niait le droit de parler français dans leurs propres écoles; il parle encore des Canadiens d'origine japonaise, de leur internement au cours de la seconde guerre mondiale et de leur proscription après la guerre; il rappelle les mesures prises contre les communistes pour restreindre leur liberté de parole et d'association, et la persécution des Témoins de Jéhovah au Québec; il traite de l'emprisonnement de centaines de dissidents lors de la crise d'octobre 1970 au Québec, et il expose enfin la question des droits des Autochtones et du mouvement actuel de revendications territoriales.

*Liberté fragile* porte donc sur les minorités et les dissidents, leurs combats, leurs victoires et leurs défaites. Mais ce livre concerne aussi le Canada et les Canadiens puisque les victoires et les défaites de nos minorités et de nos dissidents sont aussi, à leur façon, l'histoire des succès et des échecs de nos institutions, de notre Parlement, de notre législature, de nos tribunaux, de nos hommes politiques, de nos juges, de notre peuple.

Bien sûr, les luttes des minorités et des dissidents ne constituent pas la seule composante de l'expérience canadienne. Mais elles mettent en relief le fait que les Canadiens admettent la diversité et sont fort capables de tolérance. Elles affinent aussi la perception que nous avons de nous-mêmes. Nombre de ces luttes ont débuté dans le passé lointain; elles se poursuivent cependant et connaîtront peut-être un dénouement à notre époque.

Certains Canadiens voient leur histoire comme un fardeau et considèrent qu'il n'y a là que récits ennuyeux d'événements de jadis. Comment progresser, disent-ils, encombrés d'un tel poids? Pourquoi se rappeler les sombres détours du périple canadien? N'y a-t-il pas de fin à nos *mea culpa*? Nous sommes aujourd'hui une nation prospère et paisible, nous jouissons d'institutions stables, nous accordons pleine citoyenneté à des personnes de toutes races, de toutes confessions, de toutes familles linguistiques. Laissons donc dormir le passé. Comme le disait le président John F. Kennedy, «nous n'avons d'obligation que d'être justes en notre temps.»

Mais être justes en notre temps exige souvent la compréhension des temps anciens. Le monde n'est pas né de la dernière pluie, et nous ne pouvons découvrir les mesures qui apporteront la justice sans comprendre l'histoire du passé.

La constitution canadienne a toujours reconnu que nous sommes une nation pluraliste et non monolithique. C'est là l'une de nos plus belles traditions. Des réfugiés de tous continents, des immigrants de toutes races, des fidèles de toutes confessions et des exilés cherchant l'asile politique ont trouvé place dans la vie canadienne. Nous avons la chance de provenir d'origines diverses, de parler différentes langues. La malédiction d'une idéologie triomphaliste ne pèse pas sur nos têtes et nous ne nous adonnons pas au patriotisme aveugle. Voilà pourquoi le Canada est un pays difficile à gouverner; le consensus facile n'y existe pas. Et pourtant, cette diversité ne devrait pas nous effrayer puisqu'elle fait notre force, et non notre faiblesse.

La mosaïque canadienne, si ébréchée soit-elle par les conflits, laisse apparaître à chaque interstice un ciment de tolérance. Je parle de tolérance non pas comme de la simple indifférence, mais dans son aspect le plus positif, comme l'expression d'une croyance profonde aux vertus de la diversité et au droit à la dissidence.

Tout au long de notre histoire, nombreux sont les Canadiens qui se sont faits les champions d'un idéal de tolérance. Qui peut oublier le visage torturé de Louis Riel, mort en revendiquant les droits de son peuple? Ou ce grand homme, Wilfrid Laurier, plaidant la cause des Franco-Ontariens pendant la Première Guerre mondiale? Ou encore Angus MacInnis, soutenant les droits des Canadiens d'origine japonaise au cours de la Seconde Guerre, alors que toute la Colombie britannique, toute la nation en fait, s'opposait à leur présence? Et John Diefenbaker, réclamant la fin de la persécution dont étaient victimes les Témoins de Jehovah à la même époque; Pierre Trudeau, défenseur des libertés civiles au Québec sous le régime de Duplessis; Ivan Rand, grand juriste et philosophe, confirmant les droits des dissidents politiques et religieux dans les années 1950; et Emmett Hall, dont le jugement humanitaire dans la cause des Indiens nishgas ouvrit en 1973 tout le débat des revendications autochtones au Canada?

Il ne s'agit pas ici d'ériger un musée de cire à la gloire de nos héros nationaux. Mais la mémoire des Canadiens est encore peuplée des héros et héroïnes d'autres nations, et l'intelligence de notre identité en a souffert. Les crises du temps passé ont mis en évidence des hommes et des femmes qui ont énoncé et défendu une conception du Canada illuminant l'expérience canadienne.

Ces Canadiens, hommes et femmes courageux et compatissants, se sont engagés à poursuivre un idéal que nous pouvons tous partager aujourd'hui, un idéal qui dépasse de loin le partage du pouvoir, un idéal plus éloquent qu'aucune proposition constitutionnelle, un idéal dont les racines ont pris place bien avant la crise actuelle et qui y survivront, l'idéal que constitue la foi en la tolérance pour tous les peuples, la foi aux libertés fondamentales. Cet idéal du Canada représente la plus haute aspiration de toute nation, et il évoque ce qu'il y a de meilleur dans la tradition canadienne.

*Chapitre I*

# *L'expulsion et le retour des Acadiens*

*Chapitre I*

# *L'expulsion et le retour des Acadiens*

Quatre nations européennes ont colonisé le Nouveau Monde: l'Espagne et le Portugal ont laissé leur marque culturelle et linguistique au Mexique, en Amérique centrale et en Amérique du Sud; l'Angleterre et la France ont laissé la leur en Amérique du Nord. Bien avant l'Angleterre, la France envoie des colons en Amérique du Nord, et c'est à la baie de Fundy (baie Française), et non sur les rives du Saint-Laurent, que les Français établissent leur première colonie sur le Nouveau Continent. L'Acadie devient bientôt, et demeure pendant un siècle et demi, le point névralgique du conflit entre la France et l'Angleterre qui atteint son apogée en 1755, lorsque les Acadiens sont expulsés de leurs foyers et de leurs fermes à la baie de Fundy. Les Canadiens connaissent bien l'histoire poignante de cette douloureuse année, mais ignorent presque tout de l'histoire des Acadiens avant leur expulsion, et de leur retour au pays.

L'histoire des Acadiens fournit une parabole applicable à notre époque; comme le disait le professeur Naomi Griffiths dans *The Acadians: Creation of a People*, c'est l'histoire de «la déclaration des droits d'une petite colonie opposée aux prétentions de grands empires». Les Acadiens veulent être libres de cultiver la terre, de parler leur propre langue, de pratiquer leur religion et de transmettre leurs valeurs à leurs enfants. C'est ce qu'ils feront en dépit des épreuves de la vie de pionnier, des afflictions de la guerre et de la perte de leur pays.

Les revendications des rois de France et d'Angleterre s'opposent bien avant la naissance de l'Acadie. Jean Cabot, Vénitien au service de l'Angleterre, a exploré la côte de Terre-Neuve en 1497, et les prétentions des Anglais en Amérique du Nord s'appuient sur ses découvertes. Quarante ans plus tard, après avoir effectué une reconnaissance dans le golfe l'année précédente, Jacques Cartier remonte le Saint-Laurent en 1535 et est arrêté par des rapides alors infranchissables, près du Montréal d'aujourd'hui. Cartier et ses hommes passent l'hiver près du site actuel de la ville de Québec. Ils souffrent amèrement du scorbut et du froid rigoureux qu'ils n'avaient pas prévu, sachant que Québec et Paris sont presque à la même latitude.

Bien sûr, Cabot et Cartier ne sont pas les premiers Européens à venir en Amérique du Nord depuis les expéditions scandinaves au Vinland, époque que l'on situe vers l'an mille. Même avant la venue de Colomb, en 1492, des pêcheurs de l'Europe de l'Ouest s'aventurent jusque sur le Grand Banc au large de Terre-Neuve. Tout au long du XVIe siècle, des centaines de navires en provenance d'Espagne, du Portugal, d'Angleterre et de France vogueront chaque année sur l'Atlantique pour venir exploiter les bancs. Dominée par les pêcheurs d'Angleterre et de France, la pêche à la morue dans l'Atlantique Nord deviendra l'une des grandes industries de l'Europe de l'Ouest. Les Anglais établissent leurs bases pour la saison d'été sur la côte est de Terre-Neuve, particulièrement sur la péninsule d'Avalon. Les Français s'installent à proximité du golfe Saint-Laurent, le long de la côte sud de Terre-Neuve, et poussent à l'ouest jusqu'au cap Breton. À Terre-Neuve, les Anglais font du port de Saint-Jean leurs quartiers généraux tandis que les Français concentrent leurs effectifs dans la baie de Plaisance.

Pour ces pêcheurs, les côtes de l'Amérique du Nord ne sont rien de plus que des plages utiles au séchage du poisson. Ils y reviendront chaque été, mais n'y établiront pas de colonie permanente. Ce n'est que vers la fin du XVIe siècle que les pêcheurs, encouragés par l'augmentation de la demande pour les peaux de castor, navigueront le long des rives du golfe Saint-Laurent et remonteront le fleuve pour faire la traite des fourrures avec les Indiens. Les chapeaux de castor sont à la mode en Europe, et la naissance du commerce des fourrures entraînera l'établissement des premières colonies permanentes au Canada.

Pierre Du Gua, sieur de Monts, avait déjà remonté plusieurs fois le fleuve Saint-Laurent lorsqu'il quitte la France en 1604 à destination de la baie Française. Le roi de France lui a octroyé le monopole de la traite des fourrures entre le 40e et le 46e parallèle, à condition qu'il y établisse une colonie. Jean-Baptiste Colbert, principal conseiller du roi, croit en effet que la présence française en

Amérique du Nord doit être permanente si l'on veut exploiter les richesses du Nouveau Continent. Jean de Biencourt de Poutrincourt, jeune noble français, voyage avec de Monts dans l'espoir de conquérir de nouveaux territoires au nom de la France et Samuel de Champlain l'accompagne à titre de géographe et de cartographe.

De Monts établit sa première colonie sur une île à l'embouchure de la rivière Sainte-Croix, à proximité de la rive nord de la baie de Fundy, et c'est là que quatre-vingts hommes passent l'hiver de 1604-1605. L'île manque cependant d'eau douce et de bois. Les colons traversent une période lamentable, et près de la moitié des hommes meurent du scorbut. Lorsque les bateaux de de Monts reviennent de France en 1605, on transporte les survivants sur le site d'une nouvelle colonie: Port-Royal, sur la rivière Annapolis près de la rive sud de la baie de Fundy. Les nouvelles recrues aident à démanteler les installations de Sainte-Croix et à transporter sur le nouveau site le bois ayant servi à leur construction. Quarante hommes hivernent à Port-Royal en 1605-1606. Une habitation de bois rond y abrite le gouverneur, un prêtre, les commerçants et les soldats. On pratique la traite des fourrures avec les Indiens de la baie. Champlain cultive un petit potager, endigue un ruisseau pour créer un étang à truites et construit des réservoirs d'eau salée pour y conserver la morue vive. Les colons fondent l'Ordre de Bon Temps dont les membres se chargent à tour de rôle d'organiser un grand dîner où l'on déguste «des viandes dont la plus tendre est l'orignal et la plus délicate, la queue de castor, et parfois, une demi-douzaine d'esturgeons».

En 1606, de Monts approvisionne Port-Royal et y envoie de nouveaux colons. Parmi ceux-ci se trouvent Louis Hébert, un apothicaire, et Marc Lescarbot, écrivain et avocat qui veut «voir cette terre de ses propres yeux et fuir le monde corrompu». Depuis la conquête du Mexique par Cortez et du Pérou par Pizarro, la possibilité de trouver de l'or et de l'argent dans les Amériques a stimulé les potentats d'Europe. Allait-on faire prisonnier un autre Montezuma ou mettre à rançon un autre Atahualpa? Bien que Champlain cherche de façon intermittente à découvrir une mine d'argent, les Français de l'Acadie se voient non pas comme des conquistadors mais bien comme des colons sur une terre nouvelle. Dans son journal, Lescarbot écrit:

> ... l'agriculture doit être notre but. C'est la mine d'or qu'il nous faut découvrir et elle vaut mieux que tous les trésors d'Atahualpa car celui qui a du maïs, du vin, des bêtes, du

> lin, de la toile, du cuir, du fer et enfin, de la morue n'a besoin d'aucun autre trésor.

Voilà donc ce qu'est Port-Royal à l'époque: c'est le Port-Royal que nous ont enseigné nos manuels d'histoire, le berceau de l'Acadie, la première colonie permanente établie par les Européens au nord de la Floride. C'est le Port-Royal des héros tels Champlain, Poutrincourt, Lescarbot et Hébert.

Cependant, de Monts ne peut faire respecter son monopole sur le commerce des fourrures, et bien des navires braconnent sur son domaine. En 1607, le roi lui retire son monopole. Champlain et les autres rentrent en France après la récolte du blé et laissent l'habitation de Port-Royal aux soins des Indiens micmacs. L'année suivante, Champlain franchit à nouveau l'Atlantique pour venir fonder un poste de traite à Québec. Il ne retournera jamais plus en Acadie.

Avec la fondation de Québec, le centre des activités françaises en Amérique du Nord se déplace de la baie de Fundy vers le fleuve Saint-Laurent. Champlain a alors l'occasion d'exercer ses grands talents de navigateur, d'explorateur, de géographe et de colonisateur. C'est à juste titre qu'on l'appellera le père de la Nouvelle-France. Il constate que le fleuve Saint-Laurent donne accès, à partir de Québec, à un vaste hinterland riche en fourrures. On voit bientôt un réseau de routes de canoës se développer sur des milliers de milles jusqu'au cœur du continent. Jusqu'à sa chute en 1759, Québec va ainsi devenir le siège principal de l'empire français en Amérique du Nord.

L'Acadie a donc été abandonnée en 1607, mais pour peu de temps. Trois ans après le départ du sieur de Monts, de Champlain et de leurs camarades, Jean de Biencourt de Poutrincourt y revient accompagné de son fils, Charles de Biencourt, du père Fléché et d'autres colons. Le chef des Micmacs de la région leur souhaite la bienvenue. L'habitation abandonnée en 1607 est restée intacte et les nouveaux venus y rétablissent la colonie. Poutrincourt partage les lots défrichés entre les colons qui continueront à déboiser et à labourer la terre. À la fin de l'été, le jeune Biencourt rentre en France; il revient cependant à Port-Royal en 1611, accompagné cette fois de deux jésuites missionnaires et fonde une autre colonie sur la rive nord de la baie de Fundy à l'embouchure de la rivière Penobscot. Cette colonie portera le nom de Saint-Sauveur.

Même à cette époque, alors que les colonies française et anglaise du Nouveau Monde ne sont formées que de petits groupes agrippés à la côte et vivant de façon précaire à même de maigres ressources, les conflits ne cessent d'opposer Anglais et Français. Il semble incroyable que les Anglais de Virginie puissent se sentir menacés quand des centaines de milles de forêt sauvage les séparent des Français. Ils n'en soutiennent pas moins que le 45e parallèle, qui traverse la baie de Fundy, constitue la limite nord de la Virginie. En 1613, le gouverneur de cette colonie enjoint le capitaine Samuel Argall d'aller détruire les colonies françaises d'Acadie même si à ce moment-là la France et l'Angleterre ne sont pas en guerre.

En juillet 1613, Argall navigue vers le nord et s'empare de Saint-Sauveur, faisant les colons prisonniers. En octobre suivant, il retourne en Acadie où il pille et brûle les maisons de Port-Royal; les nombreux colons qui travaillent aux champs ou dans les bois échappent toutefois au massacre. Poutrincourt ne découvrira les ruines de son entreprise prometteuse que lorsqu'il reviendra de France, en 1614, accompagné d'autres colons. Il rentrera au pays avec la plupart d'entre eux. Avant son départ, il remet tous ses droits et possessions en Acadie à son fils Charles de Biencourt. Celui-ci et ceux des colons qui ont évité le pillage resteront en Acadie pour rebâtir Port-Royal.

En 1621, sans égard aux prétentions de la France en Acadie, le roi Jacques 1er d'Angleterre accorde tout le territoire d'Acadie à un compatriote écossais, Sir William Alexander, comte de Stirling. À l'instar de la Nouvelle-France, de la Nouvelle-Angleterre et de la Nouvelle-Amsterdam, Alexander décide d'appeler son domaine la Nouvelle-Écosse ou Nova Scotia. Il y envoie en 1627 quatre bateaux qui transportent 70 colons. Ceux-ci s'emparent de la modeste colonie française à Port-Royal. En 1629, Champlain est forcé d'abandonner Québec à la flotte anglaise sous le commandement de Thomas Kirke. En 1632, les Anglais acceptent d'évacuer «tous les lieux occupés en Nouvelle-France, La Cadie et le Canada» aux termes du traité de Saint-Germain-en-Laye. Les Écossais rentrent alors en Europe.

Dans la décennie qui suit, de 200 à 300 colons français viennent s'établir en Acadie. Ce groupe ne compte sans doute pas plus de soixante femmes. À partir de cette souche, la population de l'Acadie croîtra à un rythme constant. Les colons construisent un nouveau fort, réensemencent les champs de Poutrincourt et ouvrent une école. À mesure que la colonie grandit, ils défrichent la terre, établissent de nouvelles fermes le long des rives du fleuve et construisent des digues pour protéger leurs champs des marées de la baie de Fundy. La colonie vend des fourrures, du poisson et du bois à la France et entre dans un ère de modeste prospérité.

À cette époque, un différend oppose deux Français, Charles de la Tour et Charles d'Aulnay, qui se disputeront pendant dix ans le droit de gouverner l'Acadie au nom du roi de France. La dispute est étrange et sanglante, de la Tour tuant d'Aulnay et épousant sa femme en vue de consolider sa position. Malgré ces épisodes rocambolesques, les colons continuent de défricher et d'étendre paisiblement le domaine agricole pour lequel deux nobles français se battent frénétiquement.

Peu après le triomphe de de la Tour sur d'Aulnay, le vrai combat pour l'Acadie, celui qui oppose la France et l'Angleterre, est ravivé. Les frontières de l'Acadie n'ont jamais été clairement définies, et ce territoire se trouve au carrefour de l'empire français qui s'étend sur les rives du Saint-Laurent et de l'empire anglais, situé plus au sud sur la côte Atlantique. La France et l'Angleterre sont continuellement en lutte au sujet de l'Acadie. En un siècle, l'Acadie changera de mains neuf fois; six fois par la force des armes, trois fois en vertu de traités.

Selon l'historien John Bartlet Brebner: «Il y avait en effet deux Acadies, aussi importantes l'une que l'autre; la première était la scène d'un conflit international, la seconde, le territoire défriché et exploité par les Acadiens.» En 1654, les Anglais capturent de nouveau Port-Royal puis le rendent aux Français en 1670. À cette époque, quelque 350 ou 400 colons francophones, pour la plupart originaires d'Acadie, vivent le long de la côte dans la vallée d'Annapolis. En 1671, des Acadiens quittent Port-Royal pour aller établir une colonie à Beaubassin, à l'embouchure de la baie de Chignecto, et dix ans plus tard, d'autres compatriotes entreprennent de coloniser les marais aux environs du bassin Minas. En quelques années, on voit surgir plusieurs colonies acadiennes à l'embouchure de la baie de Fundy et bientôt, la population y dépasse celle de Port-Royal.

Les Acadiens cultivent principalement le blé, mais chaque ferme possède un potager et un petit verger. On y élève des bovins, des moutons et des cochons. Les fermiers arrachent la terre des marais salants qui entourent la baie. Ils construisent des digues pour régulariser le flux des eaux dans les marais et inventent un système d'écluses qui permet d'en expulser l'eau douce dans la mer sans pour autant laisser pénétrer l'eau salée.

Les collectivités acadiennes de la baie de Fundy prospèrent par la persévérance et le dur labeur. Le foyer typique abrite trois et même quatre générations. Les fermiers se font au besoin pêcheurs, forgerons, charrons, charpentiers ou tonneliers. Ils possèdent des scieries et des moulins à farine. Le commerce avec la Nouvelle-Angleterre est prohibé mais la France est impuissante à faire respecter une telle interdiction; on échange donc des fourrures, du blé et des bovins contre de la mélasse, du sucre, des haches et de la ferronnerie. En fait, les Acadiens se soucient peu de la garnison française de Port-Royal, encore moins de Versailles, et pas du tout des colonisateurs qui ont fondé la Nouvelle-France sur les rives du Saint-Laurent.

En 1701, les Acadiens vivent à la baie de Fundy depuis près d'un siècle et leur population se chiffre à 1 134 habitants. Ils ne sont plus un avant-poste de l'empire français; ils sont nés en Acadie où ils se sont donnés un mode de vie enviable pour l'époque et, à vrai dire, à toute époque. Dans l'ensemble, ils se gouvernent eux-mêmes. Ils n'ont pas de garnison puisque leurs rapports avec les Indiens sont harmonieux. Il y a suffisamment de terres pour répondre aux besoins d'une population croissante. Dans chaque poste, un prêtre rédige les contrats de mariage et les testaments, supervise le partage des propriétés, règle les disputes entre les fermiers et enseigne aux enfants à lire et à écrire. Daniel Auger, sieur de Subercase, le dernier gouverneur français d'Acadie écrira: «Plus je l'observe, plus je pense que ce peuple est le plus heureux du monde.»

Entre temps, le conflit se poursuit entre la France et l'Angleterre. À partir de 1618, après l'éclatement de la guerre de Trente Ans en Europe, les deux puissances sont en guerre pendant près d'un siècle, et chaque affrontement se répercute en Amérique du Nord. En fait, avant 1759, les rapports entre Français et Anglais du Nord semblent n'avoir été que guerres insensées, aux noms déroutants et aux origines obscures quoique toujours européennes. La guerre du roi Guillaume dure ainsi de 1689 à 1697. En 1690, Port-Royal tombe à nouveau aux mains des Anglais, mais est une fois de plus rendu à la France par le traité de Ryswick.

La guerre de la reine Anne, que l'on appelle aussi la guerre de la Succession d'Espagne, éclate en 1702 et se prolonge jusqu'en 1713. En 1710, plus de 1 900 hommes de l'armée anglaise et de la milice de la Nouvelle-Angleterre naviguent vers l'amont de la baie de Fundy pour venir attaquer Port-Royal par la mer. L'envahisseur met pied à terre, et après une semaine de siège et de bombardement, Subercase, le commandant français à la tête d'une garnison ne comptant que 258 hommes, doit capituler. Port-Royal ne sera jamais plus gouverné par la France. Les Britanniques renomment la garnison Fort-Anne et la ville, Annapolis Royal en l'honneur de leur reine. Cette fois-ci, le traité de paix ne rend pas l'Acadie aux Français. En 1713, la colonie passe à jamais aux mains des Anglais aux termes du traité d'Utrecht. La France reconnaît les prétentions de l'Angleterre à la baie d'Hudson et à Terre-Neuve, cède l'Acadie «conformément aux anciennes limites», mais garde l'île Royale (île du Cap-Breton) et l'île Saint-Jean (île du Prince Édouard). Elle conserve aussi ses droits de pêche sur le Grand Banc le long de la côte nord de Terre-Neuve.

La population acadienne se chiffre alors à 2 500 habitants et continue de croître rapidement, surtout à cause de l'augmentation des naissances. Qu'adviendra-t-il des Acadiens sous le régime britannique? Le traité d'Utrecht stipule qu'ils peuvent émigrer en territoire français, mais ils sont peu disposés à abandonner les terres fertiles de la baie de Fundy pour s'installer sur l'île Royale ou l'île Saint-Jean. Ils décident de rester, population française et catholique, sous la domination anglaise. C'est la première fois que les Anglais tentent de gouverner un peuple dont la langue, la religion et le patrimoine culturel non seulement diffèrent des leurs mais s'y opposent en quelque sorte totalement. L'entreprise est hasardeuse mais commence bien. Le traité stipule que les Acadiens qui refusent d'émigrer deviendront sujets britanniques, mais conserveront le droit de pratiquer leur propre religion. Mais les choses prennent bientôt mauvaise tournure.

La lutte opposant la France et la Grande-Bretagne en Amérique du Nord n'est pas terminée. Les Français n'ont pas abandonné l'espoir de dominer le continent. Ils relogent leur garnison sur l'île Royale et se mettent à construire à Louisbourg la plus grande forteresse de l'Amérique du Nord en vue de maîtriser l'entrée du fleuve. La cession de l'Acadie se limitait aux «anciennes limites» du territoire. Celles-ci n'ont jamais été clairement définies; les Français soutiennent qu'ils n'ont cédé que la péninsule de la Nouvelle-Écosse telle que nous la connaissons de nos jours et qu'ils détiennent toujours le territoire que l'on connaît à présent comme le Nouveau-Brunswick. Les Acadiens sont donc toujours au cœur de l'antagonisme entre les deux grandes puissances.

Au début, les Britanniques sont aussi peu disposés que les Français l'avaient été à gouverner l'Acadie d'une main de fer. La nouvelle garnison d'Annapolis Royal n'est pas plus rapprochée de la vie des fermes que ne l'était auparavant la garnison française. L'ordre britannique ne règne guère à Minas et à Beaubassin, et pas du tout dans les hameaux établis par les Acadiens sur la rive nord de la baie, territoire faisant l'objet de la dispute. Les Britanniques insistent toutefois pour que les Acadiens prêtent serment d'allégeance au roi d'Angleterre, comme l'exige le traité d'Utrecht. Les Acadiens sont prêts à jurer fidélité à la couronne d'Angleterre, mais ils veulent être assurés que ce serment ne les engagera point à servir sous les drapeaux contre la France. Voyant leur requête rejetée, ils refusent de prêter serment. Ils tergiverseront pendant quarante ans malgré les demandes réitérées du conquérant, parce qu'ils craignent de se trouver une fois de plus pris au piège du conflit incessant qui oppose la France à l'Angleterre.

Les Anglais se méfient des Acadiens comme d'un peuple suspect. Les Français mettent en eux leur espoir et comptent sur eux pour reprendre la péninsule. Sans doute les Acadiens préféreraient-ils vivre sous le drapeau français, mais ils n'ont nullement l'intention de servir de cheval de Troie. À vrai dire, ils ne veulent se battre ni contre, ni pour les Français. Ils sont bien plus préoccupés de leur famille et de leur ferme que des prétentions des rois français ou britannique à leur allégeance. Ils refusent toujours de jurer fidélité au roi d'Angleterre bien que certains villages renvoient aux Anglais un serment de leur composition stipulant qu'on ne devra jamais exiger d'eux qu'ils combattent contre la France, ni contre les Indiens.

En 1730, le gouverneur Phillips persuade les Acadiens de se soumettre à la couronne britannique et les exempte par écrit de servir dans les armées du roi. Aux yeux des Acadiens, ce traité leur confère un statut neutre. En effet, les Britanniques les appelleront souvent par la suite les «French neutrals», mais n'en demeureront pas moins inquiets à la pensée d'avoir un jour à défendre une colonie catholique et francophone dans une guerre contre la France.

Certains des prêtres français sont aussi peu portés que les Anglais à permettre aux Acadiens de demeurer neutres. L'abbé Jean-Louis Le Loutre, missionnaire chez les Micmacs, les maintient par exemple dans un état perpétuel d'appréhension. Il organise des incursions indiennes contre les Anglais et presse les Acadiens de quitter leur ferme en territoire britannique pour aller s'installer sur l'île Saint-Jean, l'île Royale ou à Beauséjour, ce fort que les Français ont érigé sur la pointe de l'isthme à l'embouchure de la baie de Fundy.

En 1743, l'interminable lutte entre la France et l'Angleterre reprend de plus belle par le biais de la guerre de Succession d'Autriche. En 1745, après un siège de sept semaines, Louisbourg tombe aux mains de William Shirley, gouverneur du Massachusetts. Trois ans plus tard, l'Angleterre rend cependant Louisbourg à la France par le traité d'Aix-la-Chapelle, au grand dam des habitants de la Nouvelle-Angleterre. La guerre n'en continue pas moins puisque l'une ou l'autre des grandes puissances doit avoir la haute main en Amérique du Nord. Pas question de coexistence paisible entre les colonies françaises et anglaises, ni de paix pour les Acadiens dont la population atteint alors 10 000 âmes.

Dans le bassin du Saint-Laurent, dans la vallée de l'Ohio et en Acadie, la lutte entre Français et Britanniques en Amérique du Nord atteint presque son point culminant. Les Anglais fondent Halifax en 1749 pour contrer la force française de Louisbourg. Ils érigent aussi des fortifications sur les deux berges de l'isthme de Chignecto. En 1755, une attaque est dirigée contre le fort Beauséjour par une armée britannique, composée surtout de miliciens de la Nouvelle-Angleterre. Lorsque le fort tombe, on y trouve 200 Acadiens qui servaient sous les drapeaux français. Ceux-ci soutiennent qu'ils ont combattu sous la menace, mais les Britanniques n'en croient rien. Le colonel Charles Lawrence, gouverneur de la Nouvelle-Écosse et commandant de l'armée, s'inquiète d'avoir à se battre contre les Français en présence de 10 000 Acadiens. Croyant qu'il n'a d'autre choix, il décide de les expulser de la colonie.

La déportation ne vise pas qu'à éviter une attaque des Français en Nouvelle-Écosse. Les terres sont aussi un enjeu puisqu'en 1740, Jean-Paul Mascarene, huguenot français au service du roi d'Angleterre, avait prévenu les Acadiens que s'ils s'entêtaient à refuser de prêter serment d'allégeance, «le peuple de la Nouvelle-Angleterre ne demanderait pas mieux que de prendre possession de terres déjà déboisées et toutes prêtes à les accueillir». Le conseil de la Nouvelle-Écosse est composé de cinq membres dont trois viennent de Nouvelle-Angleterre. Depuis le début du siècle, des soldats de Nouvelle-Angleterre mènent campagne en Acadie et y admirent à loisir les fermes fertiles de la vallée d'Annapolis. Pourquoi ces riches terres devraient-elles demeurer aux mains d'un peuple qui attend la victoire française dans une guerre sur le point d'éclater? Déporter les Acadiens libérerait leurs fermes au profit de ces gens de Nouvelle-Angleterre avides de terres. Le colonel John Winslow, officier britannique, écrit dans son journal:

> Nous formons le noble et grand dessein de bannir les Français neutres de la province... Si nous exécutons ce projet, ce sera l'un des plus grands exploits accomplis par les Britanniques en Amérique du Nord puisque, entre autres choses, la partie du pays qu'occupent les Acadiens est l'une des terres les plus fertiles au monde, et nous pourrions placer de bons fermiers sur les domaines des Français expulsés.

En juillet 1755, le gouverneur et le conseil de la Nouvelle-Écosse font mander à Halifax les dirigeants des villages acadiens et les somment de prêter serment d'allégeance au roi. Les Acadiens s'y refusent toujours. Le 25 juillet, le gouverneur et le conseil adoptent la résolution formelle de les déporter.

> Afin que les habitants ne puissent ni revenir dans la province, ni joindre les Français du Canada ou de Louisbourg pour en grossir les rangs, il est résolu qu'ils seront dispersés dans les colonies de Sa Majesté sur le continent d'Amérique...

Les Acadiens n'ont pas le temps de changer d'avis et de prêter serment; on les traite comme des sujets français dont la présence constitue une menace directe à la sécurité britannique. Charles Morris, arpenteur en chef de la Nouvelle-Écosse et né en Nouvelle-Angleterre, recommande que les digues construites par les Acadiens soient détruites et que leurs récoltes soient brûlées afin d'enlever aux habitants tout motif de retour. Le gouverneur Lawrence ordonne à ses troupes d'expulser les Acadiens du pays.

> Et si vous n'y arrivez pas par des moyens équitables, vous pouvez prendre les mesures les plus rigoureuses non seulement pour les obliger à s'embarquer, mais aussi pour priver ceux qui s'échapperont de tout abri et de tout appui en incendiant leurs maisons et en détruisant tout ce qui pourrait leur servir de moyen d'existence en ce pays.

En septembre et octobre 1755, les forces britanniques,

aidées de la milice de la Nouvelle-Angleterre, rassemblent les Acadiens et les embarquent sur des navires fournis par la Royal Navy. Annapolis, Minas et Chignecto sont les trois principaux points d'embarquement. Winslow supervise l'opération à Minas; quatre cents miliciens de Nouvelle-Angleterre bivouaquent dans la cour de l'église de Grand-Pré. Il ordonne aux Acadiens de sexe mâle de se rassembler dans l'église et les y enferme sous la surveillance de la garde. Puis, il lit à voix haute l'ordre de déportation signé du gouverneur.

> Messieurs, j'ai reçu les instructions du roi par l'entremise de Son Excellence le Gouverneur Lawrence. Par ordre du Gouverneur, vous êtes appelés à entendre la résolution de Sa Majesté... Conformément aux instructions et à l'ordre du roi... vos terres, vos bâtiments, vos bestiaux et tout ce qui compose votre cheptel sont confisqués par la Couronne comme le sont tous vos biens, à l'exception de votre argent et de vos effets personnels, et vous êtes expulsés de cette province...

Winslow permet alors aux femmes et aux enfants d'entrer dans l'église et d'apporter des provisions aux hommes qui doivent attendre l'arrivée des navires. Le journal de Winslow nous fournit une description de la journée du départ.

> J'ai fait venir le père Landry, leur principal porte-parole; il comprend l'anglais et je lui ai dit que le temps était venu pour une partie des habitants de s'embarquer, que le nombre alloué pour aujourd'hui était de 250, et que l'on devrait commencer par les jeunes hommes. Je lui ai demandé d'en informer ses ouailles. Il était abasourdi. Je lui ai alors expliqué que cela devait être fait, et que je devais ordonner à tous les prisonniers de s'aligner en rangées de six, les jeunes hommes sur la gauche. La marée allant bientôt être favorable à mes plans, je ne pouvais leur donner plus d'une heure pour s'apprêter à monter à bord. Je commandai à mes hommes de se poster derrière mon quartier général, entre l'église et les deux barrières, et ceux-ci obéirent à mon commandement. Suivant mes instructions, tous les habitants français furent alignés en rangs, les jeunes hommes sur la gauche comme je l'avais exigé. Je détachai ensuite le capitaine Adams, un lieutenant et quatre-vingts sous-officiers et soldats pour conduire sous leur garde les jeunes fils des Français jusqu'aux bateaux. Ils refusèrent tous de

s'embarquer sans leur père. Je leur expliquai que la parole du roi était absolue et devait être obéie, que je n'aimais pas user de violence, et qu'on n'avait pas le temps de tergiverser. Je commandai alors à toute la troupe de mettre la baïonnette au canon et de marcher sur les Français. Je sommai les prisonniers des quatre premiers rangs de droite, soit 24 hommes que je désignai moi-même, de se séparer des autres. L'un d'eux s'y refusa; je l'attrapai et lui ordonnai de se mettre en marche. Il obéit, et les autres suivirent bien qu'à contrecœur. Ils partirent en priant, en chantant des hymnes et en pleurant. Tout le long du chemin qui s'étend sur un mille et demi, les hommes étaient accompagnés de leurs femmes et de leurs enfants qui pleuraient, gémissaient, priaient...

Les bateaux ne sont pas assez nombreux pour évacuer toute la population. Les hommes seront donc embarqués les premiers, laissant derrière eux leur famille qui ira les rejoindre plus tard. Les bateaux voguent cependant vers des ports différents, et bien des familles seront à jamais dispersées. «La séparation», écrit Winslow, «est une scène de détresse et de désolation».

Les Britanniques incendient ensuite les maisons et les granges, puis lâchent le bétail. Les champs et les marais, la terre que l'on avait déboisée, endiguée et drainée, tout est laissé dans un état lamentable. Tout le travail accompli en 150 ans de durs labeurs est anéanti en quelques heures.

Au total, les Britanniques déporteront près de 6 000 personnes en 1755, et environ 2 000 de plus dans les années subséquentes. Des Acadiens se réfugieront dans la forêt comme l'avaient fait leurs ancêtres lorsque Argall avait détruit Port-Royal un siècle et demi auparavant. Partant de Chignecto, nombre d'entre eux se rendront jusque dans la vallée de la rivière Saint-Jean et de la Miramichi. D'autres s'enfuiront vers les colonies établies le long du Saint-Laurent. D'autres encore parviendront à l'île Saint-Jean, demeurée aux mains des Français. Des prisonniers acadiens s'empareront du bateau qui les conduit en Caroline du Sud et reviendront à Saint-Jean. La résistance à la déportation s'affichera partout. Les Français, les Acadiens et les Indiens harcèleront les forces britanniques, occupées à détruire les établissements des Acadiens sur la rive nord de Chignecto. Plus au nord, sur les côtes de la baie des Chaleurs, la bataille continuera sporadiquement pendant des années.

La déportation des Acadiens de Nouvelle-Écosse a eu lieu un an avant le début de la guerre de Sept Ans, laquelle entraînera une deuxième déportation, celle des Acadiens de l'île Saint-Jean. En effet, même avant 1755, des Acadiens avaient émigré de la baie de Fundy à l'île Saint-Jean, et bien sûr, pendant la déportation, nombre de ceux qui avaient échappé aux troupes du gouverneur Lawrence s'y étaient réfugiés. En 1758, les Anglais occupent l'île Saint-Jean; en octobre et novembre, des soldats débarquent des navires ancrés à Port La Joye et rassemblent les Acadiens de l'île. Deux mille captifs sont ainsi embarqués sur les navires et emmenés en Europe. Trois de ces navires feront naufrage, et 700 prisonniers périront en mer. Certains réussissent à s'enfuir; à la baie Malpaque, quelque 300 Acadiens se réfugient dans les bois et retournent sur leur ferme après le départ des navires. Nombre des Acadiens qui vivent aujourd'hui sur l'île du Prince-Édouard descendent de ces survivants.

Lorsque Louisbourg capitule en 1758, les Anglais sont déjà maîtres en Acadie et dans toute la région du golfe Saint-Laurent. En 1759, les Anglais et les Français s'affrontent dans la bataille décisive des Plaines d'Abraham. Québec tombe. En 1763, la France cède le Canada à l'Angleterre par le traité de Paris. L'empire de la France en Amérique du Nord est alors réduit aux petites îles Saint-Pierre et Miquelon et à la côte française de Terre-Neuve.

La déportation des Acadiens a dépeuplé les colonies de l'Acadie et du golfe du Saint-Laurent. La Nouvelle-Écosse est maintenant une province britannique de fait comme de nom, et devient la possession des Néo-Anglais. La Nouvelle-Angleterre est surpeuplée, et l'érosion y gruge les terres agricoles. Cependant, les Appalaches et l'inimitié des Indiens empêchent ses habitants de pousser la colonisation vers l'ouest. Les soldats de cette colonie ont participé à la prise de Port-Royal en 1710, et c'est la milice de la Nouvelle-Angleterre qui a exécuté l'expulsion des Acadiens. Des agents de la Nouvelle-Écosse se rendent donc au Massachusetts, au Connecticut, au Rhode Island et dans toutes les colonies britanniques de la Nouvelle-Angleterre pour offrir transport et approvisionnement gratuits à d'éventuels colons. La perspective de posséder des terres fertiles et déjà déboisées provoque une réponse enthousiaste. Des habitants de la Nouvelle-Angleterre viendront donc s'installer sur les fermes des Acadiens dans la vallée d'Annapolis, la région du bassin Minas et le long de la côte sud de la Nouvelle-Écosse. D'autres iront occuper les terres de la vallée

Saint-Jean. De 1760 à 1770, environ 7 000 d'entre eux immigreront en Nouvelle-Écosse. Après 1770, ces immigrants se font moins nombreux, mais on voit arriver en Nouvelle-Écosse un flot continu d'immigrants anglophones venant du Yorkshire, d'Écosse et d'Irlande.

Qu'advient-il cependant des Acadiens, cette triste cargaison que les bateaux ont emmenée au Massachusetts, à New York, dans les Carolines et en Géorgie? Dépossédés et dispersés, ils n'entreprennent pas moins le chapitre le plus étonnant de leur histoire. Ils décident de rentrer au pays. Ceux qui s'étaient réfugiés dans la vallée Saint-Jean ou sur les îles du golfe sont parmi les premiers à rentrer. Ils sont suivis de près par ceux qui ont été débarqués le long de la côte atlantique. Par voie de terre ou de mer, 3 000 d'entre eux reviennent au pays. Ils voyagent à pied, en canot et en charrette, certains partant d'aussi loin que la Louisiane. Ces voyageurs épuisés vont un jour reconstituer le peuple acadien.

En 1763, la fin de la guerre de Sept Ans met un terme aux déportations. Par la suite, on permet à nouveau aux Acadiens de posséder des terres en Nouvelle-Écosse. Bien sûr, ceux qui sont revenus ne peuvent réintégrer leurs fermes maintenant occupées par les colons venus de la Nouvelle-Angleterre, mais le gouvernement consent à les laisser s'installer sur les terres libres de la colonie. Les meilleures terres vacantes dont les Acadiens peuvent disposer se trouvent dans le Nouveau-Brunswick d'à présent, surtout le long de la côte est. Déportés de Nouvelle-Écosse, les Acadiens rentrent s'établir au Nouveau-Brunswick.

La dispersion de ce peuple rural ne l'a pas détruit. Non seulement survit-il, mais la déportation devient l'élément unificateur de son histoire. Partout où ils se réinstallent, les Acadiens trouvent réconfort dans les liens multiples de parenté, dans la langue et la religion qu'ils partagent et dans leur expérience commune de la douleur. Antonine Maillet, la grande romancière acadienne, a gagné le prix Goncourt 1979 pour son livre *Pélagie-la-charrette* qui raconte l'histoire de l'invincible Pélagie. Après «*le grand dérangement*», Pélagie voyage en charrette avec des compatriotes qui se joignent à elle le long du chemin. Partie de Géorgie, elle mettra dix ans à rentrer en Acadie. Maillet a dit: «Lorsqu'ils ont construit la charrette, ils n'étaient que des familles; arrivés en Acadie, ils formaient un peuple.»

À la fin de la révolution américaine (1775-83), quelque

60 000 loyalistes décident de quitter leur foyer dans les treize colonies triomphantes. La moitié d'entre eux immigrent en Nouvelle-Écosse. Ce sont des officiers, des fonctionnaires, des avocats, des médecins, des propriétaires fonciers et des marchands. Certains d'entre eux sont même accompagnés de leurs serviteurs. La terre arable commence à manquer sur la péninsule de Nouvelle-Écosse, et nombreux sont les nouveaux venus qui s'installent le long de la rivière Saint-Jean. En fait, environ 5 000 loyalistes immigreront dans la vallée en moins de douze mois et ils prendront aussitôt une ascendance politique et économique sur leurs voisins acadiens. Bientôt, les loyalistes veulent se libérer de la domination d'Halifax et, en 1784, la Nouvelle-Écosse est divisée à son isthme pour créer le Nouveau-Brunswick. Les Acadiens qui occupaient ce territoire ne sont pas consultés.

La venue des loyalistes repousse les Acadiens de la vallée de la rivière Saint-Jean. Ils se retirent plus au nord, le long de la côte du Nouveau-Brunswick et près des rives du golfe où ils établissent des colonies. Enfin laissés à eux-mêmes, ils reprennent l'existence paisible des générations précédentes. Situés à la périphérie de la vie institutionnelle du Nouveau-Brunswick, ils se raccrochent à leur langue et à leurs coutumes et forment des paroisses étroitement unies. Leur éloignement et leur économie basée sur l'agriculture et la pêche maintiennent et raffermissent leurs traditions. Conscients des distinctions de classe, les protestants ou les loyalistes ont peu de rapports avec eux.

Jusque vers la moitié du XIX^e^ siècle, la plupart des Acadiens sont illettrés, à l'exception de ceux à qui les prêtres catholiques ont enseigné à lire et à écrire. Vers les années 1850, on voit cependant apparaître les écoles paroissiales au Nouveau-Brunswick. Chaque groupe confessionnel a son école, et bien sûr, les enfants acadiens fréquentent l'école catholique. En 1864, l'Église établit le collège de Saint-Joseph. En 1867, paraît le premier journal acadien, *Le Moniteur acadien*, qui a pour devise «*Notre langue, notre religion et nos coutumes*». Jusque-là, c'est la tradition orale qui, chez les Acadiens, a servi à transmettre d'une génération à l'autre «*notre langue, notre religion et nos coutumes*». Avec l'avènement du journal et des écoles paroissiales, l'écriture devient le moyen de préserver ce patrimoine. Pour apprendre à lire et à écrire le français, il faut cependant pouvoir fréquenter l'école, et l'avenir des écoles catholiques d'Acadie sera grandement affecté par des développements politiques qui échappent à l'influence des Acadiens.

Dans l'ancienne colonie de Nouvelle-Écosse, le pouvoir politique était aux mains des Anglais d'Halifax: dans la nouvelle province du Nouveau-Brunswick, il appartient aux loyalistes de la vallée de la rivière Saint-Jean. C'est en 1864 qu'est prise à Charlottetown la célèbre photographie des pères de la Confédération; ces représentants du Canada sont venus demander aux provinces maritimes de se joindre à eux dans le projet d'union fédérale. Une fois de plus, on omet de consulter les Acadiens. Bien qu'ils soient minoritaires dans chacune des provinces, ils sont tout de même 45 000 à vivre dans les provinces maritimes. Ils n'ont aucun poids politique et seront donc exclus des discussions de Charlottetown et des réunions tenues plus tard à Québec et à Londres. George-Étienne Cartier défend les intérêts de ses compatriotes canadiens-français du Québec, mais personne ne parle au nom des Acadiens.

En 1867, un nouveau pays et une nouvelle constitution naissent de ces conférences tenues à Charlottetown, Québec et Londres. Adoptée par le Parlement britannique, la constitution canadienne, ou l'Acte de l'Amérique du Nord britannique, prévoit le gouvernement du nouveau pays. Le français et l'anglais seront les langues officielles du Parlement et des tribunaux fédéraux ainsi que des chambres de la législature et des tribunaux du Québec. L'Acte ne prévoit pas deux langues officielles au Nouveau-Brunswick; pourtant les Acadiens y constituent une grande partie de la population. La proportion d'Acadiens au Nouveau-Brunswick est même supérieure à celle des anglophones au Québec qui eux bénéficient d'une disposition protégeant leur langue.

Les dispositions de l'Acte de l'Amérique du Nord britannique concernant l'éducation sont encore plus importantes puisque le français est la langue enseignée dans les écoles paroissiales des Acadiens. L'article 93 de l'A.A.N.B. stipule que l'éducation est de compétence provinciale, mais il prévoit des garanties pour les écoles «séparées»[1]. Bien que la législature de chaque province aura compétence exclusive pour légiférer en matière d'éducation, «rien dans cette législation ne devra préjudicier à un droit ou privilège conféré par la loi, lors de l'Union, à quelque classe particulière de personnes dans la province relativement aux écoles confessionnelles». On évite ainsi de laisser à la merci des provinces le sort des écoles confessionnelles des minorités: si ces écoles étaient subventionnées par

1. Confessionnelles (N.d.T.).

les provinces avant la Confédération, elles continueront de recevoir les subventions provinciales.

C'est à ce point que l'histoire acadienne commence à se confondre avec celle des minorités canadiennes-françaises du Canada. Partout dans le pays, les écoles confessionnelles catholiques s'étaient faites le foyer de la culture et de la langue françaises; l'article 93 est censé les protéger des mesures que pourraient prendre les provinces anglaises pour diminuer leur rôle à cet égard, tout comme il est censé protéger les écoles confessionnelles de la minorité anglophone au Québec. Mais on verra bientôt qu'au Nouveau-Brunswick, l'article 93 ne protège guère les écoles confessionnelles des minorités canadiennes-françaises.

En 1858, la loi sur les écoles paroissiales avait établi au Nouveau-Brunswick un système d'écoles publiques. Dans les localités où la population pratiquait une même religion, ces écoles étaient devenues confessionnelles et continuaient de recevoir des subventions. Le Nouveau-Brunswick était donc doté d'écoles confessionnelles, même si la loi y prévoyait des écoles publiques. En 1871, quatre années seulement après la Confédération, le Nouveau-Brunswick adopte la Loi des écoles publiques qui prive de subventions les écoles confessionnelles. Toutes les écoles maintenues à même les fonds publics doivent, en droit, être non confessionnelles. L'arrangement officieux selon lequel les écoles confessionnelles disposaient de fonds publics ne sera dorénavant plus respecté.

Les Acadiens contestent cette loi devant les tribunaux. Ils soutiennent que l'article 93 garantit qu'aucune législation provinciale ne peut préjudicier aux droits et privilèges qu'ils détenaient en ce qui a trait aux écoles confessionnelles au moment de la Confédération. Mais l'article 93 ne s'appliquait qu'aux écoles confessionnelles ayant été établies par voie législative. L'allocation de fonds publics aux écoles confessionnelles du Nouveau-Brunswick n'avait pas fait l'objet d'une loi; c'était simplement une pratique admise. Dans la cause des Acadiens, ce fait posait un obstacle insurmontable. En 1873, la Cour suprême du Nouveau-Brunswick statue qu'aucun droit, ni privilège concernant les écoles confessionnelles n'a subi préjudice du fait de la législation de 1871 puisque, comme le déclare le juge William J. Ritchie: «... les droits en question doivent être des droits juridiques: en d'autres termes, des droits définis par la loi ou mis en vigueur en vertu d'une loi au moment de l'Union.» Ce fut aussi l'opinion du Conseil privé, la plus haute instance à laquelle pouvaient recourir les Canadiens.

Sans être une interprétation étroite de la lettre, cette décision va clairement à l'encontre de l'esprit de l'Acte de l'Amérique du Nord britannique. En 1964, Pierre Trudeau allait la qualifier de «décevante, bien que juridiquement correcte». Les Acadiens pressent alors le gouvernement fédéral d'intervenir en leur faveur puisqu'il détient, en vertu de l'A.A.N.B., le pouvoir de désavouer une législation provinciale. Cependant, le gouvernement fédéral est peu disposé à user de ce pouvoir au profit des Acadiens[2]. En 1872, la Chambre des communes adopte néanmoins une résolution pressant le Nouveau-Brunswick de rétablir les écoles confessionnelles, mais le gouvernement de cette province n'est pas prêt à s'y soumettre. Plus nombreux que les catholiques, les protestants anglophones appuient le refus du gouvernement provincial de fournir des fonds aux écoles confessionnelles. En 1874, le parti qui avait fait adopter la Loi des écoles publiques de 1871 reprend le pouvoir avec une forte majorité. Les Acadiens protestent. L'année suivante, des troupes sont envoyées à Caraquet, sur la baie des Chaleurs, pour soumettre les Acadiens qui soi-disant manifestent violemment contre la Loi des écoles publiques. Plus tard dans l'année, le Parlement discute à nouveau de la question des écoles du Nouveau-Brunswick, et la Chambre des communes adopte une motion de regret portant que la province n'a pas agi conformément à la résolution de 1872. Ce geste se révèle tout aussi futile que le précédent, puisque le Nouveau-Brunswick demeure intransigeant. Aucun fonds ne sera libéré pour les écoles confessionnelles.

Le refus des tribunaux d'intervenir dans les Maritimes annonce les événements qui allaient se produire au Manitoba lorsque, en 1890, la question des écoles confessionnelles y prendra les proportions d'une crise. F.R. Scott, le plus prestigieux des juristes canadiens en matière constitutionnelle, commenta en ces mots la question des écoles manitobaines: «Les Canadiens-français concluent que l'Acte de l'Amérique du Nord britannique avait manqué à ses engagements envers eux dès que leurs droits avaient été mis en cause.» Cet échec s'était déjà dessiné au Nouveau-Brunswick.

Les partisans des écoles confessionnelles doivent financer celles-ci en plus de payer des taxes pour le maintien des écoles publiques. Avec le temps, les autorités du Nouveau-Brunswick — et cel-

---

2. Le pouvoir de désaveu fut souvent exercé dans les premières années de la Confédération bien qu'il soit maintenant tombé en désuétude.

les des autres provinces maritimes — commencent cependant à permettre l'enseignement religieux dans les écoles publiques dont l'effectif est en majorité catholique, et la langue d'enseignement y est toujours le français. Ces concessions obvient à la rigueur de la Loi des écoles publiques, mais les Acadiens n'en demeurent pas moins privés de garanties constitutionnelles même pour ces droits limités.

Les Acadiens se considèrent comme un peuple distinct; ils ne sont français que d'origine et ne sont pas québécois par leur histoire. Cette conscience collective commence à se manifester à la fin du XIX^e siècle lorsqu'ils tiennent leur premier congrès à Memramcook, en 1881. Ils déclarent alors: «Les Acadiens n'ont d'autre histoire nationale que la leur et celle de la France. Au moment de la Confédération, en 1867, ils ne savaient rien du Bas-Canada, sinon qu'il y avait à Québec et à Montréal des Français se donnant le nom de Canadiens.»

Cette conscience collective, cette langue et cette expérience communes persistent encore aujourd'hui. C'est le patrimoine de tous les Acadiens. Mais quelle importance cela a-t-il pour les autres Canadiens?

Certains Anglophones du Canada nient toute importance aux Acadiens. L'historien Arthur Lower soutient par exemple dans *Colony to Nation* que l'expérience acadienne n'a pas eu d'effet durable pour le Canada. À son avis, l'histoire des Acadiens avant 1755 fut tout au plus un prélude à l'histoire réelle de la Nouvelle-Écosse, laquelle n'a vraiment débuté que lorsque les colons de la Nouvelle-Angleterre firent main basse sur les fermes de l'Acadie. Pour ce qui est de l'histoire du Nouveau-Brunswick, elle n'a commencé à toutes fins pratiques qu'avec l'arrivée des loyalistes. L'histoire des Acadiens n'est-elle donc rien de plus qu'une histoire de survie, celle d'un peuple emprisonné dans son passé et vivant d'un souvenir collectif? On l'a souvent cru, et nombreux sont ceux pour qui les Acadiens n'avaient ni art, ni littérature et rien à dire au monde contemporain. En 1949, le professeur Alfred G. Bailey de l'Université du Nouveau-Brunswick prononçait à Halifax un discours devant la section des Maritimes du *Canadian Humanities Research Council*. Il qualifiait l'expulsion des Acadiens de «coup dont ils ne se sont jamais remis, du moins au sens psychologique.» Il ajoutait:

> En dépit de toutes leurs belles qualités, ceux qui évitèrent l'expulsion et ceux qui revinrent par la suite au pays n'ont

rien apporté à la culture canadienne-française... Issu du peuple paysan, l'Acadien différait beaucoup de l'entreprenant Yankee qui se distinguait par son esprit inquisiteur, son sens aigu de la politique et son appétit intellectuel. Par conséquent, même si on avait permis aux Acadiens de garder leurs terres, il est douteux qu'ils aient pu faire évoluer la dynamique sociale requise pour accomplir de hauts faits dans le domaine de la littérature.

Cette condamnation de la culture acadienne par Bailey rappelle un son de cloche familier. Le rapport Durham de 1837 décrit les Canadiens français du Bas-Canada comme «un peuple sans histoire, ni littérature». Durham chercha en vain un seul livre canadien-français. Mieux valait assimiler ce peuple qui ne pouvait apporter aucune contribution à la vie canadienne. Les structures politiques de l'Acte d'union de 1841 furent donc conçues pour atteindre ce but. Quel triste pays serait aujourd'hui le Canada si lord Durham avait réussi! Et combien plus pauvre encore serait-il si l'épanouissement des lettres acadiennes, qui montre l'étroitesse d'esprit de Bailey, n'avait jamais pris place!

Même si l'on reconnaît la conscience naissante des Acadiens et son expression dans le théâtre, la littérature et la chanson, ne sommes-nous pas toujours enclins à disqualifier l'histoire des Acadiens en la considérant comme une expérience quelque peu étrange, un remous oublié dans l'histoire canadienne? Je prétends qu'un moment de réflexion nous montrera comment l'histoire acadienne peut aiguiser le discernement des Canadiens et de bien d'autres peuples. Enfermé dans un État-nation, condamné à jamais au statut de minorité, un peuple peut-il survivre ou son assimilation est-elle inévitable? Les Acadiens ont conservé la conscience de leur identité même sans l'appui d'institutions officielles. L'état souverain d'Acadie n'a jamais existé, et la Confédération n'a pas garanti aux Acadiens qu'ils seraient protégés en tant que peuple. Ils n'avaient ni province, ni écoles, et pourtant, ils ont survécu.

Les Acadiens refusèrent de se considérer comme un simple avant-poste de l'empire français en Amérique du Nord et, plus tard, comme les vassaux du roi d'Angleterre. La tragédie de leur diaspora ne les a pas vaincus. Leur triomphe est celui d'un peuple, et non celui d'un chef à la personnalité charismatique. Leur récit illustre la différence entre l'histoire qui se résume aux annales des batailles, des dates mémorables et des parlements et celle qui prend corps par la culture du sol, l'établissement de collectivités, le sens d'appartenance à un lieu et la formation de liens qui, même s'ils semblent fragiles, ont assuré pendant des siècles la solidarité d'un peuple dans l'adversité.

Les collectivités acadiennes ont maintenant adopté le modèle industriel qui prédomine dans les provinces de l'Atlantique, comme partout ailleurs au Canada. La poussée de l'industrialisation entraîne souvent la perte du sentiment collectif, le recours accru aux biens de consommation et la participation électronique à la vie communautaire. Les Acadiens émigrent de plus en plus vers les villes. La télévision est entrée dans leurs foyers. Qu'adviendra-t-il de la culture acadienne, préservée si longtemps malgré tant d'obstacles? La société de consommation nord-américaine réussira-t-elle là où le gouverneur Lawrence a échoué? Évidemment, seuls les Acadiens peuvent répondre à cette question.

La simple justice exige cependant qu'on leur donne les moyens d'assurer la vitalité et l'épanouissement de leur langue et de leur culture. En 1969, la législature du Nouveau-Brunswick adopta une loi désignant le français comme l'une des langues officielles de cette province. La Charte des droits et libertés enchâsse dans la Constitution le bilinguisme officiel du Nouveau-Brunswick. Ni la Nouvelle-Écosse, ni l'île du Prince-Édouard n'ont légiféré sur le bilinguisme officiel, et aucune disposition de la Charte ne prévoit le français comme langue officielle de ces deux provinces. Ainsi, pour les Acadiens, le bilinguisme officiel se limite à la province du Nouveau-Brunswick.

Cependant, la Charte stipule que les Acadiens de toutes les provinces de l'Atlantique ainsi que les minorités canadiennes-françaises de toutes les provinces ont le droit, lorsque le nombre le justifie, de faire instruire leurs enfants en français, aux niveaux primaire et secondaire, dans des établissements financés à même les fonds publics. Cette disposition ne doit pas être considérée comme une concession faite à une minorité pour l'apaiser. Elle doit plutôt être envisagée comme la manifestation d'un principe directeur au Canada, la reconnaissance des vertus de la diversité au sein de notre propre nation et dans le monde entier. Les Acadiens ont une histoire, une expérience et une langue communes qui donnent aujourd'hui un sens à leur vie. Chercher à effacer cette histoire, à méconnaître cette expérience et à ne pas protéger cette langue irait à l'encontre du mouvement actuel en faveur des droits et libertés.

Il ne s'agit pas simplement des droits de la minorité, il

s'agit aussi de la santé du corps politique. La contribution des minorités à la vie de la nation est plus que souhaitable, elle est indispensable. Les États-Unis ont lutté pour créer une identité politique qui engloutisse toutes les différences, mais le Canada a eu moins d'ambition à cet égard. Nos minorités ont une vision du monde différente, et c'est à l'avantage du Canada. Leur présence stimule la créativité de la nation. Car rien n'est plus abrutissant qu'un conformisme poli, et rien ne menace la démocratie plus que l'animosité éventuellement engendrée par les conformistes envers ceux dont les croyances, la langue ou la couleur ne sont pas celles de la majorité.

Jusqu'à maintenant, les Acadiens ont lutté seuls. Aujourd'hui, étant donné l'influence envahissante des communications de masse, l'empiètement de l'industrie et de la technologie, le temps est venu pour les institutions canadiennes de reconnaître les contributions originales des Acadiens à la vie canadienne et d'aider leur culture à s'épanouir. Partout au monde et dans tous les États-nations, il existe des peuples qui refusent l'assimilation et dont le désir profond de conserver leur identité s'intensifie à mesure même que l'industrie, la technologie et les communications s'efforcent de forger une culture de masse excluant toute différence. Promouvoir la diversité au Canada contribuera peut-être à perpétuer la diversité dans le monde.

*Chapitre II*

# *Louis Riel et la nouvelle Nation*

*Chapitre II*

# *Louis Riel et la nouvelle Nation*

La passion de Louis Riel a relégué dans l'ombre le destin du peuple dont il était le chef: les Métis, cette «nouvelle Nation» apparue dans la plaine. Riel périt et la Nation fut détruite dans sa lutte contre le Canada. Mais les gens de la Nation ont survécu, dispersés dans une centaine de villes et villages des Prairies. Ils se souviennent d'avoir jadis dominé la plaine; ils n'ont pas oublié Riel.

Louis Riel fait certes figure de mythe dans notre histoire, mais un mythe aux nombreux visages. Il y a Riel le rebelle, Riel le père du Manitoba, Riel au centre du conflit opposant les Français et les Anglais du Canada, Riel, prophète et mystique. Mais la figure qui s'impose est celle de Riel symbolisant l'histoire d'un peuple. Pour les Métis en quête de leur passé et d'une place dans la vie canadienne d'aujourd'hui, Louis Riel demeure un héros attachant.

De nos jours, la conscience canadienne ne s'embarrasse guère des Métis. Riel, pourtant, nous fascine toujours. Les Métis n'étaient que des chasseurs de bison au sang mêlé tandis que Riel, lui, a étudié en vue d'accéder à la prêtrise, a inspiré deux rébellions et fut pendu au cœur d'une controverse retentissante entre Français et Anglais. Ses exploits sont nombreux et remarquables. En 1869, il mène la rébellion à la rivière Rouge et établit un gouvernement provisoire qui dirigera efficacement une colonie de 10 000 personnes un hiver durant. Il négocie les modalités gouvernant l'entrée du Manitoba dans la Confédération. En 1885, il lance une autre rébellion qui cette fois mettra la Police à cheval du Nord-Ouest au défi de maintenir l'ordre dans l'Ouest canadien; en fait, ce soulèvement ira même jusqu'à mettre en doute pendant quelque temps la capacité du Canada à gouverner son vaste hinterland.

Les insurrections de Riel échouèrent parce que les Métis ne pouvaient empêcher, ni même retarder, si ce n'est que de quelques semaines ou de quelques mois, l'inévitable progrès de la colonisation et de l'occupation des Prairies par les Canadiens. Ce sont les francs-tireurs métis qui ont donné vie aux rébellions de Riel, et sa carrière se dessine sur la toile de fond de leur histoire. Pour saisir le sens de cette carrière, on doit en effet se pencher sur l'histoire des Métis, leur apparition dans la plaine, leur émergence comme peuple, leur mode de vie tributaire du bison et leur triste défaite, tout cela durant à peine plus d'un siècle. Mais d'où venait donc ce peuple qui forma la nouvelle Nation?

Au cours du XVIII$^{e}$ siècle, les Français avaient poussé la traite des fourrures jusque dans l'Ouest et avaient érigé une chaîne de comptoirs allant des Grands Lacs aux Rocheuses. Né à Trois-Rivières, La Vérendrye avait été le premier Blanc à explorer les plaines à l'ouest du lac Winnipeg, et ses fils s'étaient rendus dans les années 1740 jusqu'au pied des Rocheuses. Les Britanniques, eux, avaient atteint les Prairies en remontant les rivières tributaires de la baie d'Hudson. La Compagnie de la baie d'Hudson avait été constituée en 1670, et des années durant, les Anglais attendaient à leur poste du littoral sud que les Indiens viennent à eux échanger les fourrures. Ce n'est qu'après que les marchands français ont entrepris d'intercepter ces Indiens à l'ouest des Grands Lacs que les traiteurs anglais commencèrent à explorer les routes de canoës menant vers l'intérieur et à y établir des postes.

Le voyage en canoë de Montréal jusqu'à l'ouest des Grands Lacs était très long; c'est pourquoi nombre des coureurs de bois français, les *voyageurs*, passaient l'hiver parmi les Indiens pour ne rentrer chez eux avec leurs fourrures que l'été suivant. À mesure que le commerce des fourrures prenait de l'ampleur, certains coureurs de bois passaient des années entières parmi les Indiens, approvisionnés chaque été par des flottilles de canoës venues de Montréal. Ils épousaient souvent des Indiennes, et les enfants nés de ces mariages formèrent peu à peu une nouvelle race, ni blanche, ni indienne. On les appelait les sang-mêlé, *Bois-brûlés* ou Métis. Vers 1775, ils formaient déjà un peuple. Mais comment expliquer qu'une nouvelle Nation soit apparue dans les plaines alors que rien de semblable ne s'est produit sur les rives du Saint-Laurent où l'on trouvait pourtant une nombreuse progéniture issue de mariages entre Blancs et Indiennes? On trouvera la réponse dans le phénomène central de la culture métisse: la chasse au bison.

Au début, les chasseurs des comptoirs de l'ouest chassaient régulièrement le bison en été, non seulement pour la chair fraîche mais surtout pour obtenir le pemmican, la nourriture de base des flottilles de canoës. Les Indiennes séchaient la viande maigre de bison, la déchiraient en lanières, puis la mêlaient avec du suif pour en faire une denrée légère, impérissable et nourrissante. Les flottilles de canoës du Canada français se déplaçaient rapidement; les *voyageurs* n'avaient ni le temps de chasser, ni celui de pêcher, et l'espace manquait pour transporter d'encombrantes réserves de nourriture. Or, il fallait absolument disposer de bonnes réserves de pemmican pour mener à bien la traite des fourrures à partir de Montréal. L'expansion de la traite créa une forte demande de pemmican, et les Métis entreprirent d'organiser de longues expéditions à cheval pour chasser le bison. Ces chasses organisées devinrent le fondement d'une culture distincte et de la conscience métisse. Les capitaines de la chasse supervisaient de près les expéditions menées avec une discipline presque militaire. Pendant que les hommes chassaient, les femmes coupaient la viande qu'elles mettaient à sécher au soleil.

Les Métis étaient liés aux marchands canadiens-français par le sang et par la traite, plutôt qu'à ceux de la Compagnie de la baie d'Hudson. Par le traité de Paris de 1763, la France avait renoncé en faveur de la Grande-Bretagne à ses prétentions aux territoires à l'ouest des Grands Lacs. Les Britanniques acquéraient ainsi l'entière domination du Canada. Cela ne signifiait pas pour autant que la Compagnie de la baie d'Hudson était libre de toute concurrence. Nombre d'entrepreneurs anglais et écossais avaient afflué au Canada pour bientôt s'associer avec les marchands de Montréal et les coureurs de bois qui avaient poussé leurs explorations jusqu'à l'ouest des Grands Lacs. En 1779, plusieurs d'entre eux formèrent la compagnie du Nord-Ouest qui, avançant en direction ouest à la fois au nord et au sud des Grands Lacs, mettait vigoureusement au défi la Compagnie de la baie d'Hudson de défendre tout son domaine. Du fait que la Compagnie du Nord-Ouest employait un grand nombre de *voyageurs* canadiens-français dans les flottilles de canoës desservant les postes occidentaux, les liens entre la compagnie montréalaise et les Métis se firent de plus en plus nombreux et resserrés.

Tout comme les Acadiens avant eux, les Métis acquirent avec une rapidité étonnante le sens de leur identité collective. Parce que sa mère était indienne, le Métis considérait la plaine comme sa terre ancestrale. Étant donné que la Compagnie de la baie d'Hudson et celle du Nord-Ouest décourageaient toutes deux la colonisation en territoire indien, personne d'autre n'occupait encore ce territoire, et les prétentions des Métis n'y étaient pas contestées. Cependant, les colons ne tardèrent pas à venir s'y établir.

Le Nord-Ouest canadien, ce vaste hinterland s'étendant au nord et à l'ouest des centres peuplés du Saint-Laurent et des Grands Lacs, constituait l'empire de la traite des fourrures. Une grande partie en avait été cédée à la Compagnie de la baie d'Hudson en 1670; c'était la Terre de Rupert, qui comprenait tout le bassin de drainage de la baie d'Hudson. Les territoires à l'ouest de la Terre de Rupert, jusqu'au Pacifique et jusqu'à l'Arctique, constituaient le Territoire du Nord-Ouest. En 1811, la Compagnie de la baie d'Hudson accorda à Thomas Douglas, le jeune comte de Selkirk, 116 000 milles carrés de son territoire, dont le centre se trouvait au confluent de la rivière Rouge et de l'Assiniboine.

C'était avant tout pour des motifs altruistes que le comte de Selkirk avait demandé ces terres: il voulait établir une colonie agricole pour les pauvres colons écossais sur les berges de la rivière Rouge. Les premiers d'entre eux arrivèrent en 1812. Quant à la Compagnie de la baie d'Hudson, elle concédait ces terres au comte de Selkirk pour des raisons purement mercantiles. Une colonie établie précisément à la confluence de la Rouge et de l'Assiniboine, au beau milieu de la route de canoës reliant le Canada à la Terre de Rupert, allait non seulement interrompre la ligne de communication des *Nor'Westers* avec le pays de la traite des fourrures, mais encore allait-elle les empêcher de s'approvisionner en pemmican. Le conflit qui suivit fut d'ailleurs souvent appelé la guerre du pemmican.

En janvier 1814, Miles Macdonnell, gouverneur de la colonie de Selkirk, prohiba l'exportation du pemmican et interdit à la Compagnie du Nord-Ouest d'occuper des forts dans le district d'Assiniboine, du nom qu'on donnait alors aux terres concédées à Selkirk. En juin 1815, les *Nor'Westers* et les Métis arrêtèrent Macdonnell et expulsèrent les colons de la rivière Rouge, bien qu'ils y revinrent à l'automne.

L'année suivante, le conflit s'intensifia. Le nouveau gouverneur, Robert Semple, mena une série de raids contre les *Nor'Westers* et brûla Fort Gibraltar, leur poste de traite sur la rivière Rouge. En juin 1816, Semple et un groupe de colons interceptèrent 50 Métis près d'un bosquet de chênes. Dans la bataille qui s'ensuivit, Semple et 20 des colons moururent tandis qu'un seul Métis tomba. La bataille des Sept-Chênes révéla la force grandissante de la nouvelle Nation.

W.L. Morton et G.F.G. Stanley, éminents historiens de l'Ouest canadien, ont avancé que l'idée d'une nouvelle Nation n'était pas venue d'elle-même aux Métis; pour servir leurs propres intérêts, les *Nor'Westers* auraient persuadé les Métis que leur filiation maternelle leur conférait des droits aborigènes et les auraient dupés en les pressant de revendiquer ces droits contre la Compagnie de la baie d'Hudson. La bataille des Sept-Chênes aurait été l'aboutissement de ces machinations.

Mais que signifiaient donc les mots «droits aborigènes» ou «titre aborigène» pour ces illettrés de la plaine? Les Métis utilisaient et occupaient le territoire depuis fort longtemps; en fait, leurs mères indiennes avaient occupé les terres avant même la création de leur peuple, et ils croyaient ainsi avoir acquis le droit de revendiquer un intérêt aux terres sur lesquelles ils chassaient et que personne, pensaient-ils, ne pouvait leur enlever. À vrai dire, leur patrimoine indien avait familiarisé les Métis avec l'idée du titre aborigène bien avant que Selkirk ne reçoive sa concession. En effet, les Indiens avaient toujours détenu un titre aborigène aux terres qu'ils occupaient. Chaque tribu avait le droit d'utiliser et d'occuper son territoire de chasse, et ce droit était reconnu par les autres tribus. Rien d'étonnant à ce que les Métis, la nouvelle Nation, aient considéré comme leur le territoire du bison qu'ils chassaient.

Si les *Nor'Westers* avaient provoqué la création de la nouvelle Nation simplement comme une riposte dans leur lutte contre la Compagnie de la baie d'Hudson, la fusion des deux compagnies en 1821 sous le nom et la charte de cette dernière aurait alors entraîné la désintégration de ce soi-disant nouveau peuple. La Compagnie de la baie d'Hudson ne fut pas confrontée à la concurrence d'une nouvelle entreprise de traite, et les *Nor'Westers* n'avaient plus intérêt à mousser le sentiment nationaliste chez les Métis. Si elle était une création artificielle, la nouvelle Nation aurait alors dû disparaître. Au contraire, elle s'épanouit et, au cours des années, les événements poussèrent les Métis à prendre conscience d'eux-mêmes en tant que peuple distinct.

La bataille des Sept-Chênes nous aide à comprendre la rébellion de la rivière Rouge et celle du Nord-Ouest. Aux Sept-Chênes, les Métis défendaient leur terre ancestrale, tout comme ils allaient le faire plus tard, en 1869-70 et en 1885. La confrontation des Sept-Chênes n'avait rien à voir avec la religion (protestants contre catholiques) ni avec la langue (Français contre Anglais). Les Métis tentaient plutôt de retarder la colonisation de leur territoire par les

Blancs. Même alors, ils cherchaient à affirmer leurs droits aborigènes et de nos jours encore, bien que les circonstances aient changé, ils essaient de réaffirmer ces droits comme le font d'autres peuples autochtones du Canada.

En 1817, Selkirk vint lui-même à la rivière Rouge pour tenter, avec l'aide d'un groupe d'hommes et d'officiers suisses, de rétablir la colonie. Il y parvint avec l'assistance de l'Église catholique, dont les missionnaires étaient venus s'occuper des Canadiens français faisant la traite des fourrures, convertir les Indiens et baptiser leurs enfants métis. Selkirk et les prêtres persuadèrent les Métis que les colons de la rivière Rouge ne les menaçaient en rien.

Le fait est que les Métis s'approprièrent bientôt la colonie. Lorsque les deux compagnies fusionnèrent en 1821, elles congédièrent des employés dont beaucoup se retirèrent à la rivière Rouge avec leur famille mi-indienne. Dix ans plus tard, la population de la colonie était de 2 314 personnes; en 1871, elle atteignait plus de 11 000 âmes, surtout à cause des unions entre *Nor'Westers* et Indiennes et de la croissance naturelle de la population métisse. On trouvait des colonies de Métis jusqu'à Saint-Albert, au nord-ouest d'Edmonton, mais la majorité du peuple métis vivait dans la colonie de la rivière Rouge.

À l'époque, la tentative philanthropique de Selkirk de fonder une colonie agricole pour de petits fermiers écossais ayant été dépossédés était considérée comme don-quichottesque. On disait des terres à l'ouest des Grands Lacs qu'elles étaient d'une sauvagerie inhospitalière convenant tout juste à la traite des fourrures. Il est vrai que, au début, les colons ne purent se nourrir du produit de leurs terres, et pendant un demi-siècle, les Métis approvisionnèrent la colonie de la rivière Rouge en viande de bison. L'établissement d'une colonie sur leur territoire marqua le début d'une ère nouvelle pour les Métis car, bien loin de ce qu'avait envisagé Selkirk, la colonie de la rivière Rouge était avant tout métisse et survivait en chassant le bison plutôt qu'en cultivant la terre.

De 1821 à 1869, les Métis étaient aussi à l'aise dans la colonie que dans la plaine. Ils travaillaient pour la Compagnie de la baie d'Hudson comme canoteurs ou bateliers. Partant de Saint-Paul (dans le Minnesota d'aujourd'hui), ils transportaient le fret en charrette, puisqu'aucune route ne reliait alors le Haut-Canada à la rivière Rouge. Ils poursuivaient leur vie traditionnelle de chasse, de pêche et de piégeage. Mais en dépit de toutes ces activités, la culture et l'économie des Métis demeuraient fondées sur la chasse au bison.

Visant toujours l'expansion de la traite des fourrures, la Compagnie de la baie d'Hudson établit des postes dans des endroits éloignés; elle devait cependant approvisionner à la fois ces postes et les flottilles de canoës qui en faisaient la desserte. Les Métis s'en chargeaient. On peut difficilement imaginer aujourd'hui ces grandes chasses au bison qu'organisaient les Métis. En 1820, 540 charrettes quittaient la rivière Rouge en vue de rapporter la viande de bison que fournirait la chasse dans la plaine. L'expédition de 1840 comptait 403 chevaux, 536 bœufs de trait, 1 240 charrettes, 740 fusils et 1 600 hommes, femmes et enfants. Ils tuèrent 2 500 bisons et rentrèrent avec 800 charrettes chargées de pemmican, de viande séchée et de peaux de bison.

La chasse était une entreprise complexe et bien réglée. On élisait un président, douze conseillers, un crieur public et des guides. Des capitaines, chargés de dix chasseurs, maintenaient l'ordre. Par contre, tant que cette armée était en mouvement, les guides avaient autorité complète sur capitaines et chasseurs jusqu'à l'arrivée sur les territoires de chasse et l'installation du campement. Tous les chasseurs travaillaient de concert; personne n'avait le droit de traquer le bison avant que l'ordre n'en ait été donné. Ce genre de discipline faisait des Métis la plus grande force militaire de l'Ouest.

Pendant cinquante ans, les Métis prospérèrent à la rivière Rouge. Certains d'entre eux avaient des cabanes sur des lots en bordure de la rivière où ils cultivaient pommes de terre et autres légumes, tandis que d'autres y élevaient des bovins. Mais chaque fois que revenaient le printemps et l'automne, ils retournaient dans la plaine en charrette ou à cheval pour chasser le bison. Certains passaient et l'hiver et l'été dans la plaine ou dans la forêt, vivant parmi les Indiens. Ce mode de vie dura jusqu'à ce que la dernière harde de bisons ait été exterminée.

Les Métis n'étaient pas les seuls sang-mêlé de la rivière Rouge. Il y avait aussi la progéniture issue de l'union de femmes indiennes et de marchands anglais, employés de la Compagnie de la baie d'Hudson; on les surnommait les «country-born». L'un d'eux, Cuthbert Grant, avait mené les Métis, aux Sept-Chênes. Cependant, les Métis et les *country-born* étaient loin de composer un seul groupe partageant des vues et des intérêts communs. Les Métis parlaient français, les *country-born* anglais. Les premiers étaient catholiques, les seconds protestants. Les *country-born* penchaient pour l'agriculture et le mode de vie de leur père tandis que les Métis adoptaient plutôt celui de leur mère. En fait, les pasteurs avaient enseigné aux *country-born* à se considérer comme des Britanniques protestants. Ils ne pouvaient donc compter au nombre des alliés de Riel ni pendant l'hiver 1869-70, ni en 1885.

Pendant les décennies 1850 et 1860, arrivèrent à la rivière Rouge les premiers cultivateurs depuis le début du siècle. À cette époque, la bonne terre arable commençait à se faire rare dans le Haut-Canada, et les gens changeaient peu à peu d'avis sur l'Ouest. On ne considérait plus les Prairies comme des terres sauvages; elles pouvaient être cultivées. Les colons canadiens de la rivière Rouge entreprirent de demander l'annexion de la colonie, de toute la Terre de Rupert et du Territoire du Nord-Ouest.

Les Pères de la Confédération avaient prévu depuis longtemps l'annexion de la Terre de Rupert et du Territoire du Nord-Ouest. Dès leur rencontre de 1864, à Charlottetown, ils préparèrent un projet de constitution dont une des dispositions visait l'annexion de ces terres à l'Union. Trois ans plus tard, un nouvel État fédéral était créé qui s'étendait de l'Atlantique au lac Supérieur. Les Pères de la Confédération entendaient le prolonger au-delà des Prairies et des Rocheuses, jusqu'au Pacifique. En 1868, le Parlement britannique adopte une loi prévoyant la remise de la Terre de Rupert à la Couronne britannique afin qu'elle soit admise dans la Confédération en même temps que le Territoire du Nord-Ouest. D'ailleurs, au même moment, la Compagnie de la baie d'Hudson s'apprête déjà à remettre sa compétence administrative au Canada. Le 4 juin 1869, le premier ministre, John A. Macdonald, présente à la Chambre des communes un projet de loi concernant le gouvernement de ces nouvelles terres qui allaient s'appeler les Territoires du Nord-Ouest. Le Canada entreprit alors de construire, à partir de Fort William, une route le reliant à la rivière Rouge, 650 milles plus à l'ouest.

À partir de 1857, les Canadiens qui s'étaient établis à la rivière Rouge pétitionnèrent tant et plus en faveur de l'annexion de leur colonie au Canada. Ils formèrent un organisme qu'ils nommèrent *Canada First* afin de promouvoir l'annexion. Pour ces colons du Haut-Canada, l'annexion signifiait que le Nord-Ouest serait anglophone et protestant. Ils fondèrent un journal, *The Nor'Wester* et gagnèrent dans la colonie un ascendant tout à fait disproportionné à leur nombre. Un recensement effectué à la rivière Rouge en 1871 y indique en effet la présence de 5 720 sang-mêlé ou Métis francophones, et de 4 080 *country born* anglophones, contre seulement 1 600 colons blancs. Mais les partisans du *Canada First* étaient les seuls à avoir un programme.

Les Canadiens de la rivière Rouge se réjouissaient de l'annexion, mais les Métis s'en désolaient. Personne ne les avait consultés. Chasseurs de bison, guides et coureurs de bois, quel serait leur avenir sous l'autorité canadienne? Ils comprirent bientôt qu'un afflux de colons agriculteurs sous le régime canadien menacerait la continuité de leur mode de vie. En août 1869, le gouvernement canadien envoya des arpenteurs à la rivière Rouge pour y faire un levé général des terres avant même que celles-ci ne lui soient transférées. Appliquant le système américain des lots carrés, les arpenteurs ne firent aucun cas des terres des Métis disposées perpendiculairement à la rivière. Le 11 octobre, Louis Riel, accompagné de francs-tireurs, disperse un groupe d'arpenteurs qui travaillent sur les terres des Métis. Les Métis avaient trouvé un chef, et Riel avait trouvé sa cause.

Louis Riel est né le 22 octobre 1844 à Saint-Boniface, l'une des collectivités de la rivière Rouge. Canadienne française, sa mère était la fille de la première Blanche à vivre dans l'Ouest. Son père, un leader métis, entretenait des visées ambitieuses pour Louis et avait pris des arrangements avec Monseigneur Taché, évêque de Saint-Boniface, pour envoyer Louis à Montréal en 1858. Monseigneur Taché souhaitait former un clergé autochtone, et Louis allait étudier en vue de la prêtrise. Sa sœur Sara devint la première missionnaire métisse. Louis quitta le séminaire avant d'avoir terminé ses études classiques au Collège de Montréal des sulpiciens et rentra à la rivière Rouge en 1868.

Après l'épisode des arpenteurs, Riel convoqua un Conseil des métis. Des francs-tireurs métis furent postés à la garde de la piste menant au Minnesota; aucune route ni voie ferrée ne reliait encore l'Ontario à la rivière Rouge sur le territoire canadien, et les colons devaient passer par les États-Unis pour rejoindre la colonie. Macdonald avait déjà envoyé à la rivière Rouge le lieutenant-gouverneur qu'il avait choisi pour les Territoires du Nord-Ouest, William McDougall. Du Minnesota, un convoi de soixante chariots se dirigeait vers le nord, portant McDougall, sa suite et leurs bagages. Le 2 novembre, il tenta d'entrer au pays mais fut refoulé à la frontière par les Métis. Le même jour, Riel s'empara de Fort Garry, le fort principal de la colonie, se rendit maître des canons, des fusils et des munitions et détint les agents de la Compagnie de la baie d'Hudson qui avaient autrefois régné sur la colonie. Le 24 novembre, les Métis établirent un gouvernement provisoire.

Même après avoir essuyé une rebuffade, McDougall restait impatient de revendiquer son nouveau territoire. On se rappellera que la colonie de la rivière Rouge faisait partie de la Terre de Rupert: Macdonald avait informé son lieutenant-gouverneur que la Compagnie de la baie d'Hudson remettrait officiellement la Terre de Rupert au Canada le 1er décembre 1869. Toutefois, McDougall reçut l'instruction d'attendre jusqu'à ce que le transfert ait pris place. Les Canadiens de la rivière Rouge lui avaient en effet promis qu'il y serait alors le bienvenu. Pourtant, sans attendre la confirmation d'Ottawa, McDougall rédigea une proclamation établissant à partir du 1er décembre son autorité juridique sur la Terre de Rupert, y compris la colonie de la rivière Rouge, et la fit délivrer à la colonie par un membre de sa suite. À la rivière Rouge, les choses s'envenimèrent. Sous la direction de John Schultz, les Canadiens tentèrent de renverser Riel, mais leur tentative échoua et ils furent emprisonnés à Fort Garry. En janvier, l'un d'eux, Thomas Scott, s'évada et se rendit à Portage-la-Prairie, quartier général des Canadiens opposés à Riel. Le destin de Scott allait être lourd de conséquences pour la suite des événements.

À vingt-cinq ans, Riel a déjà toutes les qualités d'un leader. En trois mois, il a organisé les Métis, a empêché le lieutenant-gouverneur d'entrer en fonction dans le district d'Assiniboine, s'est emparé de Fort Garry et a défait les Canadiens qui tentaient de le renverser. Le 29 décembre 1869, Riel assume la présidence du gouvernement provisoire de la colonie.

À Ottawa, John A. Macdonald considère Riel et les Métis comme «de misérables sang-mêlé». Pourtant, ce sont eux qui gouvernent une colonie de 10 000 âmes et ils conserveront ce pouvoir au moins jusqu'à l'été. Aucune armée ne peut se rendre à la rivière Rouge sans passer par les États-Unis, et Macdonald ne veut pas demander pour ses troupes la permission de passer sur le sol américain, car il montrerait ainsi combien fragile est l'emprise du Canada sur le Nord-Ouest. Il n'en était pas question. Pour étouffer la rébellion, il doit donc attendre la débâcle qui, au printemps, permettra à ses troupes d'emprunter l'ancienne route des canoës. Entre-temps, Macdonald doit retarder le transfert officiel du titre de la Terre de Rupert et du Territoire du Nord-Ouest. Dans l'intervalle, il n'a d'autre choix que de négocier avec Riel. Il envoie donc Donald Smith à la rivière Rouge et le munit d'une bourse pour «construire un pont d'or sur lequel McDougall pourra passer pour entrer dans le pays». Macdonald entend donner un pot-de-vin à Riel pour qu'il quitte le pays. Ainsi naît entre les deux hommes une étrange relation qui entraînera la mort de Riel, la perte du Québec comme bastion du parti conservateur — considérant *les rouges* comme des radicaux, le clergé catholique appuyait en effet Macdonald et les conservateurs depuis 1867 — et l'éventuel remplacement des conservateurs par les libéraux comme parti de l'unité nationale au Canada.

Sous biens des aspects, l'administration de Riel ressemble à une dictature militaire. Pourtant, Riel cherche à obtenir l'appui de toute la colonie, et pas seulement celui des Métis. Ainsi, même si leur journal *The Nor'Wester* est frappé d'interdit, les partisans du *Canada First* sont libres d'accuser publiquement Riel. Ils ne seront emprisonnés qu'après avoir tenté de le renverser. Riel permet aussi à Donald Smith, l'émissaire de Macdonald, de s'adresser publiquement à la population. En fait, devançant le plaidoyer de Smith auprès de ses opposants, Riel convoque des délégués de toutes les paroisses anglophones et francophones à un congrès pour élire les représentants du gouvernement provisoire et adopter une charte des Droits qui servira de base aux négociations avec le Canada. Trois délégués sont choisis pour aller à Ottawa défendre cette charte.

Le 14 février 1870, les Canadiens de Portage-la-Prairie tentent pour la deuxième fois de renverser Riel. Ils se mettent en route pour aller libérer les Canadiens emprisonnés par Riel, mais celui-ci les devance; il libère les prisonniers, puis met aux arrêts le groupe de Portage-la-Prairie. Thomas Scott, qui s'était échappé de prison après la première tentative, a joué un rôle important dans l'organisation de cette deuxième. Il est à nouveau emprisonné et passe en jugement.

Les chefs de file de la rivière Rouge sont tous très jeunes. Riel a vingt-cinq ans, Schultz 29, et Scott 26. Ce dernier comparaît devant une cour martiale présidée par Ambrose Lépine, commandant en second du gouvernement provisoire. Un jury composé de six Métis déclare Scott coupable et le condamne à mort. Scott méprise ses geôliers et confie à un ami dans une lettre: «les Métis ne sont qu'une bande de lâches qui n'oseront jamais me fusiller.» Riel déclare à ses partisans qu'il faut obliger le Canada à les respecter. Le 4 mars 1870, Scott est conduit devant le peloton d'exécution à l'extérieur des murs du fort.

L'exécution ne pouvait arriver à un pire moment. George-Étienne Cartier avait assuré Mgr Alexandre Taché (lors du passage de ce dernier à Ottawa en route pour la rivière Rouge après un voyage à Rome) que Riel et ses partisans seraient amnistiés s'ils se soumettaient au nouveau régime canadien. Or Cartier avait œuvré avec Macdonald à la Confédération, était membre du premier gouvernement fédéral et avait toute autorité pour parler au nom de Macdonald. Toutefois, Thomas Scott était déjà passé en jugement; il sera exécuté quatre jours avant que Mgr Taché ne rentre à la rivière Rouge.

L'exécution de Scott soulève une tempête politique en Ontario. Scott, ontarien et orangiste, avait été assassiné par Riel, catholique et francophone. Le gouvernement ontarien ordonne l'arrestation des délégués de Riel en route pour Ottawa; ils sont cependant bientôt libérés et on leur permet de poursuivre leur voyage. La colère des Ontariens à l'endroit de Riel n'a d'égal que le ressentiment des Québécois, qui eux voient en Riel la victime du fanatisme orangiste. Dans le feu des passions, les Métis sont laissés pour compte.

Arrivé à la rivière Rouge, Mgr Taché assure Riel qu'il bénéficiera d'une amnistie complète. Riel libère donc ses prisonniers et fait hisser l'*Union Jack* sur Fort Garry. À Ottawa, Macdonald et Cartier reçoivent les délégués de la rivière Rouge et acceptent d'inclure nombre des demandes inscrites dans leur charte des Droits à la Loi de 1870 sur le Manitoba que la Chambre des communes adopte le 12 mai 1870. Ainsi, l'ancien district d'Assiniboine devient la province en forme de timbre-poste.

Le transfert au Canada du titre de tout le Nord-Ouest, y compris la nouvelle province du Manitoba, a lieu le 15 juillet 1870. Le jour même, le nouveau lieutenant-gouverneur du Manitoba et des Territoires du Nord-Ouest, Adams G. Archibald, quitte Port Arthur pour la rivière Rouge. Il remplace le fameux McDougall que Macdonald s'était empressé de renvoyer. Archibald est toutefois accompagné par 1 200 soldats britanniques et canadiens, sous les ordres du colonel Garnet Wolseley, détachés par Macdonald pour apaiser l'opinion publique qui, en Ontario, réclame la tête de Riel. Monseigneur Taché plaide auprès de Macdonald pour obtenir l'amnistie et le retrait des troupes, mais celui-ci ne veut rien entendre.

Dans l'intervalle, le gouvernement provisoire continue de remplir ses fonctions. À la fin mars, des représentants élus de toutes les parties de la colonie forment une législature sous la présidence de Riel et adoptent un code législatif. James Ross est assermenté comme juge en chef. L'administration de Riel gouverne ainsi jusqu'à l'arrivée d'Archibald, de Wolseley et des troupes à Fort Garry. Riel avait d'abord prévu lui remettre lui-même le gouvernement, mais doutant de l'amnistie et peu enclin à se mesurer aux forces supérieures de Wolseley, il fuit sur l'autre rive de l'Assiniboine avec les chefs du gouvernement provisoire. Tout ce que Wolseley trouvera en entrant dans le fort, ce sont les vestiges d'un repas interrompu à la hâte.

Riel parti, les Métis de la rivière Rouge n'ont désormais d'autre protection que la Loi de 1870 sur le Manitoba. Celle-ci prévoit que l'anglais et le français sont les langues officielles de la nouvelle province; elle comporte en outre des garanties explicites quant aux écoles séparées des protestants et des catholiques. Les Métis cependant accordent bien plus d'importance à la disposition prévoyant l'allocation de 1 400 000 acres des terres de la couronne aux descendants de chefs de famille sang-mêlé.

Fort bien. Mais comment la loi protégera-t-elle le mode de vie des Métis? Ils obtiendront des terres, mais encore? Comment exprimer le désir de conserver son mode de vie en termes juridiques et constitutionnels? Les hommes d'État ne se posèrent pas plus la question à l'époque qu'ils ne l'ont fait par la suite. Pour Macdonald, ce bâtisseur de la nation, les Métis ne furent jamais qu'un obstacle à l'expansion du dominion transcontinental dont il rêvait.

Au début, il semble que la Loi de 1870 sur le Manitoba établit des conditions permettant la survie des Métis. Le lieutenant-gouverneur Archibald se propose de répartir parmi les sang-mêlé les 1 400 000 acres de terres qui leur reviennent en vertu de la loi. Toutefois, ces terres n'appartiennent pas à la province, mais au gouvernement fédéral — les terres de la couronne et les ressources naturelles ne seront transférées à la province qu'en 1930. Quand il ne se montre pas carrément de mauvaise foi, dans la répartition des terres entre sang-mêlé et *country-born*, le gouvernement fédéral fait traîner les choses en longueur. Environ quinze pour cent seulement de ceux qui occupaient des lots en bordure de la rivière reçoivent une patente leur permettant d'y rester. Non seulement les délais sont-ils interminables, mais le gouvernement impose des critères d'admissibilité excessivement étroits. En 1874, une nouvelle loi accorde à chaque père de famille sang-mêlé un titre à 160 acres de terre. Ce titre est un simple certificat octroyant un certain nombre d'acres de terre à son détenteur. Ce certificat est négociable. Le titre accordé aux Métis en vertu de la loi de 1874 est évalué à 160 $. Mais les Métis sont bientôt submergés par la ruée vers les terres. La plupart d'entre eux ne possèdent toujours pas de titre sur les lots en bordure de la rivière qui ont été presque tous alloués aux vagues de colons qui déferlent de l'Ontario. Ceux qui ont reçu des certificats ne peuvent acquérir de terres. Frustrés, ils vendent ces certificats aux spéculateurs et s'apprêtent à quitter le Manitoba.

Cependant, la révolte de Riel contre l'autorité canadienne continue d'avoir des répercussions. La colère suscitée en Ontario par l'exécution de Scott ne s'est pas encore apaisée. En 1872, le gouvernement de l'Ontario offre une récompense de 5 000 $ pour la capture de Riel. Quant à l'amnistie promise par Cartier, Macdonald tergiverse. Il soutient n'avoir jamais promis l'amnistie complète pour tous les actes posés au nom du gouvernement provisoire de Riel; en particulier, il n'est pas prêt à accorder l'amnistie pour l'exécution de Scott. Monseigneur Taché accuse Macdonald de manquer à sa parole. Quant à Schultz et ses alliés, ils considèrent l'avènement du gouvernement canadien comme une nouvelle immunité. Les Métis qui ont approvisionné et défendu la colonie pendant un demi-siècle sont relégués aux marges de la vie politique et économique. Il y a des représailles, et deux Métis sont tués. Des hommes armés envahissent la maison de Riel mais ne l'y trouvent pas.

Pourtant, Riel n'a pas quitté le Manitoba. En fait, la Couronne aura bientôt recours à ses services. Wolseley a dispersé ses troupes à l'été 1871, et l'automne suivant, Archibald se voit obligé de demander à Riel et à Ambrose Lépine de défendre la colonie contre les éventuelles attaques des *Fenians* du Minnesota. L'invasion est repoussée à la frontière par les troupes américaines; il n'empêche que les francs-tireurs métis sont encore, comme ils l'ont été jusque-là, la seule force capable de défendre la colonie et prête à le faire.

Les Ontariens n'ont jamais compris la conviction qu'ont les Métis d'être une nation et n'ont jamais pris au sérieux ces «pauvres gens crevant à moitié de faim» qui revendiquent la possession des plaines. Les Canadiens français ne les comprennent pas davantage. Le Québec avait d'abord considéré les Métis comme des Indiens, *les sauvages*[1]. Après l'insurrection de la rivière Rouge, les journaux francophones du Québec expriment les mêmes vues que

1. En français dans le texte.

les journaux anglophones de l'Ontario: ces sang-mêlé ne peuvent prétendre empêcher la progression canadienne vers l'ouest. Cependant en janvier 1870, William McDougall, de retour en Ontario après avoir été empêché par Riel d'entrer dans le district d'Assiniboine, accuse l'Église catholique d'avoir incité à l'insurrection pour établir dans le Nord-Ouest une province francophone et catholique. À la nouvelle de l'exécution de Scott, politiciens et journalistes ontariens se livrent à toutes sortes d'allégations insensées contre les catholiques et les Français. Aussi, les Canadiens français du Québec commencent-ils à croire qu'ils doivent résister à cet assaut contre leur langue et leur religion. Le Québec s'agite non pas à cause de la condition des Métis, mais parce que les Anglais refusent de reconnaître la juste place des Français dans l'Ouest canadien.

Louis Riel est au cœur de cette controverse. L'Ontario réclame qu'il passe en jugement pour l'exécution de Scott; le Québec soutient qu'il doit être amnistié. Macdonald sait qu'accorder l'amnistie à Riel ne fera qu'aggraver la colère des Ontariens, et que la lui refuser sera un outrage aux Canadiens français. Il pense qu'il vaut mieux persuader Riel de quitter le pays; c'est ainsi qu'en 1872, le gouvernement fédéral fournit secrètement 4 000 $ à Riel pour s'exiler aux États-Unis. Riel accepte l'argent, mais rentre quelques mois plus tard au Manitoba où il est nommé candidat conservateur dans le comté de Provencher. Il s'est toujours considéré comme un conservateur: après tout, c'est bien le conservateur Macdonald qui a accepté la charte des Droits et l'admission dans la Confédération de la rivière Rouge à titre de province, tandis que c'est un gouvernement libéral qui, en Ontario, a mis sa tête à prix. Riel abandonnera cependant la course pour permettre à Cartier de se faire élire à sa place, ce dernier ayant perdu son siège à Montréal. Celui qui avait dirigé une rébellion contre le Canada offrait maintenant son siège à l'un des Pères de la Confédération pour qu'il puisse réintégrer le Parlement. Toute la carrière de Riel est ainsi marquée par l'ironie du sort. À la mort de Cartier, en 1873, Riel sera à nouveau choisi candidat, et cette fois, élu député de Provencher, mais il n'occupera pas son siège.

En décembre de la même année, Macdonald sera forcé de démissionner de la Chambre des communes à cause du scandale du Pacifique, et Alexander Mackenzie prendra le pouvoir à la tête des libéraux qui remporteront les élections générales de janvier 1874. Riel sera alors réélu dans Provencher in absentia. Cette élection marquera un autre épisode dramatique de sa vie: il se rendra au

Parlement pour y prêter serment, sera reconnu et repartira aussitôt. Encore une fois, il n'occupera pas son siège de député.

Par ailleurs, les *Canadians* du Manitoba attendent toujours que le gouvernement fédéral prenne des mesures contre Riel et les leaders métis. Ils perduadent enfin un juge de paix d'émettre un mandat d'arrêt contre Riel pour le meurtre de Thomas Scott: le 10 février 1875, la cour du Banc de la Reine du Manitoba le reconnaît coupable in absentia et le prononce hors-la-loi. Lépine, l'adjudant-général du gouvernement provisoire qui a présidé au procès de Scott, est arrêté, jugé et condamné à mort. La question de l'amnistie ne peut désormais plus être esquivée.

L'indécision paralyse le premier ministre Mackenzie. Tout comme son prédécesseur, il se sent incapable d'agir. Le gouverneur-général, qui ne se considère pas comme un homme de paille, intervient enfin en 1875. Influencé par le fait que Riel et Lépine étaient venus à la rescousse du Canada pendant la crise des *Fenians*, il commue la sentence de Lépine: deux ans de prison et la perte de ses droits civils à jamais. (Lépine vivra jusqu'en 1923 et recouvrera ses droits civils quelques années avant sa mort.) Mackenzie propose alors à la Chambre d'accorder l'amnistie générale à tous ceux qui ont pris part à l'insurrection, à l'exception de Riel qui lui est banni aux États-Unis pendant cinq ans. (Il sera le dernier Canadien à être banni jusqu'en 1946, alors que Mackenzie King bannira 4 000 Canadiens japonais.) Riel passe la décennie suivante à voyager entre le Canada et les États-Unis. Son psychisme commence à souffrir et il a des crises de folie. En 1878, il épouse une Métisse, prend la citoyenneté américaine et s'établit au Montana où il enseigne dans une école de missionnaires.

L'insurrection des Métis s'est soldée par un échec. Les leaders sont en exil ou en prison, les lots en bordure de la rivière ont été pris, et maintenant, le bison commence à se faire rare. La nouvelle société de la rivière Rouge se consacre entièrement au commerce et à l'agriculture; elle n'entend pas faire place aux Métis. La loi du Manitoba garantit les droits des Français et des catholiques, mais ces droits n'ont jamais constitué une question fondamentale pour les Métis. C'est leur mode de vie dans la plaine qui leur tient avant tout à cœur et, de toute évidence, cela ne va pas durer encore longtemps.

En effet, l'établissement des colons dans la plaine repousse les hordes de bison. La dernière expédition de chasse organisée par les Métis quitte la rivière Rouge en 1874. La colonie n'a désormais plus rien pour retenir les Métis qui, pour la plupart, entassent leurs possessions sur les charrettes et partent à l'aventure. Plus loin à l'ouest, le bison court toujours dans la plaine, et les Métis (y compris Lépine à sa sortie de prison) migrent dans la vallée de la Saskatchewan où ils pourront chasser encore un peu, avant le prochain affrontement avec les Canadiens.

Les campements métis sur la Saskatchewan se transforment peu à peu en colonies permanentes où les missionnaires catholiques construisent des églises. D'abord campement d'hiver, Saint-Laurent devient la plus importante de ces nouvelles colonies. Les Métis y établissent leur administration, fondée sur les règles de la chasse au bison. Ils élisent un conseil et nomment Gabriel Dumont président; ils promulguent des lois et prélèvent des impôts; ils créent une commission chargée de régler les litiges de propriété. Bref, ils rétablissent le long de la Saskatchewan la société stable qu'ils ont connue à la rivière Rouge.

Mais alors même que les Métis commencent à s'établir sur les rives de la Saskatchewan, des événements se produisent qui les y affecteront plus tard; il s'agit, d'une part, de l'incorporation de la Compagnie du chemin de fer Canadien Pacifique au cours de l'année suivant l'entrée du Manitoba dans la Confédération, puis, d'autre part, de la signature de sept traités entre le gouvernement fédéral et les Indiens des plaines. Ces traités confinent les Indiens sur des réserves et ouvrent l'Ouest canadien au chemin de fer et à la colonisation. En 1882 et 1883, le C.P. pose des rails à travers les Prairies. Suivant les progrès du chemin de fer, de nouveaux colons ont tôt fait de s'approprier les territoires de chasse des Indiens qui, faibles et démoralisés, observent avec un sentiment de colère impuissante le spectacle de la répartition et du labourage de leurs terres.

Bientôt, les arpenteurs mesurent les terres qui longent la Saskatchewan et les répartissent en grands lots carrés, faisant fi, comme à la rivière Rouge, des étroites bandes de terres traditionnelles des Métis. Les terres accordées par le gouvernement fédéral au C.P. comprennent une partie des terres occupées par les Métis. Des promoteurs apparaissent qui soutiennent détenir un titre aux fermes des Métis. La spéculation foncière bat son plein, et les amis du gouvernement fédéral en tirent d'énormes profits. Les Métis n'ont pas de subventions de la Couronne, ni de titres de propriété. S'ils ne peuvent racheter leurs terres des spéculateurs, ils n'ont d'autre choix que de les abandonner.

Naturellement, les Métis veulent faire ratifier leurs titres. En fait, depuis 1873, ils présentent au gouvernement fédéral pétitions sur pétitions qui restent lettre morte ou peu s'en faut. En 1879, le Parlement adopte une loi permettant au cabinet de régler les revendications des Métis dans les Territoires du Nord-Ouest, mais le cabinet n'est pas prêt à mettre cette loi en application. À vrai dire, les Métis ne se verront jamais allouer de terres ailleurs qu'au Manitoba, et ceux de la Saskatchewan ne recevront de certificats de propriété qu'après le déclenchement de la rébellion de 1885. Les Métis veulent qu'Ottawa leur fournisse des patentes pour les terres qu'ils occupaient déjà. En dépit de l'inspecteur Crozier, de la Police à cheval du Nord-Ouest, qui presse le gouvernement de régler immédiatement les revendications des Métis, John A. Macdonald, qui a été réélu, refuse toujours d'agir. Alors seulement, en juin 1884, les Métis envoient-ils Gabriel Dumont chercher Riel à Sun River au Montana, 700 milles au sud de la Saskatchewan.

Non seulement les Métis sont-ils mécontents, mais les Indiens des plaines sont destitués. Par ailleurs, les colons blancs de Prince-Albert ont aussi une litanie de griefs à l'endroit du gouvernement. Tout comme à présent, les Territoires du Nord-Ouest sont alors gouvernés depuis la lointaine capitale d'Ottawa; il y a bien un Conseil du Nord-Ouest à Régina, mais celui-ci n'a aucun pouvoir. Les récoltes sont mauvaises et les prix très bas. Contrairement à la promesse du gouvernement, le chemin de fer ne longera pas la Saskatchewan-Nord. Aussi, lorsque Dumont va au Montana prier Riel de rentrer au pays, il emporte des lettres rédigées par les Blancs de Prince-Albert et des fonds qu'ils lui ont remis à l'intention de Riel.

L'historien W.L. Morton a soutenu que les protestations de l'Ouest contre la politique d'Ottawa descendaient tout droit de Riel. Erreur: ce sont les colons blancs de Prince-Albert qui sont à l'origine de ces protestations. Ce sont eux les vrais précurseurs des mouvements de protestation qui naîtront dans les années 1920 et 1930. Les Métis n'ont pas plus engendré les Progressistes, le CCF et le Crédit social qu'ils n'ont été à l'origine des puissances financières de l'Ouest qui se disent aliénées. Ce sont les Métis qui sont devenus des étrangers sur leurs terres ancestrales. Évidemment, il ne pouvait longtemps y avoir communauté d'intérêts entre les Métis de Riel et les colons blancs. Dès le premier coup de fusil à Prince-Albert, ces derniers se rallieront au Canada et à la Gendarmerie. Ils avaient utilisé Riel à leurs propres fins, pour précipiter les événements; de toute évidence, ils ne se joindront pas à la rébellion.

Riel rentre donc en Saskatchewan le 11 juillet 1884. Il établit son quartier général à Batoche, en face de Saint-Laurent. Avec ses partisans, il y rédige une charte des Droits exigeant le traitement plus libéral des Indiens, un plus grand nombre de certificats pour les Métis et le gouvernement responsable pour les colons. En février 1885, le gouvernement Macdonald consent à se pencher sur ces revendications, mais c'est là une promesse futile que Macdonald avait déjà faite sans la tenir. À la vérité, Macdonald n'a pas la moindre intention d'accéder aux exigences des Métis concernant les certificats; il croit que les neuf dixièmes d'entre eux en ont déjà reçus. Après la rébellion de 1885, il défendra ainsi sa position devant la Chambre:

> Le sang-mêlé ne cultivait pas la terre qu'il possédait. Lui en donner plus n'aurait servi à rien. Pensez à ce sang-mêlé, ce nomade qui a été élevé pour chasser, qui n'a de possessions que son abri où retourner pendant la saison morte, lorsque le gibier se fait rare — à quoi bon lui accorder 160 ou 240 acres de plus? Les spéculateurs qui le plaignaient et l'incitaient à la révolte, eux, en auraient tiré grand profit. Comme il souffrait, ce pauvre sang-mêlé, ruiné, détruit, affamé parce qu'il n'avait pas reçu l'octroi de 240 acres de terre ou le certificat correspondant qu'il aurait revendu pour 50 $. Non, Monsieur l'Orateur, toute cette histoire est une farce.

Macdonald avait à la fois tort et raison. Ce qu'il a dit devant la Chambre était vrai, mais incomplet. Bien des Métis du Manitoba avaient reçu des certificats; ils les avaient vendus et s'en étaient allés chasser le bison sur les plaines de la Saskatchewan. Les hordes étaient disparues, et les fermiers semaient le blé ou élevaient le bovin là où le bison avait vécu. Et ces mêmes Métis, à qui on avait accordé des certificats en règlement de leurs revendications au Manitoba, en redemandaient. Mais quoi d'autre pouvaient-ils exiger? De stopper la colonisation des Prairies? Qu'on les laisse tranquilles et libres de chasser ce qu'il restait de bison, comme autrefois? Ils décidèrent de réclamer des certificats parce qu'il ne semblait pas y avoir d'autres façons d'exprimer leurs revendications. C'était un appel désespéré, lancé peut-être sans même la conviction qu'une réponse favorable allait changer quoi que ce soit. Même si on avait réussi à démêler l'enchevêtrement des certificats, de l'arpentage et des octrois, les Métis seraient sans doute demeurés insatisfaits. À vrai dire, il y a eu un malentendu entre les Métis et Macdonald. Les Métis cherchaient à obtenir le règlement de leurs revendications autochtones, mais ne pouvaient discerner quelles mesures leur permettraient de demeurer un peuple distinct. Leur vocabulaire politique était celui de 1869-1870, et Macdonald était déterminé à rejeter toute revendication exprimée en ces termes. Il a fallu attendre jusqu'à présent pour que les Métis élaborent un vocabulaire politique leur permettant d'exprimer leur dilemme et la solution contemporaine qu'ils proposent.

Quant à Riel, il se proposait de rejouer le drame de 1869-70 — c'était impossible. Il avait déjà renié la foi catholique et s'était prononcé, à la stupéfaction de ses partisans et au chagrin de l'Église, le Prophète du Nouveau Monde. Cette fois-ci, l'Église ne serait pas son alliée. La situation politique était aussi fort différente; il n'y avait pas d'hiatus constitutionnel, ni de base pour contester l'autorité canadienne. Riel avait bien un capitaine-général, Gabriel Dumont, et 500 chasseurs de bison, tireurs d'élite habitués à vivre à la dure. Mais à cette armée s'opposaient les forces d'un dominion qui s'étendait d'une mer à l'autre. Non seulement la défaite était-elle inévitable, mais elle ne pouvait être repoussée d'une seule saison.

Lorsque Macdonald rejette la dernière pétition des Métis, Dumont affirme que le temps est venu. Le 18 mars 1885, Riel s'empare de l'église de Batoche. Le lendemain, il forme un gouvernement provisoire. L'inspecteur Crozier demande aussitôt des renforts et déménage ses quartiers généraux à Fort Carleton, en amont de Prince-Albert. C'est là que l'affrontent Riel et ses francs-tireurs. Riel enjoint Crozier de se rendre ou ce sera la guerre jusqu'à l'extermination. Crozier refuse d'abandonner le fort. Cinq jours plus tard, il part s'approvisionner à Duck Lake avec cent hommes. La moitié sont des membres de la Police à cheval, l'autre des volontaires de Prince-Albert. Chemin faisant, ils rencontrent Riel et sa troupe qui, en moins de quinze minutes, font douze morts et onze blessés dans le camp ennemi; cinq Métis seulement sont tués. Riel empêche ses hommes de poursuivre les soldats de Crozier qui peuvent ainsi rentrer à Prince-Albert et échapper à une mort certaine.

Riel avait essayé de gagner les Indiens à sa cause. Lorsque ceux-ci ont vent de la victoire des Métis contre la Police à cheval, ils se rassemblent pour rejoindre Riel. Les Indiens sous les ordres du chef Poundmaker s'emparent de Battleford, forçant ainsi la population de cette colonie à se réfugier dans les baraquements de la Gendarmerie de l'autre côté de la rivière. Une autre attaque menée par des Indiens oblige la Police à cheval et les colons de Fort Pitt à évacuer le poste. Les Indiens menés par le chef Big Bear s'emparent de Frog Lake, y tuant neuf personnes.

Dans l'est du Canada, ces nouvelles portent l'excitation à son comble, non seulement à cause de la rébellion des Métis, mais parce que Riel a soulevé les Indiens; conscient des effusions de sang causées par les guerres indiennes aux États-Unis, le gouvernement veut à tout prix éviter que cela se reproduise. Il envoie donc une armée de plus de 3 000 soldats et miliciens pour écraser l'insurrection. En moins de dix jours, le C.P. transporte les forces canadiennes à Fort Qu'Appelle. C'est là que, sous le commandement du général Middleton, l'armée s'apprête à marcher contre Riel qui, pour l'instant, maîtrise la région de la Saskatchewan-Nord. Mais cela ne va pas durer. Parmi les Indiens, seuls Poundmaker et Big Bear sont ses alliés. Le gouvernement avait enfin commencé à envoyer de la farine, du bacon, du thé et du tabac aux Indiens de la vallée de la Qu'Appelle, et ceux-ci ne participèrent pas à la révolte. Les *country-born* avaient déjà refusé de s'unir à Riel, et les Blancs étaient contre lui. Même les Métis ne s'étaient pas tous ralliés à sa cause. Le 16 avril, après avoir tenu nul compte des pétitions des Métis pendant des années, le gouvernement autorise l'émission de certificats, empêchant ainsi que certains des Métis aillent rejoindre Riel.

En mai, les cavaliers et miliciens qui composent l'armée du général Middleton quittent Fort Qu'Appelle et, déployés sur trois colonnes, marchent vers le nord à travers la plaine. Dumont suggère de harceler les troupes de Middleton et de tirer profit du fait que les Métis connaissent bien le terrain, peuvent vivre à la dure et savent faire une guerre de coups de main. Mais Riel refuse. Les Canadiens et les Métis s'affrontent d'abord à Fish Creek. Les Métis tiennent leur position, faisant huit morts et quarante blessés parmi les troupes de Middleton. Le jour même, une autre colonne canadienne, sous les ordres du colonel Otter, atteint Battleford et vient prêter main forte aux policiers et colons enfermés dans les baraquements. Otter est repoussé lorsqu'il attaque le campement de Poundmaker à Cut Knife Creek. Les Indiens tuent huit de ses hommes et en blessent quatorze, mais soucieux d'éviter des effusions de sang inutiles dans un conflit qu'il sait maintenant sans espoir, Poundmaker empêche ses guerriers de poursuivre les troupes en débandade.

Le 9 mai, Middleton et le gros de ses forces ont atteint Batoche. Les Métis y sont bien protégés dans des tranchées, mais complètement surpassés en nombre. Ils manquent bientôt de munitions et, le troisième jour de la bataille, les Canadiens débordent les Métis et s'emparent de la ville. Dumont s'enfuit de l'autre côté de la frontière américaine. Riel se réfugie dans les bois, mais se rend le 15 mai. Poundmaker capitule le 16 mai, et Big Bear se constitue prisonnier le 2 juillet. La seconde rébellion de Riel aura duré moins de deux mois.

En plus de Riel, les Canadiens font 129 prisonniers: 46 Métis et *country-born*, 81 Indiens et deux Blancs. Ils passent en jugement. Quarante-quatre Indiens sont reconnus coupables, dont huit pour meurtre; ils sont exécutés à Battleford. Riel est accusé de trahison. Ses avocats plaident la démence, mais Riel soutient qu'il est sain d'esprit. Il est reconnu coupable le 31 juillet; le jury recommande la clémence. Poundmaker et Big Bear, les deux chefs indiens, sont condamnés à trois ans d'emprisonnement, mais leur peine est commuée.

Macdonald permettra-t-il que Riel soit pendu? Échouent successivement l'appel à la cour du Banc de la Reine du Manitoba, puis une requête pour permission d'en appeler au Conseil privé de Londres. Macdonald demande à trois médecins de lui faire un rapport sur la santé mentale de Riel; ils le déclarent sain d'esprit. Les Canadiens français s'agitent au Québec, et les lieutenants de Macdonald dans cette province le pressent d'intervenir; on s'attend à ce que la sentence de Riel soit commuée. Macdonald, appuyé par l'Ontario, a cependant l'intention d'aller jusqu'au bout. Riel est pendu le 15 novembre 1885, neuf jours après que Donald Smith, devenu lord Strathcona, a enfoncé le dernier crampon du chemin de fer du C.P. à Craigellachie.

On dit de Riel qu'il a conduit les Métis au désastre en 1885. Pourquoi ne pas avoir suivi les conseils de Dumont qui suggérait d'emprunter les tactiques de la guérilla? Peu importe les tactiques employées, le résultat eût été le même. L'occupation des plaines par le colonisateur blanc ne pouvait être freinée. Les Métis n'avaient aucune chance de remporter la bataille. Le Canada tenait l'Ouest par sa force technologique et militaire et entendait faire pendre Riel. Dumont s'était préparé à mener Riel en sûreté, de l'autre côté des frontières américaines, mais Riel avait refusé cette offre. Il savait qu'il devait jouer sa tragédie jusqu'au bout.

Quant à Macdonald, il s'est gravement mépris sur l'effet qu'aurait la mort de Riel. Après sa pendaison, une motion fut présentée devant la Chambre des communes exprimant le regret de l'exécution de Riel. Elle fut rejetée, mais vingt-cinq conservateurs canadiens-français du Québec avaient voté en sa faveur. Le 22 novembre 1885, le chef de l'opposition, Wilfrid Laurier, s'adressa en ces termes à un rassemblement de 40 000 personnes sur le Champ-de Mars à Montréal: «Si j'étais né sur les rives de la Saskatchewan, j'aurais moi-même pris les armes pour combattre la négligence du gouvernement et l'avidité éhontée des spéculateurs.» Jusque-là conservateur, Honoré Mercier saisit l'occasion de lancer un parti nationaliste au Québec, un concept fréquemment repris dans la vie politique québécoise et qui se réalise aujourd'hui dans le Parti québécois.

Mais il n'y avait pas de Métis sur le Champ-de-Mars ce jour-là. En quoi ces discours concernaient-ils la situation lamentable où se retrouvait, bien loin dans la plaine, ce qui restait de la nouvelle Nation? Mercier commençait son discours en disant: «Riel, notre frère, est mort, victime du fanatisme de l'Orangiste.» C'était bien exprimé. Au Québec on réagissait tout autant à la haine de l'Orangiste ontarien à l'endroit des catholiques qu'on s'affligeait de la mort de Riel. Quant aux Métis, ils étaient maintenant dispersés. Certains avaient fui vers les États-Unis, d'autres vers la vallée du Mackenzie. Quelques-uns se mêlèrent aux Indiens et vécurent sur les réserves; d'autres optèrent pour l'assimilation. Un certain nombre continuèrent de se raccrocher à leur identité, mais ils étaient sans ressources, sans terres, sans capitaux et incapables de poursuivre un mode de vie qui avait disparu en même temps que les hordes de bisons.

Encore de nos jours, les Métis souffrent du legs de 1885. Macdonald soutenait que les Métis, en tant que peuple, ne pouvaient faire valoir quelque revendication que ce soit au titre aborigène. Seuls les Indiens pouvaient revendiquer un tel droit. Les Métis n'étaient pas un peuple distinct. Ils devaient choisir de s'assimiler soit aux Indiens, soit aux Blancs. Macdonald refusait de voir en eux le peuple formant la nouvelle Nation. «S'ils sont sauvages, disait-il, ils iront avec les tribus; s'ils sont Métis, ce sont des Blancs...» À son avis, il ne pouvait y avoir de moyen terme, de race tenant des deux cultures et pourtant unique.

Aujourd'hui encore, les Métis refusent de s'assimiler et soutiennent toujours qu'ils ne sont ni Indiens, ni Blancs. Bien sûr, ils sont en un sens à la fois Indiens et Blancs, mais ils ne sont vraiment ni l'un ni l'autre. Riel incarnait lui-même ce conflit. Étudiant, enseignant, agitateur, homme politique ou mystique, il était avant tout un produit de la plaine: un Métis. Jusqu'à la fin, il demeure exaspérant d'ambiguïté.

On a souvent tenté d'embellir son image, mais il faut s'opposer aux efforts des «maquilleurs». A-t-il accepté un pot-de-vin de Macdonald en 1872 pour quitter le pays? Oui, très bien. En aurait-il accepté un en 1885, bien que l'offre n'ait jamais été faite? Peut-être. Devons-nous cependant voir en ce geste une abomination chez Riel, alors que les pots-de-vin de Macdonald sont considérés comme la manifestation d'une charmante espièglerie? Comme son penchant pour la bouteille, c'était là chez le premier ministre un défaut qui le rend plus humain. En tentant de corrompre Riel, Macdonald se montre futé et fait ce qu'aurait vraisemblablement fait tout homme d'État du XIXe siècle aux prises avec un rebelle demi-fou, demi-sauvage. Quant à Riel, le voilà bien dans toute son humanité fervente et perplexe. Crucifix à la main, il rappelle Dumont alors que la Police à cheval du Nord-Ouest fuit devant lui, à Duck Lake. Rebelle à la personnalité charismatique, il se voit comme un prophète et un martyr. Était-il obsédé par les injustices commises à son endroit, par l'iniquité dont son peuple était victime? À bon droit, dirons-nous. Qui niera que Riel et les Métis ont été maltraités? Chassés de la plaine, on ne leur fait point de place dans la société agricole établie sur ce qu'eux estiment être leurs terres. Macdonald les renie après avoir promis l'amnistie. Les Métis lèvent une armée pour défendre la nouvelle province du Manitoba contre les attaques des *Fenians*, et pourtant ce même gouvernement qui leur a demandé de l'aide les traite comme des fugitifs et des criminels. Riel consent à laisser Cartier se faire élire à sa place dans Provencher; ce geste aujourd'hui lui vaudrait un siège au Sénat, mais passa alors inaperçu. Lorsqu'il est vraiment élu au Parlement, il n'a pas le droit d'y entrer.

Riel fut-il un martyr? Je crois que oui. Il a vécu dangereusement et est mort sur l'échafaud pour ses convictions. Riel demeure encore aujourd'hui un héros aux yeux des Métis, même s'il les a menés à la défaite de Batoche.

Anglophones ou Francophones, les Canadiens voient en Riel le symbole de la lutte pour la domination de l'Ouest canadien. Et pourtant, les rébellions de Riel à la rivière Rouge en 1869-70 et en Saskatchewan en 1885 sont vraiment des épisodes dans la résistance des Métis face à l'avance de la colonisation canadienne. Non seulement les Anglais et les Français ont-ils volé aux Métis leurs terres ancestrales, mais ils se sont appropriés le symbole de leur lutte: pour les Anglais, Riel était un meurtrier, pour les Français, le défenseur du fait français dans le Nord-Ouest. Mais tout ça est du passé. Riel vit aujourd'hui non pas dans le souvenir reconnaissant des Canadiens français, mais dans le cœur des Métis.

La Constitution de 1982 prévoit maintenant que les droits existants des peuples aborigènes du Canada sont reconnus et confirmés. Elle définit les Indiens, les Inuit et les Métis comme les peuples autochtones du Canada. Ainsi reconnaît-on expressément les Métis comme l'un des peuples autochtones du Canada. Mais elle devrait aussi reconnaître que les Métis forment un peuple dont la vie est entrelacée dans le tissu de la vie canadienne et dont l'histoire lui donne aujourd'hui le droit de défendre ses revendications.

Est-ce maintenant trop tard? Comment régler les revendications des Métis aujourd'hui? Comment leurs droits ancestraux peuvent-ils être reconnus dans un pays qui pendant un siècle a prétendu que les Métis n'existaient pas au sens constitutionnel? Les Métis sont enchevêtrés dans l'écheveau de l'histoire, du droit constitutionnel et de la sociologie qui laisse sans réponse nombre de questions épineuses. Qu'est-ce qu'un Métis? Quelle forme devrait prendre le règlement de leurs revendications? Comment devons-nous traiter collectivement aujourd'hui un peuple dont nombre des ancêtres ont individuellement reçu un certificat au siècle dernier? Il faudra peut-être des années pour débrouiller cet écheveau. Cependant, le Canada a maintenant reconnu son obligation d'examiner ces questions.

Un fait reste certain: les Métis qui, repoussés par le progrès de la colonisation, s'en sont allés dans leurs charrettes vers l'horizon, n'ont pas disparu et ne disparaîtront pas. Leur nombre a diminué pendant un certain temps. Le recensement de 1941, le dernier à identifier les Métis séparément, n'en énumère que 8 692. À présent, ceux qui se disent Métis sont bien plus nombreux. Leur long voyage les a ramenés sur les rives de la rivière Rouge, à l'emplacement de la colonie qu'ils ont défendue si longtemps, et dans la ville où Riel fut pendu. On les trouve aujourd'hui à Winnipeg, à Régina et partout dans les Prairies. Ils partagent le sens de leur identité collective: descendants du peuple qui constituait *la nation métisse*[2]. Bien que

2. En français dans le texte.

peu d'entre eux parlent français, le sens d'un passé commun les rapproche et leur fournit une identité contemporaine.

Les arguments juridiques ou historiques cherchant à déterminer si le gouvernement fédéral est tenu de négocier avec les Métis ne sont pas nécessairement concluants. Les ancêtres de bien des Métis d'aujourd'hui, peut-être même de la plupart d'entre eux, ont reçu des certificats à un moment ou à un autre; cela ne fait pas de doute. En effet, des représentants du gouvernement émettaient des certificats partout dans la plaine jusqu'en 1908. Mais une sage et juste politique fédérale rejettera la notion que l'émission par le passé de certificats aux Métis équivaut à l'extinction de leurs droits ancestraux. L'insistance du fédéral à offrir des certificats au siècle dernier équivalait à rejeter officiellement l'idée que les Métis constituaient alors et constituent toujours une société distincte de la société indienne et de la société dominante des Blancs. Persister dans ces vues aujourd'hui reviendrait à répudier la grande promesse que fait la nouvelle Constitution, même si elle y appose une condition.

Certains diront que tout ce que nous avons à gagner en reprenant de telles négociations sera une autre série de problèmes qui nous empoisonneront l'existence pendant encore un siècle. Mais ces soi-disant problèmes nous attendent au tournant quoi que nous fassions. En 1885, Macdonald croyait avoir vidé la question en déclarant que les Métis devaient s'assimiler soit aux Indiens, soit aux Blancs. Son gouvernement reniait jusqu'à leur existence, mais les Métis survécurent, refusant l'assimilation. Ils la refusent toujours, tout comme ils refusent de renoncer à leur patrimoine de peuple autochtone du Canada.

L'histoire de ce peuple n'est pas qu'une curiosité, simple note en bas de page du roman illustrant l'occupation et la colonisation de la plaine par les Blancs. Les Métis partagent une histoire et une fierté communes. À l'exemple des Indiens, ils mettent de l'avant des revendications qui s'appuient sur leurs droits ancestraux. En ce sens, ils se sont ralliés à la cause des Indiens non inscrits — ceux qui en raison de leur mariage avec des non-Indiens ou pour quelque autre raison se voient refuser l'admissibilité au statut d'Indien en vertu de la Loi sur les Indiens.

Le règlement des droits ancestraux n'est pas simplement une question de justice théorique, tout au plus une question abstraite visant les droits des minorités. Comment les provinces des

Prairies, leurs cités et leurs villes, vont-elles s'occuper de leur population autochtone grandissante? On a instauré de nombreux programmes destinés à améliorer la condition des peuples autochtones; le «problème» en est-il pour autant réglé? Qui, de nos jours, ignore encore la pauvreté, la violence et la dégradation défigurant la vie de nombreuses collectivités autochtones? Loin de se dissiper, les problèmes se sont aggravés. Pourquoi? Parce que ces problèmes ne tiennent pas simplement à la pauvreté; ils relèvent des efforts désespérés d'un peuple qui tente de conserver son identité culturelle. Dans la quête d'une expression contemporaine de cette identité sont nées les revendications territoriales des Autochtones et l'aspiration à l'autonomie.

La Commission d'examen constitutionnel des Métis et des Indiens non inscrits, établie par le Conseil national des Autochtones du Canada, présentait dans son rapport de 1981 les vues des Métis et des Indiens non inscrits. Ils recherchent «l'intégration collective à la vie politique, économique, sociale et culturelle du pays». Ils cherchent «le droit de s'intégrer à titre de *collectivité*», et non individuellement. Ils rejettent l'idée voulant que l'intégration passe obligatoirement par l'assimilation. Ils ont préparé un plan d'action et identifié les institutions pesant d'un poids trop lourd dans leur vie:

> ...les lois et structures administratives gouvernant la définition des Autochtones; le système d'éducation dont relèvent l'instruction et la socialisation des enfants autochtones; le droit familial et les systèmes d'assistance sociale aux enfants qui gouvernent souvent le destin des familles autochtones. Les Autochtones soutiennent que ces institutions ont œuvré à la fragmentation des collectivités autochtones et à l'assimilation de leurs membres.

Dans l'élaboration d'une entente avec les Métis, on aurait tort d'interpréter étroitement la nouvelle Constitution, d'essayer de limiter le nombre de personnes admissibles au statut de Métis et de diminuer les droits qu'ils peuvent revendiquer à ce titre, en vertu de la Constitution. Car la question ne se résume pas, non plus qu'elle ne s'est jamais résumée, à une affaire de terres ou de certificats de propriété. Comme l'a dit Riel à son procès:

> Je suppose qu'en 1870, les sang-mêlé du Manitoba ne luttaient pas pour obtenir deux cent quarante acres de terres; il s'agissait plutôt de deux sociétés devant traiter ensem-

ble. La première était modeste mais avait tout de même ses droits. La seconde était grande, mais ses droits étaient les mêmes que ceux de la première, car les droits sont les mêmes pour tous.

L'expérience des Métis révèle la fragilité des droits des minorités face au changement social, politique et démographique. Naturellement, les minorités changent aussi. Mais doivent-elles abandonner, à mesure de ce changement, leur sens d'une identité collective? Est-il possible qu'une minorité comme les Métis subsiste dans un pays moderne et industrialisé? Si cela n'est pas possible au Canada, il est peu vraisemblable que ce le soit n'importe où ailleurs.

Ce modeste peuple peut-il aujourd'hui revendiquer ses droits? Le Canada a-t-il un autre rendez-vous avec la nouvelle Nation? La nouvelle Constitution obligera le Canada à traiter de nouveau avec les Métis. Ne leur offrirons-nous qu'une autre occasion de s'assimiler ou pouvons-nous leur fournir les moyens de recouvrer leur passé et d'assurer leur avenir? S'ils ne peuvent plus chasser le bison, les Métis peuvent redevenir un peuple fier et plein de ressources.

*Chapitre III*

# *Laurier et les écoles séparées*

*Chapitre III*

# *Laurier et les écoles séparées*

Notre situation de francophones hors Québec ressemble à celle d'une famille devant sa maison incendiée. Elle est sans abri, les yeux rivés sur quelques biens épars. Mais il lui reste la vie.

Dans toutes les provinces sauf le Québec, les Canadiens français sont une minorité — et souvent une minorité assiégée. Depuis la Confédération, ils cherchent à obtenir, pour leur langue et leur religion, des garanties constitutionnelles qui pourtant leur ont été refusées quand elles importaient le plus. Sans elles, les Canadiens français ont été et demeurent vulnérables à l'assimilation.

Bien sûr, les Canadiens français sont majoritaires au Québec. Il ne fait pas de doute que la majorité francophone de cette province a établi sa place en Amérique du Nord. En 1839, lord Durham non seulement prévoyait son assimilation mais cherchait en fait à créer les conditions qui y mèneraient. Pourtant, la tentative fut abandonnée en moins d'une décennie. En 1867, les Canadiens français acquéraient leur propre province en même temps que des sauvegardes constitutionnelles qui leur fournissent depuis, à cause du nombre, les moyens de se préserver dans la mer anglophone qu'est l'Amérique du Nord. Dans les autres provinces, cependant, les attaques continuelles contre la langue, la religion et la culture des Francophones, et leur repli devant ces attaques, marquent l'histoire de ces groupes minoritaires.

Le problème remonte à la Confédération. Déjà dans les années 1850, les Anglophones étaient plus nombreux que les Francophones dans l'Union des Canadas (ce qu'on appelait alors la Province du Canada). La Confédération assura aux Canadiens français la prédominance dans leur province, le foyer de leurs ancêtres.

George-Étienne Cartier avait insisté sur ce point. S'il avait échoué, le Québec aurait refusé d'entrer dans la Confédération. Après 1867, les Francophones au Québec peuvent donc parler leur langue et pratiquer leur religion sans qu'intervienne Ottawa, où les Anglophones sont en majorité.

L'article 133 de l'Acte de l'Amérique du Nord britannique (A.A.N.B.) prévoyait l'anglais et le français comme langues officielles du Parlement et des tribunaux fédéraux. De la même manière, l'anglais et le français étaient les langues officielles de la législature et des tribunaux du Québec. C'étaient là les deux seules dispositions de l'A.A.N.B. concernant les droits linguistiques.

On croyait cependant que l'article 93 de l'A.A.N.B. allait vraiment constituer le pilier de la langue et de l'identité des Canadiens français. En effet, les Pères de la Confédération avaient convenu, par cet article, que l'éducation serait de compétence exclusivement provinciale. Cela signifiait qu'il ne pouvait y avoir d'ingérence fédérale dans les écoles dirigées par l'Église catholique au Québec. Mais qu'en était-il des catholiques des autres provinces? L'article 93 dispose que les provinces ne peuvent modifier, ni abroger les droits aux écoles confessionnelles des catholiques ou des protestants déjà établies par la loi au moment de la Confédération. Cette disposition protégeait à la fois les écoles de la minorité protestante du Québec et de la minorité catholique d'Ontario. Chacun y voyait un outil également efficace pour protéger l'enseignement catholique et, par conséquent, l'identité des Canadiens français des autres provinces. Non seulement l'article 93 de l'A.A.N.B. interdisait l'intervention des provinces dans la question des écoles séparées (du nom donné par l'Acte aux écoles catholiques), mais encore disposait-il que si une province en abrogeait les droits, le cabinet était autorisé à intervenir et à exiger de celle-ci qu'elle prenne des mesures réparatrices, et le Parlement pouvait même édicter des lois réparatrices.

Comment l'article 93 pouvait-il protéger les minorités francophones sans même mentionner les droits linguistiques? Parce qu'il concerne les écoles confessionnelles et que c'était dans les écoles administrées par l'Église catholique que les enfants des Canadiens français hors Québec apprenaient à lire et à écrire dans leur langue maternelle. Ces écoles allaient être maintenues à même les fonds de l'État. Au début, les disputes entre Anglais et Français sur l'article 93 portaient, du moins en théorie, sur la question du financement des écoles séparées à même les deniers publics. En réalité, la controverse soulevait une question fondamentale: les minorités franco-canadiennes hors Québec allaient-elles conserver leur langue, leur religion et leur culture, non pas simplement par choix individuel mais au titre du droit constitutionnel? En d'autres termes, le Canada allait-il être un pays réellement bilingue et biculturel?

La première fois qu'il fut mis à l'épreuve, l'article 93 ne joua pas en faveur des Acadiens du Nouveau-Brunswick. Il fut encore éprouvé au Manitoba, puis en Ontario, et dans les deux cas, le résultat se révéla désastreux pour les minorités francophones. Bien plus, la structure politique de la Confédération creusa un fossé entre les Canadiens français du Québec et ceux des autres provinces. Au Québec, la majorité pouvait se fier aux pouvoirs de la province pour protéger sa langue, sa religion et sa culture. Dans les autres provinces, la majorité anglophone se servait des pouvoirs de la province pour diminuer la langue, la religion et la culture des Francophones. La vie et la carrière de Wilfrid Laurier illustrent bien ce clivage fondamental.

La carrière de Laurier englobe effectivement les trois grandes crises des minorités francophones du Canada. Il était simple député à la Chambre des communes dans les années 1870, lorsque, les premiers, les Acadiens essuyèrent un refus quant à des garanties constitutionnelles pour leurs écoles; par la suite, ils durent s'en remettre au bon vouloir des provinces maritimes. Vingt ans plus tard, Laurier était chef de l'opposition quand le gouvernement du Manitoba refusa d'y subventionner les écoles des catholiques. En 1896, c'est en sa qualité de premier ministre que Laurier négocie l'accord Laurier-Greenway accordant aux catholiques le droit d'enseigner la religion dans les écoles publiques après les heures de classe. Il est à nouveau dans l'opposition quand, en 1912, le gouvernement de l'Ontario limite l'usage du français dans les écoles catholiques par la mise en application du Règlement 17.

Laurier entre au Parlement en 1874. Tout au long de sa carrière, il s'attachera à trouver la meilleure façon de défendre la position du Québec dans la Confédération et de protéger les Canadiens français des autres provinces. Il est profondément convaincu que le gouvernement fédéral ne doit jamais pouvoir empiéter sur les droits des provinces. Cependant, chaque fois que les provinces à majorité anglophone allaient faire valoir leurs droits provinciaux, les droits des minorités francophones s'en trouveraient inévitablement érodés d'autant. Lorsqu'en 1871 le Nouveau-Brunswick abolit les subventions publiques aux écoles séparées, des hommes politiques du Québec tentent de persuader le gouvernement fédéral d'intervenir. Laurier voit clairement le dilemme. Il sait qu'il faut d'abord servir les intérêts du Québec, foyer de la culture et de l'identité canadiennes-françaises, et ceci, même si les droits des minorités francophones doivent en souffrir ailleurs. Les fédéralistes québécois sont confrontés à ce dilemme depuis la Confédération. Aujourd'hui, les *indépendantistes*[1] du Québec disent tout simplement que les minorités francophones des autres provinces ne peuvent pas survivre; or, ultimement, l'affaiblissement de ces minorités dessert la cause du fédéralisme.

Chaque fois que la question des écoles a resurgi, les tribunaux décidèrent que l'article 93 n'avait pas le sens que lui prêtaient les Canadiens français. Laurier s'est souvent demandé si le gouvernement fédéral ne devait pas intervenir pour confirmer les droits des Canadiens français hors Québec. Mais comment recommander une telle démarche? Si le gouvernement central exerçait un tel pouvoir, le jour ne viendrait-il pas où il s'en servirait contre le Québec? Tout au long des crises sur la question des écoles séparées, Laurier conservera toujours la même interprétation de ce qui avait été convenu à la Confédération et ne dérogera jamais du devoir qu'il s'était imposé. Invariablement clair et éloquent, il tentera de protéger les Francophones hors Québec. Pourtant, il ne pressera jamais Ottawa d'intervenir en leur nom dans les affaires de compétence provinciale. Il ne pourra qu'en appeler à la tolérance, au sens du compromis et à la compréhension; immanquablement, ses plaidoyers ne suffiront point.

Jusque-là, la tolérance, le sens du compromis et la compréhension ont pourtant été manifestes au Québec. Les écoles de la minorité protestante n'ont jamais été menacées dans cette province. À preuve, ces paroles de John Rose, représentant de Montréal-Centre à l'Assemblée législative de la Province du Canada en 1865:

> Or nous, la minorité protestante anglaise du Bas-Canada, ne pouvons oublier que tous nos droits à une éducation séparée nous furent accordés sans aucune restriction avant l'Union des provinces, alors que nous étions une minorité entièrement livrée aux mains de la population française.

---

1. En français dans le texte.

> Nous ne pouvons oublier que personne n'a jamais même tenté de nous empêcher d'éduquer nos enfants comme nous l'entendions; et je nierais l'évidence si j'oubliais d'affirmer que la minorité ne s'est jamais plainte de la répartition des fonds de l'État aux fins de l'éducation.

Après la Confédération, l'administration canadienne-française du Québec continua de faire preuve de la même tolérance à l'égard de la minorité anglophone. Ce n'est que dans les années 1970 que le gouvernement du Québec entreprit de limiter l'inscription des élèves non anglophones dans les écoles anglaises de la province. Même alors, on ne tenta point de retirer à ces écoles les subventions publiques, ni d'y restreindre l'enseignement de l'anglais.

Dans la politique canadienne des années 1890 à 1920, les plus profonds désaccords entre Français et Anglais naquirent de la polémique sur les écoles séparées du Manitoba et d'Ontario. Au Manitoba, le débat portait sur la religion, en Ontario, sur la langue, mais dans les deux cas, la question demeurait identique: les Canadiens français hors Québec allaient-ils occuper une place distincte, garantie par la Constitution, dans la société de la majorité anglophone?

La transmission du patrimoine linguistique et culturel de génération en génération passe obligatoirement par les écoles. Une minorité ne peut conserver sa culture que si ses enfants apprennent l'histoire de leur peuple. Cela s'applique à tous les groupes ethniques. Toutes choses égales d'ailleurs, on s'attend à ce que de tels groupes s'assimilent s'ils n'ont pas de garanties constitutionnelles. La langue est la pierre de touche de l'assimilation. De là l'importance des écoles pour protéger et transmettre la langue d'une minorité.

Mais pourquoi, demandera-t-on, les Canadiens français des provinces anglophones ne devraient-ils pas s'assimiler au même titre que tout autre groupe ethnique? Autant demander pourquoi la minorité anglophone du Québec ne s'assimile pas. Le cas des Canadiens français se distingue de celui d'autres groupes ethniques du Canada en ce qu'il s'appuie sur des fondements particuliers. Au XVIIIe siècle, la France (et ses alliés indiens) tenait l'Amérique du Nord sous son empire, de la côte Atlantique aux Rocheuses, et du Moyen-Nord au golfe du Mexique; les Anglais, eux, dominaient les colonies du littoral de l'Atlantique et les postes de la baie d'Hudson. Les Français furent les premiers Européens à coloniser les

Maritimes et la vallée du Saint-Laurent, puis à explorer l'Ouest. Ils ne sont pas arrivés au Canada tels des immigrants s'attendant à l'assimilation. Ils sont ici depuis le début, ils constituent l'un des deux peuples fondateurs et ils ont le droit de conserver leur langue et leur culture partout au Canada.

La Charte des droits et libertés garantit le droit à l'instruction dans la langue de la minorité, à même les fonds de l'État. Pour la première fois dans l'histoire du Canada, ce droit, lorsque le nombre le justifie, à l'instruction dans la langue de la minorité, est enchâssé dans la Constitution. Ainsi, les descendants des Français et des Anglais, ces deux peuples qui furent les principaux architectes de l'histoire et des institutions canadiennes, sont assurés de pouvoir faire instruire leurs enfants dans leur langue. On a dû inscrire cette disposition dans la Charte parce que les Pères de la Confédération n'ont pas réussi à garantir efficacement les droits linguistiques et parce que les tribunaux ont refusé d'interpréter libéralement les dispositions de la Loi constitutionnelle de 1867 visant la protection des écoles séparées des catholiques hors Québec.

Jusqu'à la moitié du XIX$^{e}$ siècle, les quelques écoles existant au Canada étaient confessionnelles, c'est-à-dire établies par les églises. En Nouvelle-France, l'éducation avait toujours été la chasse gardée de l'Église catholique pour qui la religion devait imprégner l'instruction. De leur côté, les protestants croyaient aussi que leurs enfants devaient recevoir dans les écoles un enseignement chrétien. Au cours du XVIII$^{e}$ siècle cependant, l'idée se répandit que chaque enfant avait droit au moins à l'instruction élémentaire; l'éducation devait être démocratisée. Ce mouvement marqua tout le monde occidental et entraîna dans de nombreux pays l'établissement d'écoles non confessionnelles dites écoles publiques. Le financement de ces écoles, de même que l'instruction religieuse et la langue d'enseignement, devinrent matière à controverse. L'Église catholique s'opposa à ce mouvement de laïcisation de l'enseignement. Il en alla de même, au début, pour les églises protestantes. (Même à présent, les écoles du Québec et de Terre-Neuve sont administrées par des commissions scolaires confessionnelles.) Les conflits entre l'Église et l'État se multiplièrent à mesure qu'augmentait le nombre d'écoles publiques. Au Canada, le débat se cristallisa autour de la question du financement et de la langue d'enseignement: les provinces allaient-elles subvenir aux besoins des écoles séparées des catholiques, et quelle y serait la langue d'enseignement?

Le Québec maintint les deux systèmes, celui des catholiques et celui des protestants, mais aucune autre province ne reconnut le besoin de deux systèmes. Au contraire, elles considéraient les écoles catholiques comme une anomalie, une exception à la règle; aussi s'employèrent-elles à en diminuer les fonctions, ou même à les abolir carrément. La démocratisation de l'éducation et l'avènement des écoles publiques administrées par l'État poussèrent les provinces anglophones à refuser de maintenir les écoles séparées. La lutte qui s'ensuivit se concentra sur les écoles séparées, mais son aboutissement allait aussi déterminer le sort des minorités canadiennes-françaises dans les provinces anglophones.

La bataille des écoles manitobaines retint l'attention de tout le pays. La Loi de 1870 sur le Manitoba avait officiellement établi le bilinguisme dans cette province. L'anglais et le français y étaient ainsi devenus les langues officielles de la législature et des tribunaux. Modelé sur l'article 93 de la Loi constitutionnelle de 1867, l'article 22 de la Loi de 1870 sur le Manitoba garantissait aux protestants comme aux catholiques le droit aux écoles confessionnelles financées par l'État. À vrai dire, l'article 22 allait plus loin; il disposait que rien dans les lois adoptées par la province en matière d'éducation ne devait «préjudicier à aucun droit ou privilège conféré, lors de l'Union, par la loi ou par *la coutume* à aucune classe particulière de personnes dans la province relativement aux écoles séparées.» Ces termes ont été soigneusement choisis. À son entrée dans la Confédération, le Manitoba n'avait ni loi ni ordonnance concernant l'éducation. La loi du Nouveau-Brunswick d'avant la Confédération ne prévoyait pas la prestation de fonds publics aux écoles catholiques, et à cause de cette lacune, les tribunaux avaient déclaré que les Acadiens ne pouvaient invoquer la protection de l'article 93. En 1870, les délégués de Riel à Ottawa avaient donc pris soin d'inclure les mots «par la coutume» à l'article 22 de la Loi sur le Manitoba précisément en vue d'éviter une polémique comme celle qui faisait rage au Nouveau-Brunswick avant l'adoption de la Loi sur les écoles publiques.

En 1871, le Manitoba adoptait un système double d'écoles confessionnelles maintenues par l'État. C'était le système que la coutume avait perpétué dans la colonie de la rivière Rouge avant que le Manitoba ne devienne une province, et c'était l'arrangement que Riel avait voulu conserver.

La loi de 1871 sur l'instruction publique au Manitoba prévoyait deux surintendants, l'un protestant, l'autre catholique, chargés de superviser le bon fonctionnement du double système. Ceci respectait tout à fait l'esprit de la Loi de 1870 sur le Manitoba. Ces dispositions allaient pourtant être renversées avant la fin du siècle. Le Manitoba n'allait pas devenir le Québec de l'Ouest, comme Cartier l'avait espéré et comme d'autres l'avaient craint. En fait, la suite de l'histoire allait en supprimer la possibilité. Lorsque le Manitoba adopta le double système, en 1871, sa population était composée à peu près également d'Anglophones et de Francophones. Cela devait cependant bientôt changer. L'Ontario séparait le Manitoba du Québec, et l'économie y était florissante. Après 1870, des vagues de colons ontariens émigrèrent au Manitoba. Le nombre d'Anglophones augmenta régulièrement tandis que déclinait la proportion francophone de la population.

Cette hausse énorme de la population protestante, formée non seulement des colons anglophones de l'Ontario mais aussi d'immigrants venant des îles Britanniques et des États-Unis, allait inévitablement entraîner la contestation du double système d'éducation. Monseigneur Taché envoya des émissaires recruter des colons canadiens-français dans les paroisses rurales du Québec, mais les immigrants ontariens étaient six fois plus nombreux. La population du Québec augmentait aussi très rapidement; cependant, les Québécois des campagnes migraient vers Montréal ou allaient chercher du travail dans les filatures de la Nouvelle-Angleterre. D'autres se relogeaient dans l'est de l'Ontario, mais bien peu allaient plus loin à l'ouest. Ceux qui migrèrent au Manitoba s'y trouvèrent exposés aux forces de l'assimilation qui s'avivaient proportionnellement à l'émigration des Ontariens dans l'Ouest. John A. Macdonald a bien saisi la situation. Les gens du Québec, dit-il,

> ... ne migreront pas dans cette direction. Ils veulent — et je crois que c'est sage — s'établir sur les terres encore vierges de leur province ou élargir leur champ d'influence dans l'est de l'Ontario. Par conséquent, le Manitoba et les Territoires du Nord-Ouest sont en passe de devenir, à l'instar de la Colombie britannique, tout à fait anglais — avec des lois anglaises, avec une immigration anglaise, ou plutôt britanniques, et j'ajouterai, des préjugés anglais.

Pendant combien de temps la majorité anglophone allait-elle accepter un cadre institutionnel accordant un statut égal à la langue et à la religion de la minorité francophone? Le jour où les Anglais refuseraient de maintenir le double système d'éducation, les Canadiens français n'auraient d'autre protection que la Loi de

1870 sur le Manitoba, puisqu'ils n'auraient plus assez d'influence politique pour se défendre.

En 1890, les protestants anglophones gouvernaient le Manitoba depuis déjà dix ans. Cette année-là, la législature mit fin au bilinguisme officiel et aux écoles séparées. La lutte qui suivit est connue sous le nom de la question des écoles manitobaines. Elle révèle à quel point la majorité protestante et anglophone était déterminée à dominer l'ouest du Canada. En même temps, elle démontre combien limitée était la portée de l'article 93 et de son équivalent, l'article 22 de la Loi de 1870 sur le Manitoba, qui était censé protéger les intérêts des Franco-Manitobains.

Les Canadiens anglais étaient profondément convaincus que l'Église catholique romaine, à leurs yeux une institution dogmatique, hiérarchique et gouvernée par un pape étranger, ne devait acquérir aucune influence dans l'Ouest canadien. Nombre d'entre eux considéraient aussi l'usage du français en Amérique du Nord comme une anomalie, une anomalie qui devait se confiner au Québec. Mais ce n'était pas simplement une question de religion ou même de langue. C'était aussi affaire de divergences de vues sur l'industrialisation, sur la modernisation et sur le type de nation capable de maintenir des institutions démocratiques. Les protestants voulaient des écoles publiques dont les enseignants seraient nommés et le programme prescrit par le gouvernement, et non par l'Église. Ces écoles constituaient pour eux le moyen d'inculquer aux jeunes générations les valeurs de la démocratie. À leurs yeux, les écoles séparées ne feraient que retarder le progrès.

De leur côté, les Canadiens français croyaient fermement que les écoles séparées étaient essentielles à la survie de leur peuple. Ils voulaient leurs propres écoles, avec des commissions scolaires catholiques, des enseignants catholiques et des manuels conformes à la doctrine catholique. Ils avaient compris que la langue et la religion étaient étroitement liées et voyaient dans l'usage du français le moyen de préserver la foi catholique partout où les Canadiens français s'établiraient; le français comme langue d'enseignement les protégerait d'être contaminés par les hérésies protestantes et par les tendances modernes au laïcisme.

Cependant, la volonté des Ontariens de prendre possession de l'Ouest l'emporta sur les vues des Canadiens français selon lesquels cette partie du pays était le patrimoine commun des deux nations fondatrices du Canada. Le Manitoba importait dans les calculs de la Loge orangiste qui détenait un pouvoir immense dans la vie politique en Ontario. Ses membres étaient fort nombreux, incluant toute personne d'ascendance britannique qui croyait à la suprématie du protestantisme et du lien impérial. En Ontario, le législateur avait statué sur la question des écoles séparées avant la Confédération, et celles-ci étaient protégées par l'A.A.N.B. L'Orangiste cependant ne voyait pas pourquoi il ne s'emploierait pas à empêcher l'établissement ou le maintien de telles écoles au Manitoba et dans les Territoires du Nord-Ouest. Le concept du Canada comme l'*union* de deux peuples fondateurs à laquelle l'Ontario et le Québec auraient adhéré au moment de la Confédération, chaque peuple étant assuré d'avoir ses institutions culturelles dans toutes les provinces — cette vision du pays n'allait pas être étendue plus à l'ouest. En réalité, l'Orangiste était déterminé à détruire tout progrès en ce sens.

Lorsque Laurier émergea comme chef du parti libéral, en 1887, les colons anglophones venus d'Ontario s'étaient déjà emparés des terres arables du Manitoba et avaient établi leurs assises politique et culturelle dans la région. En 1889, le docteur John Schultz, leader des Canadiens qui avaient été emprisonnés par Riel pendant la rébellion de la rivière Rouge, fut nommé lieutenant-gouverneur de la province.

Cette année-là, les Orangistes formèrent aussi la *Equal Rights Association*, dont le but était d'établir la suprématie de la langue anglaise et des écoles publiques partout au Canada. Afin de promouvoir ce but, D'Alton McCarthy, membre du parti conservateur et ancien confident de John A. Macdonald, fit une tournée au Manitoba et dans les Territoires du Nord-Ouest. Le 5 août 1889, dans un discours à Portage-la-Prairie, il s'en prend à l'Église catholique et condamne le financement public des écoles séparées. À la même réunion, Joseph Martin, le procureur général du Manitoba, en préconise l'abolition.

En 1890, le premier ministre Thomas Greenway présente à la législature du Manitoba deux projets de loi, l'un visant l'abolition du français comme langue officielle et l'autre concernant le remplacement des écoles confessionnelles maintenues à même les fonds publics par un système unique d'écoles publiques. Les deux projets sont adoptés par la majorité protestante et anglophone de l'Assemblée. Largement répandue au Manitoba, l'opinion de McCarthy n'a rien de compliqué: «Nous sommes dans un pays britannique et le plus tôt nous ferons de nos Canadiens français des

Britanniques, le moins de problèmes nous laisserons à la postérité.» Cette idée a encore ses partisans au Canada.

Les Canadiens français virent tout de suite laquelle des deux mesures était la plus lourde de conséquences. Sans les écoles séparées pour assurer l'enseignement du français, les futures générations ne parleraient pas français, que ce soit la langue officielle ou pas. Les Franco-Manitobains contestèrent aussitôt la compétence de la province à les obliger de payer des taxes pour les écoles publiques tout en leur refusant les fonds pour les écoles séparées. John Barrett, un contribuable catholique de Winnipeg, contesta la loi devant les tribunaux, soutenant qu'elle violait la Loi de 1870 sur le Manitoba. Lorsque la cause *Barrett c. Winnipeg* fut entendue à la Cour suprême du Canada, les juges, qu'ils fussent protestants ou catholiques, anglophones ou francophones, décidèrent à l'unanimité que la Loi de 1890 concernant les écoles du Manitoba préjudiciait aux droits et privilèges des catholiques relativement aux écoles séparées, droits et privilèges qu'ils détenaient «par la coutume» au moment de l'entrée du Manitoba dans la Confédération. Lorsqu'il était juge en chef du Nouveau-Brunswick, sir William Ritchie, devenu depuis juge en chef du Canada, avait statué contre les Acadiens quand ceux-ci avaient cherché à faire valoir leurs droits en vertu de l'article 93 de l'A.A.N.B. Les droits des Acadiens n'étaient pas établis dans la loi au moment de la Confédération; ils n'existaient qu'en vertu de la coutume, et n'étaient pas protégés par l'article 93. Cependant, l'article 22 de la Loi de 1870 sur le Manitoba protégeait explicitement les droits de ceux qui envoyaient leurs enfants à l'école catholique, même si ces droits n'existaient qu'en vertu de la coutume. Or, le juge en chef Ritchie et la Cour suprême du Canada maintinrent les droits garantis par la Loi de 1870 sur le Manitoba. Parlant de l'effet sur les contribuables catholiques de la Loi concernant les écoles du Manitoba, le juge Ritchie posa la question en ces termes:

> Cela ne leur est-il pas préjudiciable... puisque, d'une part, ils paient des taxes pour maintenir des écoles dont ils ne peuvent bénéficier en toute conscience à cause de leurs croyances religieuses, de la règle et des principes de leur Église, et que d'autre part, ils se voient obligés de trouver les moyens de maintenir des écoles où ils peuvent envoyer leurs enfants en toute conscience; et s'ils n'arrivent pas à trouver les moyens de faire les deux choses, ils se voient dans l'obligation de laisser leurs enfants sans instruction religieuse ni laïque?

Les Canadiens français du Manitoba semblaient avoir gagné la partie. Les garanties constitutionnelles prévues par Riel avaient sauvé leurs écoles. Mais le litige se poursuivit: on logea un appel devant le Conseil privé d'Angleterre, la plus haute instance à laquelle les Canadiens pouvaient recourir. Le Conseil privé jugea que le seul droit au privilège conféré aux catholiques romains par la loi ou par la coutume avant l'entrée du Manitoba dans la Confédération était le droit d'établir et de maintenir des écoles comme ils l'entendaient, mais que la province n'était nullement obligée de subvenir à leurs besoins. Il est impossible de justifier cette décision à la lumière des termes explicites de la Loi de 1870 sur le Manitoba. Le Conseil privé disait que le Manitoba n'ayant pas statué sur les écoles séparées avant son entrée dans la Confédération, les parents catholiques qui choisissaient d'envoyer leurs enfants dans les écoles confessionnelles n'étaient pas exemptés des taxes servant aux écoles publiques et ne pouvaient revendiquer de l'État qu'il subventionne les écoles séparées. Mais évidemment, les mots «par la coutume» avaient été inclus dans l'article 22 de la Loi sur le Manitoba justement parce qu'il n'existait pas de tel statut.

La décision du Conseil privé fut un revers pour l'unité canadienne. Dans le lointain Westminster, un petit groupe de pairs du royaume ignorant tout ou presque du Canada et de son histoire avaient trouvé déplaisante l'idée d'écoles confessionnelles financées à même les fonds publics. Pour autant que leur décision permette d'en juger, ils renversèrent le jugement de la Cour suprême du Canada sans autre raison. À présent, le seul recours des Franco-Manitobains étaient les mesures réparatrices prévues dans la Loi de 1870 sur le Manitoba; en effet, l'article 22 de cette loi, tout comme l'article 93 de l'A.A.N.B., dispose que dans le cas où une décision d'une législature provinciale affecte les droits et privilèges relatifs aux écoles confessionnelles, le cabinet fédéral peut enjoindre la province de rémédier à la situation, et si la province refuse d'obéir, le Parlement peut décréter des lois réparatrices propres à donner suite et exécution à cette disposition. Les Franco-Manitobains demandèrent au cabinet d'exiger du Manitoba qu'il restaure leur droit à la prestation de fonds publics pour les écoles séparées. Le cabinet renvoya l'affaire à la Cour suprême du Canada, lui demandant s'il pouvait exercer son pouvoir réparateur étant donné la décision du Conseil privé dans la cause *Barrett c. Winnipeg*. En d'autres termes, le cabinet pouvait-il, compte tenu de cette décision, exiger du Manitoba qu'il restaure la prestation de fonds publics aux écoles séparées? S'appuyant sur la décision du Conseil privé, la Cour suprême maintint que le cabinet n'avait pas ce pouvoir. Le procureur général du Canada en appela alors au Conseil privé et, dans ce que le professeur Donald Schmeiser a qualifié de «stupéfiant revirement»[2], le Conseil privé décida que la Loi concernant les écoles du Manitoba préjudiciait en effet aux droits de la minorité catholique relativement à l'éducation. Il soutenait maintenant que les écoles confessionnelles financées par l'État ayant été établies *après 1870*, le gouvernement fédéral pouvait enjoindre la province de rétablir le financement public des écoles de la minorité catholique. Encore une fois, la décision du conseil privé n'avait guère de sens à moins d'y voir la reconnaissance tardive par les pairs de leur entêtement dans la cause *Barrett c. Winnipeg*.

Les catholiques attendaient maintenant l'intervention du cabinet. Le gouvernement conservateur du premier ministre Mackenzie Bowell (le troisième successeur de Macdonald après sa mort en 1891) était prêt à agir. Le cabinet adopta un décret ordonnant au gouvernement du Manitoba de restaurer à la minorité catholique le droit de maintenir ses propres écoles, le droit à sa part des subventions provinciales destinées aux écoles et le droit d'être exemptée des taxes prélevées pour les écoles publiques. Nous étions alors en 1895: les procédures judiciaires avaient pris cinq ans et le nouveau système d'éducation était bien en place au Manitoba. Le gouvernement du Manitoba défia Ottawa. Le premier ministre Greenway déclencha des élections, et une majorité écrasante de Manitobains l'appuya dans son refus d'obéir au décret du cabinet.

Le gouvernement fédéral proposa alors à la Chambre des communes un projet de loi annulant la Loi concernant les écoles du Manitoba. Perçu à travers le prisme de la politique canadienne d'aujourd'hui, le débat qui suivit au Parlement semble étrange. Le parti libéral est réputé être le champion des intérêts canadiens-français. À cette époque, cependant, c'était le parti conservateur qui, s'accrochant toujours à l'alliance que Macdonald avait forgée avec le clergé, était prêt à utiliser pleinement son pouvoir constitutionnel pour mettre le Manitoba au pas. Charles Tupper, le personnage le plus important du parti conservateur de l'époque, quitta son poste de haut-commissaire à Londres pour venir mener la bataille du projet de loi réparatrice à la Chambre des communes (Bowell et Sir John Abbott furent les deux seuls premiers ministres à gouverner à partir du Sénat).

---

2. In *Civil Liberties in Canada*.

L'Église catholique s'attendait à ce que tout bon catholique appuie le projet de loi. Mais Laurier, à présent chef de l'opposition, s'y opposa, voyant là un précédent qui pourrait être utilisé plus tard pour justifier l'ingérence du fédéral dans la législature du Québec. Sans doute prévoyait-il aussi qu'il pourrait gagner les élections s'il apparaissait aux yeux des légions orangistes d'Ontario moins dangereux que Tupper et les conservateurs. Cependant, sur cette question, la position de Laurier était affaire de convictions. C'est ainsi qu'il se retrouva carrément entre l'Église et l'État; entre, d'un côté, les instructions de son confesseur, et de l'autre, ses propres vues sur la Confédération. À la deuxième lecture du projet de loi, Laurier proposa que «la deuxième lecture ait lieu dans six mois, plutôt qu'à présent», manœuvre parlementaire visant à tuer le projet dans l'œuf. Laurier était assailli par le clergé catholique. Le père Alfred Lacombe, missionnaire bien connu dans l'Ouest, lui envoya un ultimatum: si Laurier n'appuyait pas le projet et que les conservateurs étaient battus, «... l'épicospat se lèverait comme un seul homme pour appuyer ceux qui seraient tombés en tentant de nous défendre.» Pourtant, Laurier soutint qu'il n'était pas obligé d'appuyer le projet même s'il était catholique. Dans une allocution préfigurant le discours maintenant célèbre du président John Kennedy devant le clergé protestant à Houston en 1960, Laurier déclara:

> Je ne représente pas ici les seuls catholiques romains mais aussi les protestants et je dois rendre compte de mon intendance à toutes les classes. Les hommes qui m'entourent m'ont confié à moi, un catholique romain d'extraction française, des fonctions importantes, assujetties à notre système constitutionnel de gouvernement. Je suis le chef reconnu d'un grand parti composé de catholiques et de protestants, puisque ceux-ci doivent être la majorité dans chaque parti au Canada. Me dira-t-on, à moi qui occupe un tel poste, que ma démarche à la Chambre des communes doit être dictée par des raisons qui plaisent à la conscience de mes concitoyens catholiques mais pas à celle de mes collègues protestants? Non. Tant et aussi longtemps que j'occuperai un siège dans cette Chambre, que je conserverai le poste qu'on m'a confié, chaque fois que mon devoir m'obligera à prendre une décision, je le ferai non pas du point de vue du catholicisme ou du protestantisme, mais pour des motifs qui peuvent s'adresser à la conscience de tous les hommes, sans égard à leur religion, pour

des motifs que peuvent partager tous les hommes épris de justice, de liberté et de tolérance.

Laurier maintint sa proposition visant à tuer le projet de loi réparatrice. Au moment du vote, il y eut plusieurs déserteurs dans les rangs du parti conservateur, et il devint manifeste que le gouvernement ne pourrait pas faire adopter la loi par la Chambre. De toute façon, les jours du Parlement étaient comptés. Il fut dissous en 1896. Au cours de la campagne électorale qui suivit, Tupper, alors premier ministre, s'engagea à déposer à nouveau le projet de loi réparatrice devant le Partement après les élections. Bien que de son côté Laurier promettait d'œuvrer à redresser les torts causés aux Canadiens français du Manitoba, il assura aux Canadiens anglais que la province avait le droit de choisir son système d'éducation. S'il était élu, il n'allait pas forcer la province à rétablir les écoles séparées, mais il allait plutôt poursuivre, dit-il, la «voie ensoleillée» du compromis. Les évêques catholiques du Québec firent lire en chaire, dans tous les diocèses de la province, une lettre déclarant que les catholiques ne pouvaient voter à moins que ce soit pour des candidats engagés à rétablir les écoles séparées au Manitoba. Laurier remporta cependant les élections: il gagna au Québec, haut la main, malgré l'opposition du clergé catholique si puissant fût-il. Le Québec avait voté pour faire de Laurier le premier Canadien français premier ministre.

Dès son entrée en fonction, Laurier envoya une délégation à Greenway, premier ministre du Manitoba. Les Canadiens français ne virent pas leurs écoles rétablies, mais Greenway fit certaines concessions. Une entente fut conclue, qui prit le nom d'accord Laurier-Greenway, et selon laquelle le Manitoba modifiait la Loi concernant les écoles de façon à permettre l'enseignement religieux dans les écoles publiques pendant la dernière demi-heure de chaque journée. Lorsque le nombre d'élèves catholiques le justifiait (10 enfants dans les écoles rurales, et 25 dans les écoles des cités, villes et villages), les parents catholiques pouvaient présenter une pétition au conseil scolaire pour qu'il emploie au moins un enseignant catholique romain. La modification traitait aussi de l'enseignement dans la langue de la minorité. Elle prévoyait que lorsque dix enfants ou plus avaient comme langue maternelle toute autre langue que l'anglais, ils pouvaient recevoir l'enseignement dans cette langue ainsi qu'en anglais. Cette disposition niait l'idée que le français pouvait avoir un statut officiel de langue d'enseignement. En effet, les Canadiens français et tous les autres groupes non anglophones étaient considérés en bloc; n'importe quel groupe linguistique, et non seulement les Francophones, pouvait bénéficier de cette disposition. Le français n'était pas mieux protégé qu'une autre langue minoritaire. En moins d'une génération, la trop vaste portée de cette concession allait constituer une base pour son annulation.

Au Québec, le clergé catholique était loin d'être satisfait du compromis Laurier-Greenway et continua de s'en prendre à Laurier et à son gouvernement. Le premier ministre et d'autres députés ou sénateurs catholiques pressèrent Rome d'empêcher le clergé québécois d'intervenir dans les affaires politiques. «Si cela continue, disaient-ils, cela pourrait être extrêmement dangereux tant pour les libertés constitutionnelles de ce pays que pour les intérêts de l'Église.» Le pape Léon XIII envoya Monseigneur Merry del Val examiner l'affaire. Celui-ci persuada les évêques de tempérer leurs attaques et, après son retour à Rome, le pape émit l'encyclique *Affari vos*, en décembre 1897, informant le clergé courroucé qu'en recherchant la justice, «nul ne devait perdre de vue les règles de la modération, de la douceur et de la charité fraternelle.» L'Église du Québec avait été remise à sa place par Rome.

Ainsi la question du Manitoba fut-elle réglée, au moins pour le moment. Restait la question de la langue officielle. Les Franco-Manitobains n'avaient pas contesté la législation de 1890 abolissant le français comme langue officielle, puisque le sort des écoles importait beaucoup plus. Ayant perdu cette bataille, ils manquaient de ressources pour en entreprendre une autre, bien que les députés francophones de la législature provinciale continuaient d'affirmer ce qu'ils considéraient comme leur droit d'utiliser le français en vertu de la Loi de 1870 sur le Manitoba.

Près d'un siècle allait s'écouler avant que la loi du gouvernement Greenway visant à abolir le français comme langue officielle du Manitoba ne soit contestée dans les cours supérieures. En 1979, la Cour suprême du Canada jugea que cette loi était inconstitutionnelle et que le français demeurait l'une des langues officielles du Manitoba. En 1983, le gouvernement fédéral et la province du Manitoba consentirent à modifier la Constitution pour faire à nouveau du français une langue officielle de la province. Malgré l'opposition que cela soulevait au Manitoba, une résolution appuyant cette modification gagna l'approbation de tous les partis à la Chambre des communes.

Après plus de quatre-vingt-dix ans, le rétablissement du français comme langue officielle est sans doute important, mais d'une importance largement symbolique. Ce qu'il faut faire maintenant, c'est rétablir l'usage du français comme langue d'enseignement là où les Franco-Manitobains le souhaitent. Étant donné la controverse soulevée par la modification concernant les langues officielles, cela n'ira pas sans problèmes.

En 1905, la question des écoles séparées fut de nouveau soulevée par la création, à même les territoires du Nord-Ouest, des nouvelles provinces d'Alberta et de Saskatchewan. Trente ans auparavant, les Territoires avaient légiféré sur les écoles confessionnelles, mais en 1892, l'Assemblée territoriale avait placé les écoles catholiques sous l'administration de la Commission de l'instruction publique et limité l'enseignement religieux à la dernière demi-heure de la journée scolaire. Lors de l'établissement des nouvelles provinces, Laurier proposa de restituer à la minorité catholique le droit qu'elle avait eu avant 1892. Cependant il ne put gagner l'accord de Clifford Sifton, son ministre le plus influent de l'Ouest, qui démissionna parce que, à son avis, les dispositions visant les écoles séparées des nouvelles provinces devaient leur garantir la place qu'elles occupaient depuis 1892 et rien d'autre. Pour conserver son ministre, Laurier battit en retraite. Il ne pouvait guère insister pour défendre les droits des Canadiens français de l'Alberta et de la Saskatchewan après avoir cédé dans le cas du Manitoba. Ainsi, les Canadiens français de l'Ouest se retrouvèrent privés de l'entière protection dont avaient toujours joui les Anglophones du Québec pour leur langue et leurs écoles.

Le gouvernement de Laurier fut défait en 1911. Cinq ans plus tard, le gouvernement du Manitoba abrogea l'accord Laurier-Greenway de 1896. Jusqu'alors, les Franco-Manitobains avaient tiré profit de la disposition de l'accord qui leur permettait de faire instruire leurs enfants à la fois en anglais et en français lorsque dix élèves ou plus dans un district parlaient français. Mais cette exception englobait les autres langues et, à mesure que leur nombre augmentait, les immigrants d'Europe de l'est revendiquaient le droit d'en bénéficier aussi. Il devint impossible de maintenir le système et, en 1916, le Manitoba soutint que l'anglais serait dorénavant la seule langue d'enseignement. Encore une fois, on refusait d'admettre que les revendications des Francophones s'appuyaient sur des fondements différents de ceux d'autres groupes linguistiques minoritaires.

Laurier n'y pouvait plus grand-chose: il n'était plus premier ministre mais chef de l'opposition. De toute façon, il ne croyait pas que l'A.A.N.B. offrait un droit constitutionnel à l'instruction bilingue. La seule disposition de l'A.A.N.B. visant les droits linguistiques était l'article 133 et, de toute évidence, cet article n'avait rien à voir avec les écoles ou l'instruction. Il n'existait tout simplement pas de garantie constitutionnelle pour l'instruction dans la langue de la minorité française. Le 12 juillet 1916, dans une lettre à un ami, Laurier écrivait ce qui suit au sujet de la révocation de l'accord Laurier-Greenway:

> ...Les nationalistes (du Québec)... soutiennent que puisque nous avons le droit de parler français au Parlement et devant les tribunaux, nous avons celui d'enseigner le français dans les écoles de chaque province...
>
> C'est un fait historique qu'en l'absence de la population française du Québec, l'union des provinces de l'Amérique du Nord britannique aurait été une union législative. La population française du Québec n'aurait jamais consenti à une telle forme, puisqu'elle aurait signifié sa disparition en tant qu'élément distinct. C'est le Québec qui suggéra la forme fédérale et elle doit être acceptée avec toutes ses conséquences. Pour la population du Québec, les avantages furent immenses. En dehors du Québec, en face des termes positifs de la Section 133, la langue française ne peut rien espérer, sinon les sentiments que peuvent inspirer — quels qu'ils soient — la justice de la cause ou toute puissance qui pourrait être amenée à influencer la majorité.
>
> La question sonne pourtant l'angoisse de l'heure. Quels sont les droits de la langue française, hormis ceux définis à l'article 133, et pour en revenir à la question du jour, quels sont les droits de la langue française en matière d'éducation?

Il n'y en avait aucun. Les minorités franco-canadiennes ont survécu sans garantie constitutionnelle. Laurier ne pouvait qu'en appeler, en vain, à ce qu'il appelait le «régime de la tolérance». Intellectuellement, Laurier était cohérent; il n'a revendiqué aucun droit pour le français comme langue d'enseignement en vertu de la Constitution. Il ne pouvait presser le gouvernement fédéral de désavouer l'annulation de l'accord Laurier-Greenway.

Mais une nouvelle voix se fit alors entendre au Québec: celle d'Henri Bourassa. Il était entré à la Chambre des communes comme député libéral, mais avait démissionné en 1899 parce qu'il s'opposait à ce que le Canada participe à la guerre des Boers. Il siégea ensuite comme indépendant jusqu'à ce qu'il quitte la Chambre en 1908. Deux ans plus tard, il fonda *Le Devoir*. Au cours des années suivantes, il devint le porte-parole éloquent du nationalisme québécois. En 1911, il s'était allié aux conservateurs pour défaire Laurier. Bourassa était combatif et inflexible sur la question de la place des Canadiens français dans les provinces anglophones. Seules des garanties constitutionnelles suffiraient, affirma-t-il dans son discours du 9 mars 1912 à Montréal.

> Si la Constitution canadienne doit durer, si la Confédération canadienne doit être maintenue, l'attitude étroite à l'égard des minorités, qui se manifeste de plus en plus dans les provinces anglaises, doit disparaître, et nous devons retourner à l'esprit originel de l'alliance.

Bourassa poursuivit en décrivant sa vision d'un Canada biculturel et bilingue, d'une nation anglo-française s'étendant d'un océan à l'autre.

> ... Nous avons mérité mieux que d'être considérés comme les sauvages des anciennes réserves, et de nous faire dire: restez dans Québec, continuez d'y croupir dans l'ignorance, vous y êtes chez vous; mais ailleurs il faut que vous deveniez anglais.
>
> Eh bien, non, français, nous avons le droit de l'être par la langue; catholiques, nous avons le droit de l'être par la foi; libres, nous avons le droit de l'être par la constitution; (...) et ces droits, nous avons le droit d'en jouir dans toute l'étendue de la Confédération.

Pierre Trudeau a adopté cette idée d'un Canada bilingue et biculturel. Il est l'héritier de Bourassa et non de Laurier. La Loi sur les langues officielles de 1969 élargit la disponibilité des services en anglais et en français dans les ministères et institutions fédérales, conformément à l'article 133 de l'Acte de l'Amérique du Nord britannique. La portée de ces deux langues officielles sera encore élargie en vertu de la Charte des droits et libertés. Toutefois, ce sont les garanties que procure la Charte quant au droit d'usage du français comme langue d'instruction des minorités qui donnent tout son sens à la mise en application par Trudeau des idées de Bourassa. La Charte protège l'instruction en français plutôt que l'éducation confessionnelle. Mais l'enjeu est le même qu'en 1890 ou qu'en 1896: l'identité des Canadiens français. La Charte permet de restituer ce qui fut perdu en 1890, soit le droit pour les Franco-Manitobains de faire instruire leurs enfants dans leur propre langue.

La langue française aurait-elle été protégée dans l'Ouest canadien si Laurier avait appuyé la législation réparatrice du gouvernement fédéral en 1896? Après tout, Tupper et les conservateurs avaient fermement pris position sur la question. Si Laurier et son parti avaient appuyé le gouvernement, la position fédérale aurait-elle prédominé? Le projet de loi réparatrice aurait certainement été adopté, mais qui sait si cela aurait changé quoi que ce soit au *fait accompli*[3]. Une chose est certaine: si les droits des Canadiens français aux écoles séparées avaient été garantis par la Constitution, leur position aurait été beaucoup plus solide.

La majorité anglophone du Manitoba voulait assimiler les minorités, y compris les Français, et il devint plus difficile de résister à cette pression à mesure que l'afflux d'immigrants venant de l'Europe de l'est réduisait les Canadiens français à l'état de minorité dépourvue d'influence politique. Ironie du sort, c'est sous le gouvernement de Laurier que l'Ouest connut les plus grandes vagues d'immigration. Nombre de ces immigrés ne parlaient ni le français ni l'anglais. Étant donné la prédominance de la population anglophone, très peu de ces immigrants s'intégrèrent aux centres francophones. Dans ces circonstances, une minorité dont les droits n'étaient pas constitutionnellement protégés allait forcément subir de lourdes pertes.

Lorsque la crise des écoles éclata en Ontario, en 1912, elle portait sur la question du français comme langue d'instruction. Au début, il ne s'agissait pas d'une lutte entre catholiques et protestants mais bien entre catholiques et catholiques; leur dispute ne concernait pas la religion mais plutôt la langue.

En vertu des lois précédant la Confédération, les deux systèmes d'éducation du Haut-Canada, celui des écoles publiques et celui des écoles séparées, étaient maintenus à même les impôts fonciers; cet arrangement fut inclus dans la Loi constitutionnelle de 1867. Peu importe ce qu'on peut en dire par ailleurs, l'article 93 protégeait indubitablement les écoles séparées ayant été établies par la loi avant 1867. Comme l'avaient découvert les Canadiens français du Nouveau-Brunswick et du Manitoba, c'étaient les écoles

3. En français dans le texte.

établies par la coutume qui n'étaient pas protégées. Du moins, l'Ontario ne pouvait pas abolir le financement public des écoles séparées établies par la loi.

En Ontario, la langue d'instruction était déterminée par les administrations locales. On enseignait en français aux élèves francophones des écoles catholiques d'Ontario, mais il était entendu que ces élèves devaient aussi acquérir la maîtrise de l'anglais. Cependant, le système d'éducation ontarien n'était pas double, contrairement à celui du Québec. C'était un système unique, conçu en vue de mettre en application des normes provinciales uniformes. La supervision et les contrôles effectués par la province entraînèrent un examen plus serré des écoles séparées; convaincues de la nécessité pour chaque enfant de parler l'anglais, les autorités provinciales en matière d'éducation tentèrent de limiter l'usage de la langue française dans les écoles catholiques. Déjà en 1890, l'anglais était la langue d'instruction «sauf dans les situations où c'est irréalisable parce que l'élève ne comprend pas l'anglais». Les élèves francophones suivaient le même programme d'enseignement que les élèves anglophones bien qu'on leur permît de suivre des cours de français supplémentaires. Ces règlements n'étaient toutefois pas strictement appliqués, et le français demeura la langue d'instruction dans nombre d'écoles séparées.

À l'époque, bien des Canadiens français du Québec émigraient en Ontario. En 1890, les Franco-Ontariens ne constituaient pas plus de 5% de la population de la province, alors qu'en 1910 ils en formaient 10%. Ils étaient surtout concentrés dans l'est de la province, en particulier le long de l'Outaouais. L'Église catholique fournissait des écoles aux Canadiens français du Québec déferlant par vagues dans l'est de l'Ontario. Ces écoles étaient censées être bilingues, c'est-à-dire que l'instruction devait y être dispensée en anglais et en français. Cependant les catholiques irlandais, dont bon nombre vivaient aussi sur les rives de l'Outaouais, se plaignirent qu'on enseignait le français à l'exclusion de l'anglais.

Même avant les années 1890, des Canadiens français avaient été les premiers colons des comtés de Kent et d'Essex dans le sud de la province. Mais dans le sud de l'Ontario, la langue anglaise prédominait et, comme dans l'est, les catholiques n'y étaient pas tous francophones. À vrai dire, dans le sud de l'Ontario, les catholiques irlandais s'opposèrent à l'usage du français dans les écoles séparées, s'appuyant sur le fait que l'enseignement dispensé dans ces écoles n'était pas vraiment bilingue. En août

1910, Michael Fallon, récemment nommé évêque de London, rejeta l'idée de «*la langue, gardienne de la foi*»[4]. Lui et les autres évêques ontariens favorisaient l'assimilation à l'anglais. Mgr Fallon personnifia le schisme entre catholiques français et catholiques irlandais. Il dénonça «ce système scolaire soi-disant bilingue qui n'enseigne ni l'anglais, ni le français, qui encourage l'incompétence, donne de la valeur à l'hypocrisie et engendre l'ignorance» et ajouta qu'il voulait «éliminer jusqu'au dernier vestige de l'enseignement bilingue dans les... écoles du diocèse.»

Il est vrai que le niveau de réussite dans les écoles séparées était inférieur à la moyenne provinciale. La plupart des Franco-Ontariens habitaient la campagne, et leur revenu était inférieur à celui de la majorité des Ontariens. De plus, les enseignants des écoles séparées n'étaient pas toujours compétents. En 1912, F.W. Merchant, inspecteur en chef des écoles publiques et des écoles séparées d'Ontario, signala que l'anglais n'était pas adéquatement enseigné dans les écoles catholiques parce que les enseignants n'y avaient pas la compétence voulue. Ces écoles n'étaient pas bilingues au plein sens du terme. Il recommanda d'améliorer la formation des enseignants des écoles séparées.

Croyant que les catholiques francophones visaient la suppression de l'anglais comme langue d'instruction dans les régions où ils étaient majoritaires, le gouvernement ontarien décida de prendre de fermes mesures. En 1912, le ministère ontarien de l'Éducation adopte le Règlement 17 qui, dans les écoles séparées, relègue l'enseignement du français au second rang. Passé la troisième année, l'anglais devient la seule langue d'instruction, et l'étude du français comme matière scolaire est limitée à une heure par jour. Au Manitoba, les Canadiens français avaient perdu leurs écoles; en Ontario, ils les conservent mais perdent le droit d'y enseigner le français.

Malgré les protestations des Canadiens français, les partis conservateur et libéral de l'Ontario appuient tous deux le Règlement 17. Ils ambitionnent d'assimiler les Franco-Ontariens en leur refusant les moyens de faire instruire leurs enfants dans leur langue maternelle. Les Franco-Ontariens se défendent: commissaires d'école, enseignants et étudiants refusent de respecter ce règlement. Il y a des marches, des manifestations et des grèves. Le ministère

4. En français dans le texte.

diffère le paiement des subventions aux écoles séparées d'Ottawa, où on résiste avec le plus de véhémence. Lorsque la Commission scolaire des écoles séparées d'Ottawa refuse d'ouvrir les portes, la législature autorise le gouvernement provincial à établir une commission pour prendre le relais, pour administrer les écoles et y mettre le Règlement 17 en application. Le litige est inévitable.

Les Canadiens français affirment que le Règlement 17 viole les droits garantis par l'article 93 de l'A.A.N.B. Mais, bien sûr, ce dernier est muet sur les droits linguistiques. Encore une fois, la cause est entendue par le Conseil privé qui statue contre les Canadiens français en déclarant que le Règlement 17 n'est pas inconstitutionnel et que les restrictions à l'usage du français constituent un exercice valide du pouvoir provincial, du fait que l'article 93 protège les minorités religieuses mais non les droits linguistiques. Or, le Règlement 17 n'abolit pas les écoles séparées, non plus qu'il limite la prestation de fonds publics à ces écoles; il détermine simplement de quelle langue elles doivent faire usage. Il ne viole donc pas l'article 93. Cette fois-ci, le raisonnement du Conseil privé est juste.

Une fois de plus, la portée limitée de l'article 93 est mise en lumière par les tribunaux. Dans les années 1870, les juges du Nouveau-Brunswick avaient décidé que l'article 93 ne garantissait pas la prestation de fonds publics aux écoles séparées non établies par la loi. Dans les procès du Manitoba, on a soutenu que son équivalent, l'article 22 de la Loi de 1870 sur le Manitoba, ne garantissait pas la prestation de fonds publics aux écoles séparées qui, selon la coutume, en recevaient, et ceci même si la loi précisait qu'elles y avaient droit. Voici maintenant que les tribunaux ontariens affirment que l'article 93 n'offre pas de protection constitutionnelle au français comme langue d'enseignement dans les écoles séparées. Les Canadiens français d'Ontario sont indignés, et ceux du Québec et de l'Ouest tiennent aussi le Règlement 17 pour injuste. Laurier est de ceux-là. Il écrit à Newton W. Rowell, chef de l'opposition libérale en Ontario:

> ... c'est, dites-vous, le devoir de l'État [de s'assurer] que chaque enfant de la province reçoive un bon enseignement de l'anglais. J'en conviens absolument. Vous ajoutez que là où les parents souhaitent que leurs enfants apprennent aussi le français, il ne devrait pas y avoir d'objections. J'en conviens également. Mais c'est précisément ce qu'interdit le Règlement 17.

Au beau milieu de la controverse, le Canada se range aux côtés de l'Angleterre dans la Première Guerre mondiale. La question de la participation des Canadiens français à la guerre se mêle inévitablement à celle des droits des Franco-Ontariens. Henri Bourassa se fait le champion de leur cause. Il fulmine dans *Le Devoir*:

> Au nom de la religion, de la liberté, de la fidélité au drapeau britannique, on adjure les Canadiens français d'aller combattre les Prussiens d'Europe. Laisserons-nous les Prussiens de l'Ontario imposer en maîtres leur domination, en plein cœur de la Confédération canadienne, à l'abri du drapeau et des institutions britanniques?

La contribution du Canada à la cause des Alliés durant la Première Guerre mondiale fut remarquable. Pour les Canadiens anglophones, la guerre sembla marquer l'entrée de la nation dans l'âge adulte. Mais le Québec ne ressent pas pareille allégresse. Bourassa soulève une tempête de protestations chez les Ontariens; leur indignation devant le refus du Québec d'appuyer la guerre affecte leur opinion quant au droit des Franco-Ontariens à enseigner leur propre langue dans les écoles séparées.

Comment les Francophones peuvent-ils revendiquer un tel droit, tout en refusant de défendre la nation de laquelle ils revendiquent ce droit? Le 16 décembre 1915, pendant que Bourassa s'adresse à une assemblée tumultueuse, à Ottawa, un sergent monte sur l'estrade, lui tend l'*Union Jack* et lui ordonne de le brandir. Même si les premières rangées sont toutes occupées par des soldats, Bourassa refuse. «Je suis prêt à déployer le drapeau britannique en liberté, dit-il, mais je ne le ferai pas sous le coup des menaces.»

Laurier doit agir. Il s'est toujours opposé à l'intervention du fédéral dans les affaires provinciales de peur que cela ne se retourne contre le Québec. Il doit pourtant faire quelque chose, sinon Bourassa et les nationalistes québécois seront vus comme les seuls champions des Canadiens français. Et s'ils sont représentés exclusivement par un parti canadien-français nationaliste, les Canadiens français demeureront à jamais en position minoritaire.

Dans les années 1890, Laurier avait déclaré que la question des écoles manitobaines était une affaire de compétence provinciale à laquelle le Parlement ne devait pas se mêler. Malgré cela, il soulève maintenant la question devant la Chambre des communes, allant ainsi à l'encontre des vœux des libéraux de l'Ontario et de l'Ouest. Il confie au premier ministre Robert Borden qu'il est obligé d'agir ainsi parce qu'il lui faut quelque «ancre de salut pour combattre les nationalistes.» Que le Parlement ait ou pas le pouvoir d'agir, lui doit faire quelque chose. En 1896, il avait refusé de venir en aide aux Canadiens français du Manitoba. Voilà que, vingt ans plus tard, il insiste pour venir en aide aux Canadiens français d'Ontario. Il est vrai qu'il ne tente pas de forcer la main de la province, comme Ottawa avait tenté de le faire dans le cas du Manitoba en 1896. La question, disait-il, est de compétence provinciale, comme c'était alors le cas. Il n'en reste pas moins qu'en 1896 il a refusé de se poser en champion des droits des Canadiens français hors Québec alors qu'en 1916, il embrasse cette cause.

Mis à part le fait qu'elle porte sur les écoles séparées, la dispute de 1916 diffère totalement de celle de 1896. Cette fois-ci, les Canadiens français luttent non pas pour leur religion, mais pour leur langue. Si l'on s'oppose encore à Laurier au Québec, l'opposition ne vient pas du clergé mais de Bourassa qui conteste maintenant à Laurier le droit de parler au nom du peuple du Québec. En 1896, Laurier s'était fait médiateur, ayant toutes les raisons de croire que son appel à la «voie ensoleillée» du compromis améliorerait la situation des Franco-Manitobains. En 1916, il devient un mendiant plaidant pour que son peuple ne soit pas laissé pour compte, tout en sachant que cela ne changera pas grand-chose au sort des Franco-Ontariens. Il n'y a pas de conservateurs pour recommander la politique de Macdonald, ni de Tupper pour demander que les Canadiens français soient traités équitablement. Laurier a peut-être d'autres motifs. Estime-t-il qu'en tenant le Québec, il sera réélu premier ministre? Peut-être. Il ne peut permettre que Bourassa affaiblisse ses chances au Québec, comme cela s'était produit en 1911, et l'empêche encore une fois de prendre le pouvoir. Est-ce en pensant à sa place dans l'histoire que Laurier décide, tout compte fait, de se ranger du côté des Canadiens français?

Le différend entre Laurier et Bourassa est plus qu'un conflit de personnalités ou qu'une rivalité pour le leadership du Canada français. Ils ne s'entendent pas sur les termes mêmes de 1867. Selon Bourassa, la Confédération a promis un Canada bilingue et biculturel. Laurier ne pense pas qu'elle comporte une telle assurance. Il croit que, pour protéger leur langue, les Franco-Canadiens hors Québec doivent s'en remettre non pas aux garanties constitutionnelles — il n'y en a pas — mais à l'aimable tolérance de la majorité anglophone. Il doit maintenant demander à cette majorité de faire preuve d'une telle tolérance en Ontario.

Le 9 mai 1916, les libéraux présentent une résolution à la Chambre des communes:

> La Chambre, tout en reconnaissant pleinement le principe de l'autonomie provinciale et la nécessité qu'il y a, pour chaque enfant, de recevoir une instruction anglaise complète, invite respectueusement l'Assemblée législative à faire en sorte qu'il ne soit pas porté atteinte au privilège que les enfants d'origine française ont de recevoir l'enseignement dans leur langue maternelle.

Laurier appuie la résolution. Il reconnaît que chaque enfant ontarien doit pouvoir parler l'anglais, mais il plaide pour que les enfants des Canadiens français reçoivent un deuxième enseignement dans une deuxième langue. Même à plus de soixante-dix ans, Laurier sait encore se montrer d'une éloquence passionnée:

> J'en appelle au sens de la justice et de l'impartialité du peuple ontarien, et à la valeur qu'il attache aux institutions britanniques — rien de plus. Même si j'ai tort — et j'espère bien que non — je suis persuadé qu'une franche compréhension entre la majorité et la minorité d'Ontario, entre les deux grands éléments qui forment le peuple canadien, pourra faire jaillir une solution à cette troublante question. Chaque Ontarien, et chaque Ontarien dans cette salle, qu'il siège de ce côté ou de celui-là, a résolu que chaque enfant de la province d'Ontario bénéficiera de l'instruction en anglais. À ceci, Monsieur, je donne mon plein assentiment. Je tiens à ce que, dans l'Ontario, l'on donne à chaque enfant l'avantage d'apprendre l'anglais. Je veux que partout où il puisse se porter sur ce continent, il soit en mesure de se faire comprendre de la grande majorité de la population... J'en arrive maintenant au point où je m'adresse à mes concitoyens de l'Ontario. Si je demande pour la jeunesse de ma race l'enseignement de l'anglais, allez-vous lui refuser d'apprendre aussi la langue de nos pères et de nos mères? Voilà ce que je réclame, rien de plus. Vous, mes concitoyens, comme moi sujets britanniques, quand nous vous affirmons que nous voulons l'enseignement de l'anglais, allez-vous nous répondre: nous vous enseignerons l'anglais et rien de plus? Il s'en rencontre pour proclamer qu'aucune autre langue que l'anglais ne devrait se parler dans les écoles de l'Ontario et du Manito-

ba. Mais, Monsieur l'Orateur, nous refuserez-vous l'avantage de l'enseignement du français, quand nous le réclamons? Notre requête est-elle inconvenante? Est-elle nuisible? Qui donc en souffrira, si on nous l'accorde? Faut-il que, dans cette grande province de l'Ontario, il existe une tendance à entraver l'instruction et à étendre tous les enfants sur un lit de Procuste, leur donner la même taille et leur refuser le privilège d'une deuxième instruction dans une deuxième langue? Je ne crois pas et, si nous discutons cette question avec franchise comme on le doit le faire d'homme à homme, à mon humble avis elle peut encore être réglée par un appel à la population d'Ontario. Je ne crois pas que personne nous refuse l'avantage d'une instruction française.

La résolution est rejetée. À l'exemple du gouvernement Laurier en 1896, celui de Borden soutient que la question est de compétence provinciale et vote contre. Exerçant son autorité personnelle, Laurier s'assure l'appui du parti libéral. Les députés libéraux de l'Ontario restent loyaux à leur chef, bien que onze libéraux de l'Ouest ne l'appuient pas. (Un an plus tard, la crise de la conscription obligera Laurier à accorder la priorité aux intérêts du Québec, mais son autorité personnelle sera alors impuissante à gagner l'appui de son parti.)

Dans la vive controverse des écoles séparées, rien n'est plus poignant que ce grand homme reconnaissant l'inexorable logique du type de gouvernement fédéral que le Québec a réclamé en 1867. Tout compte fait, qu'est-ce que Laurier a accompli? Sa carrière ne fut-elle qu'une «grande illusion»? Il n'a pu rétablir les écoles séparées au Manitoba. Il a dû accepter qu'il n'y eut pas de garanties pour les écoles séparées de la Saskatchewan et de l'Alberta en 1905. Il n'a offert aux Franco-Ontariens qu'un appui futile. En 1916, il a vu le Manitoba rejeter l'accord Laurier-Greenway. Au gouvernement ou dans l'opposition, sa carrière s'est étendue sur plus d'une génération, et il a été témoin de la perte progressive des droits des Canadiens français en Ontario et dans l'Ouest canadien.

Mais il y a plus. L'accession de Laurier au pouvoir est en soi une affirmation de la dualité du Canada. Il fut le premier Canadien français à devenir premier ministre. Macdonald et lui représentent les deux principaux promoteurs de l'unité canadienne. C'est avec son esprit raffiné, sa formidable éloquence et sa compassion que Laurier a envisagé le problème crucial du Canada. Sa vie et sa pensée peuvent aujourd'hui servir de modèle de tolérance à notre société pluraliste.

En fait, les Ontariens ne rejetèrent pas complètement le régime de la tolérance. À la fin de la Première Guerre mondiale, nombre d'Ontariens anglophones commencèrent à penser qu'ils avaient traité injustement les Franco-Ontariens. Et bien sûr, ceux-ci continuèrent de protester contre le Règlement 17. Ils décidèrent que, si la prestation de fonds publics n'allait être accordée qu'aux écoles séparées où le français était clairement subordonné à l'anglais, ils allaient maintenir, sans l'aide du trésor public, des écoles séparées où le français serait la langue d'enseignement; et c'est ce qu'ils firent.

En 1927, F.W. Merchant fut de nouveau chargé de faire rapport sur les écoles séparées d'Ontario. Merchant n'avait pas préconisé les mesures draconiennes prises par le gouvernement en 1912. Même alors, il approuvait l'usage du français comme langue d'enseignement dans les écoles séparées; il avait simplement recommandé d'améliorer la formation des enseignants de ces écoles. En 1927, à la suite de recommandations du même ordre, on prépara de nouveaux cours pour l'enseignement du français et de nouveaux manuels en français pour les autres matières, destinés aux classes élémentaires. L'Université d'Ottawa institua une École normale pour former les enseignants des écoles séparées. Légalement, l'anglais devenait encore la langue d'enseignement après la troisième année mais, en pratique, on se servait souvent du français dans toutes les classes du primaire.

Cela ne mit cependant pas fin à la question des écoles séparées, puisqu'elle a refait surface il y a quelques années. Tout au long des années 1970, l'établissement d'écoles secondaires françaises divisa les Ontariens à l'échelon local et embarrassa les hommes politiques à l'échelon provincial. Car s'il s'agit d'une question qui remonte loin dans le temps, c'est aussi une question contemporaine, surtout dans les comtés de Kent et d'Essex (où les Franco-Ontariens vivent depuis un siècle et demi), dans le Nord de l'Ontario et dans la vallée de l'Outaouais.

De nombreux Ontariens refusent toujours de reconnaître que leurs concitoyens francophones ont droit à la prestation de fonds publics pour les écoles secondaires où leurs enfants sont éduqués en français. Ce désir d'uniformité se retrouve également dans d'autres provinces. À vrai dire, il y a dans chaque province ceux qui préfèrent que tous soient instruits en anglais seulement. Même aujourd'hui, ils souhaiteraient pouvoir reculer dans le temps jusqu'en 1839, quand lord Durham déclarait que le Canada serait britannique, et que les Canadiens parleraient anglais à l'exclusion de toute autre langue. On ne peut pourtant pas retourner ainsi en arrière. Les Canadiens doivent apprendre à vivre dans la diversité, ils doivent accepter le pluralisme. Les Canadiens français n'abandonneront pas le droit de faire instruire leurs enfants dans leur langue maternelle. La profonde conviction qu'ils entretiennent à cet égard n'est pas que simple attachement sentimental à la langue de leurs ancêtres. Pour les minorités linguistiques, c'est par la langue maternelle que les enfants comprennent leurs parents, qu'ils apprennent à connaître leur peuple et leur passé. C'est elle qui perpétue la conscience et l'imagination collectives d'un peuple et c'est par elle qu'il assume son patrimoine. La seule autre option pour les Canadiens français serait l'assimilation.

Au sens de la Constitution, la Confédération n'est ni une convention entre les provinces, ni une entente entre Anglophones et Francophones; elle fut plutôt le résultat d'un décret impérial. Quoi qu'en disent les constitutionnalistes, une nouvelle perception a néanmoins germé dans notre conscience: nous acceptons le fait que nous sommes en présence de deux communautés linguistiques et que, d'un océan à l'autre, leurs droits linguistiques doivent être enchâssés dans la Constitution. En ce sens, la Confédération n'a pas achevé sa tâche.

Les minorités canadiennes-françaises hors Québec ne devraient pas avoir à dépendre de la bonne volonté de leur gouvernement provincial. (Un premier ministre a-t-il jamais perdu des élections en faisant campagne contre une minorité linguistique?) Elles ne devraient pas non plus être obligées de requérir l'intervention du gouvernement fédéral, car un tel précédent pourrait mettre en danger les cousins francophones du Québec.

À l'exemple de Laurier et de Bourassa, les Francophones du Québec ont souvent été prêts à faire campagne au nom des Canadiens français d'autres provinces, mais ils ont été également préoccupés par leurs propres problèmes. On peut en dire autant des Canadiens anglophones. Dans les années 1970, nous avons vu comment, la première vague d'indignation passée, ils ont facilement oublié la limitation des droits des Anglophones du Québec. Les Canadiens de toutes les provinces et de tous les territoires devraient avoir le droit de faire éduquer leurs enfants en anglais ou en français. Ces droits devraient être reconnus non seulement au Québec, en Ontario, au Manitoba et au Nouveau-Brunswick, mais dans toutes les provinces et territoires. Il ne s'agit pas seulement de fournir ces garanties là où existe une minorité linguistique importante; les garanties importent le plus là où le nombre de Canadiens français est le moins élevé.

La Charte des droits et libertés établira-t-elle le «régime de tolérance» prêché par Laurier? L'A.A.N.B. et la Loi sur le Manitoba faisaient du français et de l'anglais les langues officielles du Québec et du Manitoba. La Charte prévoit que l'anglais et le français sont les langues officielles du Nouveau-Brunswick. Il est fort regrettable qu'il n'existe pas en Ontario une disposition prévoyant les deux langues officielles. Étant donné la nécessité d'obtenir le consentement du gouvernement de l'Ontario à la Charte des droits et libertés, une telle disposition n'a pu y être incluse.

Les langues officielles, cependant, ne sont pas aussi vitales que le sont les écoles. La Charte garantit aux minorités francophones le droit d'utiliser le français comme langue d'instruction dans les écoles primaires et secondaires. Elle offre des garanties semblables à la minorité anglophone du Québec. Les *indépendantistes*[5] qui veulent faire du Québec une forteresse se sont opposés à l'enchâssement des droits de la minorité anglophone dans cette province, et leurs principaux alliés ont été les Anglophones des provinces de l'Ouest qui souhaitent expulser le français de la politique, des tribunaux et des écoles.

Dans quelle mesure la Charte répond-elle à la question vitale de notre histoire constitutionnelle? En vertu de la Charte, le droit reconnu aux Canadiens de faire instruire leurs enfants en français, aux niveaux primaire et secondaire, s'exerce partout où le nombre d'enfants «est suffisant pour justifier à leur endroit la prestation, sur les fonds publics, de l'instruction dans la langue de la minorité». Selon le sens qu'on accordera aux mots «établissements d'enseignement de la minorité linguistique», cette instruction sera dispensée dans les écoles du groupe linguistique minoritaire plutôt que dans les classes des écoles de la majorité. On ne peut savoir comment ces termes seront interprétés par les tribunaux. Assurément, ces garanties dépassent de loin celles de l'article 93 de

---

5. En français dans le texte.

l'A.A.N.B. Dans une large mesure, cependant, l'efficacité des garanties offertes aux minorités canadiennes-françaises sera toujours assujettie à la générosité des provinces. Bien sûr, la Charte confère aux Canadiens français le droit d'aller devant les tribunaux pour faire respecter leurs droits, mais les législatures et les premiers ministres récalcitrants pourront toujours entraver, sinon empêcher la jouissance de ces droits.

Certains diront que les écoles séparées sèmeront la discorde, mais c'est le déni du droit aux écoles séparées qui a entraîné tant et plus de désaccord au Canada. Ce n'est pas la diversité dans une province qui risque de diviser la nation, mais plutôt le refus de reconnaître cette diversité. Pour que les sauvegardes de la Charte ne soient pas mutilées par l'intransigeance politique à l'échelon provincial, les Canadiens doivent connaître l'histoire de l'article 93. La Charte ne doit pas échouer comme l'a fait cet article.

Pour les minorités francophones, l'objet de la Charte, comme auparavant celui de l'article 93, est de maintenir leur identité distincte:

> ... de renverser le mouvement d'assimilation qui décime nos rangs et qui, dans un avenir prévisible, réduira à néant la vie de ces communautés qui ont marqué et imprégné l'histoire de ce pays.

On ne doit pas sous-estimer les difficultés auxquelles les minorités canadiennes-françaises sont confrontées. En Amérique du Nord, la culture générale est anglophone. Dans certains cas, les collectivités canadiennes-françaises isolées en sont gravement affectées. Il faut constamment parler anglais, au travail ou dans la rue. L'anglais prédomine à la télévision, à la radio et au cinéma. L'Église et la famille n'ont pu à elles seules tenir en échec les progrès de l'anglais. Ces collectivités ont-elles même une chance de survivre si les enfants ne parlent pas français à l'école?

Le souhait des Canadiens français d'avoir leurs propres écoles doit être respecté, car ces écoles sont essentielles à la préservation de la langue française. Cela a beaucoup d'importance, et pas seulement pour les Canadiens français. À long terme, préserver la langue française dans les provinces anglophones contribuera vraisemblablement à préserver la langue anglaise au Québec. De plus, s'il est vrai que la protection conférée par la Constitution à ces deux langues officielles les distingue des langues d'autres groupes ethniques du Canada, l'anglais et le français n'en forment pas moins une sorte de rempart servant à protéger d'autres langues. En effet, cette protection constitutionnelle facilite les choses pour les autres langues du seul fait qu'elle rejette l'idée d'une culture monolithique. Ainsi, le bilinguisme et le biculturalisme officiels ne sont pas un rejet, mais bien une reconnaissance du multiculturalisme, de l'image d'un Canada formant une mosaïque, d'un pays qui aime la diversité. C'est la vision que Laurier entretenait du Canada. Rejetant l'idéal du creuset américain, il voyait le Canada comme une cathédrale gothique, comme:

> ... un tout harmonieux où se fondent le granit, le marbre, le chêne et d'autres matériaux. J'espère que le Canada deviendra une nation à l'image de cette cathédrale. Aussi longtemps que je vivrai, aussi longtemps que je pourrai œuvrer pour le compte de mon pays, l'idée de modifier la nature de ses différents éléments me répugnera. Je veux que le marbre reste marbre, que le granit reste granit, que le chêne reste chêne.

*Chapitre IV*

# *Les Canadiens bannis: Mackenzie King et les Canadiens d'origine japonaise*

*Chapitre IV*

# *Les Canadiens bannis: Mackenzie King et les Canadiens d'origine japonaise*

L'évacuation et l'internement des Canadiens d'origine japonaise pendant la Seconde Guerre mondiale constituent un cas exécrable de racisme atteignant l'hystérie collective et aggravé par la pusillanimité du gouvernement fédéral. Tel fut le constat des audiences tenues à l'hiver 1981 par le Comité spécial sur la Constitution pour examiner les modifications à la Charte des droits et libertés. Tous ont convenu qu'il s'agissait là d'une occurrence qui ne devra jamais se répéter. Il ne faudrait pas croire cependant que l'expulsion des Japonais de la côte ouest en 1942 n'était que la manifestation subite d'un sentiment anti-japonais provoqué par l'attaque sur Pearl Harbor et apaisé sitôt la guerre finie. La crise de 1942 tire ses origines du préjugé racial à l'endroit des Orientaux qui a commencé à se manifester en Colombie britannique dès le XIX$^{e}$ siècle, dès même la fondation de cette province — préjugé qui a persisté jusque vers la moitié du XX$^{e}$ siècle et qui a atteint son honteux dénouement après la fin de la Seconde Guerre mondiale.

L'histoire des Japonais du Canada est bien plus qu'un épisode pénible dont nous pouvons maintenant effacer sans crainte le souvenir. Le 26 novembre 1980, Gordon Kadota, parlant au nom de l'Association nationale des Canadiens d'origine japonaise, s'exprima en ces termes devant le Comité spécial mixte sur la Constitution: «Notre histoire, au Canada, nous a légué un racisme légitimé par nos institutions politiques.» Même si nos lois et nos institutions ne les encouragent plus, les préjugés raciaux existent toujours qui défigurent la société canadienne. Connaître l'expérience des Canadiens japonais nous aidera peut-être à contenir le virus — endémique dans l'histoire — du préjugé racial lorsqu'il menacera de se répandre à nouveau.

Bien avant la Seconde Guerre mondiale, l'histoire de la

Colombie britannique est lourde d'animosité et de lois discriminatoires à l'endroit des Orientaux. Les Japonais de la côte ouest ont été à maintes reprises la cible de ce sentiment anti-oriental bien avant que l'assaut sur Pearl Harbor ne génère une vague d'hystérie anti-japonaise qui déferla sur leurs foyers, détruisant leurs collectivités et en dispersant tous les membres.

En 1941, la Colombie britannique comptait plus de 22 000 Canadiens d'origine japonaise. Nombreux étaient leurs ennemis, après le 7 décembre, rares leurs défenseurs. Des milliers de Japonais avaient choisi d'adopter la citoyenneté canadienne, et des milliers d'autres étaient nés dans la province. Cependant, lorsqu'on les attaqua et que, sans défense, ils demandèrent la protection des plus hautes instances politiques, ils ne trouvèrent point d'appuis. Lorsqu'ils se tournèrent vers les tribunaux pour obtenir réparation, ils n'eurent pas de réponse. On les chassa de la côte ouest, on les interna, on confisqua leurs biens, et nombre d'entre eux furent condamnés à l'exil. Tout cela à cause de leur race; tout cela parce qu'ils étaient d'origine japonaise. Rien dans notre histoire ne démontre mieux le besoin de constamment examiner nos attitudes à l'endroit des minorités raciales; rien ne démontre mieux combien il est sage d'enchâsser dans la Constitution notre conviction que les mesures racistes sont iniques, et de prévoir des sauvegardes juridiques qui protégeront les minorités raciales contre de telles mesures.

Les Chinois ont précédé les Japonais en Colombie britannique. On peut dire que le sentiment anti-oriental a émergé en 1858, année où fut établie cette colonie de la Couronne ayant nom Colombie britannique. C'était l'année de la ruée vers l'or du Cariboo, alors que les prospecteurs, dont quelques Chinois, vinrent de Californie chercher de l'or en Colombie britannique. Au cours des deux décennies suivantes, l'immigration chinoise dans la colonie augmenta considérablement: de Chine cette fois, les nouveaux arrivants ne venaient pas prospecter l'or, mais plutôt servir de main-d'œuvre à bon marché.

Aucun Japonais n'émigra en Colombie britannique avant 1877. Le Japon est resté isolé du reste du monde jusqu'en 1853, alors que le commodore Perry de la marine américaine pénétra par la force dans la baie de Tokyo. En 1867, le Japon commence à se tourner vers le monde extérieur et entreprend un programme d'industrialisation rapide. Sa population augmente, et les hommes qui ne peuvent trouver du travail dans les nouveaux centres industriels partent à l'étranger. C'est ainsi que les Japonais commencent à migrer au-delà du Pacifique, vers Hawaï, la Californie et la Colombie britannique.

À leur arrivée sur la côte ouest dans les années 1880, les Japonais, à l'exemple des Chinois avant eux, sont embauchés comme main-d'œuvre à bon marché. Ils trouvent des emplois dans la construction ferroviaire, dans les mines, dans les camps de bûcherons et dans les scieries. La plupart de ces immigrants japonais sont de jeunes hommes. Ils n'ont pas l'intention de rester au pays; ils veulent économiser de l'argent, puis rentrer dans leur village au Japon. Cependant, nombre d'entre eux ne retournent pas au pays, et déjà en 1900, des concentrations de population japonaise apparaissent dans un certain nombre de collectivités situées le long de la côte de la Colombie britannique, allant vers le nord jusqu'à la rivière Skeena. Les plus importantes collectivités japonaises sont *Little Tokyo* à Vancouver, dont les membres publient un journal en japonais, et Steveston, un port de pêche à l'embouchure du Fraser. En 1901, il y a 4 738 Japonais pour une population provinciale de 178 657 personnes. À ce moment-là, les Chinois atteignent le nombre de 14 885. Les Orientaux constituent donc dix pour cent de la population.

La présence d'Orientaux en un tel nombre suscite l'appréhension, le ressentiment et la crainte parmi la majorité blanche de Colombie britannique. Les constructeurs de chemin de fer et autres magnats de l'industrie vantent les avantages d'une main-d'œuvre orientale à bon marché, mais les ouvriers blancs craignent cet afflux de travailleurs d'une autre race et d'une autre couleur qui sont prêts à accepter des salaires inférieurs. Au niveau de l'emploi, la concurrence se fait surtout sentir parmi les ouvriers, mais toutes les classes sociales de Colombie britannique perçoivent la croissance de la population orientale comme une menace à long terme pour l'homogénéité de la province. On considère les Orientaux, dont peu parlent anglais, comme inassimilables. Ils mettent donc en danger l'idéal d'homogénéité blanche en Colombie britannique.

À partir de la fin des années 1870, les tentatives visant à freiner l'immigration orientale en Colombie britannique se multiplient. En vertu de l'A.A.N.B., les provinces n'ont toutefois pas compétence en matière d'immigration, et seul le gouvernement fédéral peut endiguer ce flot d'immigrants. Cédant aux instances de la Colombie britannique, le gouvernement central impose en 1880 une taxe de 50 $ à chaque immigrant chinois. Insatisfaite, la Colombie britannique adoptera au cours des années suivantes une série de lois anti-chinoises qui seront cependant désavouées par le gouvernement fédéral. Le premier ministre John A. Macdonald favorise l'immigration des Chinois pour travailler au chemin de fer qu'il veut construire jusqu'au Pacifique. Mais comme il le dit en 1882 devant la Chambre des communes, Macdonald ne souhaite pas voir les Chinois s'établir au Canada une fois le chemin de fer achevé. «Il sera temps, dit-il, de prendre certaines mesures pour qu'une immigration chinoise ou mongole ne puisse s'établir permanemment dans le pays.» Entre-temps, il n'a pas d'objection à refuser aux Chinois la jouissance des droits élémentaires de la citoyenneté. La première loi sur le droit de vote, adoptée par le gouvernement Macdonald en 1885, nie le droit de suffrage aux Orientaux. En effet, la loi définit le mot «personne» de façon à exclure les Chinois et les Mongols.

Au tournant du siècle, la législature de la Colombie britannique tente d'adopter une véritable législation provinciale sur l'immigration. En 1900, elle essaie d'imposer la maîtrise de l'anglais comme condition d'admissibilité dans la province. Le gouvernement fédéral désavoue cette loi, tout comme il le fera lorsque la province tentera d'adopter un statut semblable en 1903, puis de nouveau en 1905.

En 1896, Laurier et les libéraux succèdent aux conservateurs. À l'exemple de Macdonald, Laurier refuse de laisser à la province le soin de légiférer en matière d'immigration. Il est cependant prêt à reconnaître qu'une fois naturalisés, les Orientaux devraient avoir le droit de vote aux élections fédérales; en 1898, son gouvernement leur accorde effectivement ce droit. Mais les Orientaux ne peuvent l'exercer puisque la liste fédérale des électeurs est préparée à partir des listes provinciales. Or, la législature de la Colombie britannique a modifié en 1895 sa loi électorale de façon à nier le droit de suffrage aux Orientaux, y compris ceux qui sont naturalisés et ceux qui sont nés au Canada.

En 1900, Tomey Homma, un Japonais naturalisé, demande que son nom soit inscrit sur la liste électorale. Lorsque le directeur général des élections rejette sa requête, il demande à la Cour suprême de Colombie britannique d'intervenir. Dans un jugement remarquable pour l'époque, ce tribunal maintient le droit de vote de Tomey Homma. Le juge en chef Angus McColl écrit:

> ... cela ne serait sûrement pas à l'avantage du Canada qu'un grand nombre de personnes, citoyens de nom, rési-

dent dans la province mais soient perpétuellement empêchées de prendre part à l'adoption des lois touchant leur propriété et leurs droits civils; cela pourrait même engendrer un danger national.

Le tribunal affirme le droit, pour les Canadiens d'origine japonaise ou chinoise, de voter aux élections provinciales en soutenant que la loi en question dépassait les pouvoirs de la province. Deux ans plus tard, la cause est entendue par le Conseil privé qui, fidèle à lui-même, persiste à nier les droits des minorités au Canada. Il renverse la décision de la Cour suprême de Colombie britannique et maintient que la province avait compétence en la matière. Le rédacteur en chef du *Victoria Colonist* se réjouit:

> Nous voilà débarrassés de la possibilité de voir les isoloirs envahis par des hordes d'Orientaux totalement inaptes, par leur coutume et leur éducation, à exercer le droit de vote, et dont le suffrage démoraliserait complètement la politique... Ils n'ont pas la moindre idée de ce qu'est un gouvernement démocratique et représentatif, et sont bien incapables d'y prendre part.

Théoriquement, les Canadiens japonais peuvent encore revendiquer le droit de vote aux élections fédérales. Mais ils perdent même ce droit incertain en 1920, lorsque le Parlement adopte une loi stipulant que les personnes privées du droit de vote dans les provinces à cause de leur race seront inhabiles à voter au niveau fédéral, à moins qu'elles ne soient vétérans de guerre.

Citoyens ou pas, les Orientaux ne se voient pas refuser que le droit de vote. Bien que tout citoyen soit admissible à l'emploi dans la fonction publique de la Colombie britannique, les Canadiens d'ascendance orientale en sont exclus *de facto*. Le professeur H.F. Angus de l'Université de Colombie britannique écrit en 1931 que même si c'est légal, embaucher des Orientaux «causerait la stupéfaction générale». De la même façon, les Orientaux sont exclus des emplois municipaux. La loi provinciale interdit l'embauche d'Orientaux dans les travaux publics. L'entrepreneur qui enfreint cette disposition risque de se faire confisquer l'argent que lui doit le gouvernement en vertu de son contrat. Ceux qui achètent du bois des terres de la Couronne ne peuvent employer d'Orientaux. Ces derniers sont également exclus d'un certain nombre de professions. Par exemple, toute personne âgée de 21 ans et dont le nom n'apparaît pas sur la liste électorale ne peut être employée comme stagiaire au Barreau de la Colombie britannique. Lorsque la loi n'interdit pas carrément l'embauche d'Orientaux dans les professions et métiers, les pratiques discriminatoires sont assez efficaces pour obtenir le même résultat. Ainsi, un réseau de lois, de règlements et de coutumes exclut les Orientaux de tout un éventail d'occupations. Comme l'écrit Angus en 1941: «Vous chercherez en vain pour trouver en Colombie britannique des Japonais qui soient avocats, pharmaciens, comptables, enseignants, policiers ou fonctionnaires.»

L'opinion publique approuve ces mesures. Au tournant du siècle, l'anti-orientalisme fait partie intégrante de la culture politique en Colombie britannique. Cette aversion est particulièrementi intense à l'endroit des Japonais. Lorsqu'à la fin du XIX$^{e}$ siècle, le Japon émerge comme puissance industrielle, le reste du monde commence à trouver les Japonais fort différents des Chinois. Dans la guerre sino-japonaise de 1894-95, le Japon a facilement vaincu la Chine et a assis sa réputation de puissance militaire. Vint alors la guerre russo-japonaise. Que le Japon modernise son économie et écrase la Chine, passe encore. Mais son triomphe contre la Russie en 1905 inquiète, alarme même les pays occidentaux. C'est la première fois dans les temps modernes qu'un pays asiatique vainc un pays européen. Ces événements contribuent à modifier la perception que l'on avait des Japonais au Canada. On les considère maintenant comme plus entreprenants, plus compétiteurs et plus ambitieux que les Chinois; voilà que, comme le Japon, ils posent à la Colombie britannique une menace plus grave que la Chine ou les Chinois.

En signant avec la Grande-Bretagne des traités qui, à l'époque, lient aussi le Canada, le Japon assure l'entrée d'immigrants japonais au Canada. La Chine, géant désarmé, ne peut en faire autant. En fait, la taxe imposée aux immigrants chinois a atteint en 1900 la somme de 500 $. Elle sera imposée jusqu'en 1923. Cependant, si le Japon peut assurer à ses citoyens l'accès au Canada, son influence reste limitée. Il ne peut rien faire pour les Japonais après leur arrivée en Colombie britannique; l'hostilité grandissante à leur endroit explose en 1907. Cette année-là, la législature adopte une autre loi visant à limiter l'entrée des Japonais en Colombie britannique, mais le lieutenant-gouverneur James Dunsmuir refuse de la sanctionner. Tout un été de protestations contre l'immigration orientale culmine dans le rassemblement de 5 000 personnes devant l'hôtel de ville de Vancouver. La manifestation tourne à l'émeute, et la foule se déchaîne dans Chinatown, y brisant les fenêtres et y détruisant les devantures de magasins. Les Chinois résistent à peine. Mais lorsque la cohue atteint *Little Tokyo*, les Japonais défendent leurs biens et leurs maisons; du haut des toits, ils bombardent les agresseurs avec bouteilles et bâtons jusqu'à ce que la foule se disperse.

Mackenzie King, alors sous-ministre du Travail, est envoyé en Colombie britannique pour enquêter sur les réclamations en dommages et intérêts des Japonais et sur la question de l'immigration japonaise. King n'a alors que 29 ans. Il était venu à Ottawa comme rédacteur du *Labour Gazette*, la publication mensuelle du ministère du Travail. Il est bientôt nommé sous-ministre et avant longtemps, il persuade Laurier de lui trouver un siège à la Chambre des communes et une place au cabinet. Ce séjour en Colombie britannique marque la première occasion où le chemin de cet homme étrange allait croiser celui des Canadiens d'origine japonaise.

King recommande de restreindre l'immigration japonaise, et Ottawa entreprend des pourparlers avec le Japon. Celui-ci consent à limiter le nombre d'immigrants quittant le pays pour venir grossir la main-d'œuvre canadienne, mais exige qu'on lève toute restriction sur l'immigration des femmes et des familles. La nature de l'immigration japonaise au Canada change aussitôt: les jeunes femmes remplacent les jeunes hommes. Les travailleurs japonais déjà installés au pays prennent des arrangements pour qu'on leur envoie des épouses du Japon. Au cours des vingt années qui suivent, celles qu'on a appelées les «épouses en photo» formeront la majeure partie de l'immigration japonaise au Canada. Des familles sont fondées, de nouvelles communautés sont établies, et la population japonaise du Canada croît rapidement. En 1920, il y a plus de 4 000 enfants qui sont nés au Canada de parents japonais, et la population japonaise de Colombie britannique atteint 15 000 personnes. À la fin des années 1930, elle excèdera le nombre de Chinois. Bien des Japonais travaillent toujours dans les camps de bûcherons et les scieries. Mais à présent, des familles japonaises de Vancouver gèrent des maisons de rapport, des épiceries, des teintureries et des ateliers de tailleurs. Un nombre croissant de pêcheurs japonais vivent à Steveston, à l'embouchure du Fraser. La loi leur interdit d'acheter directement des terres de la Couronne, mais les Japonais peuvent acheter des propriétés privées. C'est ainsi qu'ils acquièrent des fermes dans la vallée du Fraser et de l'Okanagan.

C'est surtout dans l'industrie de la pêche que l'on tente de restreindre l'expansion économique des Japonais en Colombie britannique puisque c'est dans ce secteur qu'ils sont le plus nombreux. Déjà en 1893, ils détiennent 20 pour cent de tous les permis de pêche au saumon (au filet maillant) délivrés par la province. En 1901, ce pourcentage est presque doublé. En 1919, ils détiennent la moitié des permis délivrés par la province pour la pêche au saumon. Cette année-là, cédant aux instances des pêcheurs blancs, le ministère de la Marine et des Pêcheries promet de «graduellement éliminer les Orientaux des activités de pêche», et en 1925, la moitié des permis détenus par des Japonais sont annulés. On prend diverses mesures analogues, dont certaines constituent d'étranges formes de discrimination. Par exemple, de 1921 à 1930, on interdit aux Japonais l'usage de bateaux à moteurs sur la rivière Skeena; les pêcheurs japonais doivent donc ramer jusqu'aux aires de pêche tandis que les Indiens et les Blancs s'y rendent en bateaux motorisés. Ces mesures atteignent leur but. En 1941, les Japonais ne détiennent plus que 12 pour cent des permis de pêche en Colombie britannique. La confiscation des biens des Canadiens japonais n'a pas commencé après Pearl Harbor: elle avait déjà cours depuis quelque vingt années.

Qu'elles aient émané du fédéral ou du provincial, toutes ces mesures étaient explicitement raciales. Il n'y avait pas de limite constitutionnelle au pouvoir des deux paliers de gouvernement de mettre en vigueur des lois discriminatoires à l'égard de certains groupes raciaux. Bien entendu, il y avait la répartition des pouvoirs entre le gouvernement fédéral et les gouvernements des provinces, mais si une mesure donnée était de la compétence législative du gouvernement qui l'adoptait, on n'y pouvait rien. La Charte des droits et libertés prévoit que «tous ont droit à la même protection et au même bénéfice de la loi indépendamment de toute discrimination, notamment des discriminations fondées sur la race.» C'est là une garantie d'égalité raciale qui devrait empêcher le Parlement et les provinces d'adopter des statuts fondés sur la race et discriminatoires à l'endroit d'un groupe; cela devrait aussi empêcher les gouvernements d'ériger un réseau de lois et de règlements destinés à restreindre les perspectives de tout groupe racial au Canada. La Charte, cependant, ne fournit pas une garantie complète. Le 5 novembre 1981, les premiers ministres ont convenu de modifications à la Charte; ainsi le Parlement et les provinces se réservent le pouvoir de déclarer qu'une loi s'applique indépendamment des dispositions de la Charte relatives à l'égalité raciale. Il s'agit de la clause dérogatoire (ou dite «nonobstant») qui permet au Parlement et aux législatures de passer outre aux dispositions de la Charte concernant les libertés fondamentales et les droits juridiques.

Le réseau de lois et de règlements évoqué ci-dessus existait dans les années 1920 en Colombie britannique. Conçues pour régler le cas de la population japonaise de la province, ces restrictions ne suffisaient pas à satisfaire les radicaux. Selon eux, pas un Japonais de plus ne devait être admis au Canada. En 1922, John Oliver, premier ministre de Colombie britannique, pressa Mackenzie King, maintenant premier ministre du Canada, d'interdire toute immigration orientale. A.M. Manson, procureur général de la province, déclara: «L'Oriental ne peut devenir citoyen permanent de la Colombie britannique parce qu'il ne peut ethnologiquement s'assimiler à notre race anglo-saxonne.» Les habitants de la Colombie britannique pensaient vraiment que les Japonais ne voudraient ou ne pourraient pas s'assimiler, mais à un registre plus profond régnait la peur que s'ils y parvenaient, l'homogénéité blanche de la province disparaîtrait, submergée dans une mer de fécondité orientale.

En 1923, Mackenzie King présenta une loi visant à restreindre l'immigration chinoise; par voie de conséquence, bien peu de Chinois entrèrent au Canada jusqu'après la fin de la Seconde Guerre mondiale. Les hommes politiques de Colombie britannique continuaient de réclamer non seulement des lois contre l'immigration japonaise, mais encore des mesures plus strictes, dont le rapatriement des Japonais. En 1927, le premier ministre Oliver confia à King:

> Il est urgent et nécessaire de stopper entièrement l'immigration orientale, mais cela ne suffit pas puisque nous restons aux prises avec la grande population actuelle d'Orientaux et leur taux de croissance prolifique. Notre gouvernement croit que le gouvernement central doit aller plus loin; il doit, par la déportation ou d'autres moyens légitimes, chercher à réduire, puis à complètement éliminer cette menace au bien-être de la population blanche de cette province.

King entreprend alors de négocier un nouvel arrangement avec le Japon. En mai 1928, le Japon consent à limiter le nombre d'émigrants au Canada à 150 personnes par année. L'augmentation de la population nippo-canadienne ne peut désormais plus compter que sur le taux de croissance naturelle. King n'était pas prêt à suivre les conseils d'Oliver; la déportation attendrait jusqu'en 1946.

Bien sûr, les hommes politiques se faisaient le miroir du préjugé populaire. Il s'en trouva bien peu pour soutenir que ce préjugé n'avait pas de fondement rationnel, pour prendre la défense des Japonais. Sans doute avons-nous de nos jours une classe libérale qui prend la part des minorités, mais elle n'existait pas avant la Seconde Guerre mondiale. Les quotidiens fulminaient contre les Chinois et les Japonais. Même l'Église ne prêchait pas la tolérance, à preuve ces paroles de l'archevêque anglican de New Westminster à son synode: «Nous aurons une province blanche, britannique et chrétienne.» Jusqu'à la création du CCF (*Co-operative Commonwealth Federation*) en 1933, aucun parti politique n'était prêt à recommander qu'on accorde le droit de vote aux Canadiens d'origine chinoise ou japonaise. En fait, pendant cette longue période, la pire accusation que l'on pouvait faire contre un adversaire politique était d'insinuer qu'il favorisait le droit de vote pour les Orientaux.

Le manifeste de Regina, la plate-forme électorale adoptée par le CCF en 1933, annonçait que ce nouveau parti chercherait à obtenir «le traitement égal devant la loi de tous les résidents du Canada sans égard à la race, à la nationalité, à la religion ou aux convictions politiques.» J.S. Woodsworth, le leader du CCF, resta fidèle à cette politique devant la Chambre des communes, et les libéraux s'en servirent en Colombie britannique contre le CCF au cours de l'élection fédérale de 1935. Les libéraux s'opposaient à donner le droit de vote aux Orientaux; ils faisaient paraître des annonces qui disaient: «Voter pour un candidat du CCF équivaut à donner aux Chinois et aux Japonais le même droit de suffrage que vous avez.» En 1938, le congrès national du parti conservateur adopte une résolution favorisant l'exclusion complète du Canada de tous les Orientaux.

Invoquer la raison ne servait de rien. En mai 1936, une délégation menée par S.I. Hayakawa, un Nisei de Vancouver devenu professeur dans une université américaine (et qui fut élu sénateur de Californie en 1976), présente à une commission parlementaire d'Ottawa un mémoire revendiquant le droit de vote pour les Canadiens d'origine japonaise. Deux députés de Colombie britannique, Thomas Reid et A.W. Neill, opposent leur veto. Ils rabâchent les mêmes arguments: les Japonais constituaient une race à part qui ne voulait pas s'assimiler. De toute façon, l'assimilation n'était pas non plus une solution puisqu'elle entraînerait les horreurs du métissage.

Il n'empêche que le tissu social commence à se transformer en Colombie britannique. Au cours des années 1920, la population japonaise s'accroît moins vite et se stabilise pendant la décennie suivante du fait que l'immigration du Japon est réduite à presque rien. Les Canadiens japonais changent aussi. Si la génération des Issei, celle qui a émigré du Japon, parle à peine l'anglais, celle qui est née au Canada, les Nisei, le parle aussi bien que le japonais. Ils fréquentent l'école publique, mais de nombreux étudiants vont le soir à l'école japonaise. Bien des familles se convertissent du bouddhisme au christianisme. Entre les deux générations, les rapports sont souvent tendus et distants. Ken Adachi écrit dans *The Enemy That Never Was*:

> La vie à l'école et dans la rue élargit le fossé des générations. Avant tout, l'école introduit une source d'autorité rivale, mettant l'image de l'enseignant en concurrence avec celle du père. Avec le temps, l'enfant en vient à croire que l'univers est divisé en deux royaumes, celui de l'école et celui de la maison, possédant chacun ses règles et ses modes de comportement. Plus ils vieillissent, plus les enfants se sentent obligés de choisir. Même les immigrants sont déchirés par le désir contradictoire de voir leurs enfants imiter leurs parents, mais de vivre une vie meilleure. Pourtant, ils considèrent rarement leurs enfants comme des médiateurs entre la culture au foyer et la culture de la société. Lorsque c'est le cas, ils en éprouvent du ressentiment puisque l'ordre «correct» des choses est ainsi renversé. À leurs yeux, la seconde génération est ingrate et indisciplinée.

Au cours des années 1930, l'opinion stéréotypée que les Blancs se faisaient de leurs voisins Canadiens d'origine japonaise commence à se désagréger. En 1931, le Congrès des métiers et du travail de Colombie britannique adopte une résolution exigeant le droit de suffrage pour tous les Canadiens nés au pays. Le CCF recommande d'accorder le droit de vote à tous les citoyens, y compris ceux d'ascendance orientale, et certains intellectuels, dont H.F. Angus, parlent en leur faveur. Toutefois, les changements éventuels en ce sens sont tués dans l'œuf à cause de l'attitude belligérante qu'adopte l'Empire japonais de l'autre côté du Pacifique.

Le Japon envahit la Mandchourie en 1931 et la Chine en 1937. Cette invasion de la Chine cristallise et légitime le sentiment anti-japonais en Colombie britannique. Même les Canadiens d'origine chinoise participent au boycottage des marchands japonais du Canada. Les Canadiens d'origine japonaise sont virtuellement isolés. En cas de conflit avec le Japon, ne constitueraient-ils pas un élément subversif derrière des lignes canadiennes? En Colombie britannique, on invoque à nouveau les raisons qui avaient poussé le colonel Lawrence à conclure, en 1755, qu'il ne pourrait pas défendre la Nouvelle-Écosse contre les Français tant qu'il aurait les Acadiens à dos. D'aucuns exigent que les Japonais aient des cartes d'identité; d'autres soutiennent qu'on doit leur refuser tout permis de commerce; on réclame la fermeture des écoles japonaises et on demande que les Japonais soient expulsés de la côte ouest.

Le 10 septembre 1939, le Canada déclare la guerre à l'Allemagne. De nombreux Nisei tentent aussitôt de s'enrôler; à l'est des Rocheuses, certains sont acceptés, mais en Colombie britannique, c'est l'exclusion *de facto*. (Pendant la Première Guerre mondiale, 202 Canadiens d'origine japonaise s'étaient engagés et 59 d'entre eux étaient morts outre-mer.) Le 8 juin 1941, Mackenzie King annonce que les citoyens canadiens d'ascendance japonaise seront exemptés du service militaire.

Pour anticiper toute revendication au droit de vote que les Canadiens d'origine japonaise pourraient plus tard réclamer en se basant sur le service militaire, King choisit de les en exempter. En effet, qui pourrait soutenir que les Canadiens japonais peuvent mourir pour leur pays, mais n'ont pas le droit d'en choisir le gouvernement? En 1931, la Colombie britannique avait accordé, par une voix de majorité, le droit de vote aux vétérans japonais de la Première Guerre mondiale; c'est là un précédent que les hommes politiques de la province ne veulent pas répéter. Duff Pattullo, premier ministre de Colombie britannique de 1933 à 1941, presse King d'empêcher le recrutement des Nisei. «S'ils sont enrôlés, écrit-il, ils exigeront ensuite le droit de vote, ce que nous ne pouvons tolérer dans la province...»

Plus la guerre avec le Japon se rapproche, plus les Canadiens japonais sont inquiets. Tout au long de l'année 1941, les députés de Colombie britannique à Ottawa incitent le gouvernement fédéral à prendre des mesures draconiennes à l'endroit des Canadiens d'origine japonaise. Un seul député de la province prend leur défense: Angus MacInnis, du CCF. Voici ce qu'il dit devant la Chambre le 25 février 1941:

> Pour ramener la paix et l'esprit de tolérance en Colombie-Britannique, entre les Orientaux et les autres citoyens, nous devons cesser de traiter injustement les Orientaux et d'en dire du mal. Il faut trouver un terrain commun d'entente, et je crois la chose possible. Pourquoi, après ce qui s'est passé, les Japonais de la Colombie-Britannique seraient-ils disposés à aider le Canada, si des difficultés surgissent avec le Japon sur la côte du Pacifique? Je suis convaincu qu'en traitant bien les Japonais et les autres Orientaux, nous nous assurerons leur loyauté, car ils ne sont plus Orientaux au sens propre de ce mot. S'ils retournaient au Japon, ils y seraient tout aussi dépaysés que nous-mêmes. Je les connais, je leur parle, je leur fais visite et les reçois chez moi; je suis certain de ce que j'avance. Si nous voulons éviter les difficultés que la question des minorités ethniques fait surgir en d'autres pays, il va nous falloir envisager sous son vrai jour la situation existant en Colombie-Britannique et tenter de mettre ces gens à l'aise. Nous nous assurerons de leur loyauté en les traitant avec justice et bienveillance tout en observant avec eux les aménités qui caractérisent nos relations avec les autres races.

MacInnis est cependant le seul parlementaire à défendre ainsi les Canadiens d'origine japonaise. Ils n'ont pas d'appuis au gouvernement et ne possèdent pas de garanties constitutionnelles. Ils ne peuvent que s'en remettre au «régime de tolérance» prêché par Laurier. Ils en sont d'ailleurs bien conscients. À preuve cet éditorial du 14 novembre 1941, publié alors que la guerre avec le Japon est imminente dans le *New Canadian*, l'hebdomadaire des Canadiens japonais. On y lit: «Il nous faut maintenant faire confiance à la bienveillance, au bon sens et à l'essentielle tolérance de nos voisins canadiens; nous devons avoir confiance en la démocratie.»

Trois semaines plus tard, le 7 décembre 1941, c'est l'attaque de Pearl Harbor. Aussitôt, 38 Canadiens d'origine japonaise sont internés, et 1 200 navires de pêche appartenant aux Japonais de la côte ouest sont confisqués. En moins d'un mois, tous les Japonais, citoyens ou pas, sont exclus de l'industrie de la pêche, et leurs bateaux sont vendus. D'un seul coup, on a enfin réussi à exclure les Orientaux de l'industrie de la pêche.

Bien entendu, on demande aux immigrants qui ont conservé leur citoyenneté japonaise de s'inscrire auprès du Registraire général des sujets d'un pays ennemi, tout comme l'ont fait avant eux les ressortissants allemands et italiens. Cela se passe le 7 décembre. Neuf jours plus tard, toutefois, un décret ordonne l'enregistrement de toute personne d'origine japonaise, qu'elle soit citoyenne ou non. Aucune mesure semblable n'avait été appliquée aux Canadiens d'origine allemande ou italienne et pourtant, le Canada était en guerre avec l'Allemagne et l'Italie depuis plus de deux ans.

Après l'attaque de Pearl Harbor, le virus de l'antagonisme racial infecte toute la Colombie britannique. Au fédéral comme au provincial, presque tous les hommes politiques se bousculent pour proposer des mesures plus draconiennes les unes que les autres contre les Canadiens d'origine japonaise. Le professeur W. Peter Ward décrit la vague d'hostilité qui reflue alors sur eux:

> ... une vague qui dépasse en force et en amplitude tous les éclats antérieurs. La peur et l'hostilité des Blancs de la Colombie britannique sont portées à leur comble par cette attaque spectaculaire et soudaine. Ceux-ci à leur tour libèrent un torrent de racisme qui déferlera sur la province pendant les onze semaines qui suivent. L'explosion du sentiment populaire exige l'attention immédiate du gouvernement King. Pour apaiser l'opinion blanche, il offre une série de lignes d'action dont chacune vise à restreindre encore plus les libertés civiles des Japonais de la côte ouest. À la fin, le tollé général ne sera calmé par rien de moins que l'évacuation totale.

Mackenzie King annonce à la radio que les autorités «croient à la conduite loyale des résidents canadiens d'origine japonaise». C'est une goutte d'eau dans l'océan. Le public réclame l'évacuation et l'internement des Japonais à cor et à cri, et la clameur se fait plus tonitruante à mesure que la radio communique quotidiennement les victoires stupéfiantes du Japon en Extrême-Orient et dans le Pacifique sud.

Le 14 janvier 1942, King annonce que les Japonais âgés de 18 à 45 ans seront évacués de la côte ouest. Deux mille deux cents hommes sont alors placés dans des camps routiers de l'intérieur, mais cette évacuation partielle ne satisfait pas les radicaux. «Renvoyez-les au Japon», exige le député Thomas Reid le 15 janvier, «ils ne sont pas à leur place ici...» La session parlementaire reprend le 22 janvier, et les députés de Colombie britannique y vont d'une autre ronde de demandes exprimées d'une voix encore plus stridente; les Japonais doivent être tous évacués «de l'autre côté des Rocheuses». Ils affirment, sans en avoir la moindre preuve, que les Canadiens d'origine japonaise constituent une cinquième colonne. Au début de 1942, le député fédéral conservateur Howard Green déclare à la Chambre:

> (Nous avons) le droit d'être entièrement protégés contre la perfidie, contre les coups de poignard dans le dos (...) Les Nippons ont fait preuve de traîtrise ailleurs en cette guerre et nous n'avons aucune raison d'espérer qu'ils ne le feront pas en Colombie-Britannique. (...) L'unique moyen de nous garantir pleinement contre ce danger, c'est d'expulser les Japonais de la province.

D'absurdes rumeurs circulent sur la subversion des Japonais, mais elles ne reposent sur rien de concret. Il est vrai que beaucoup craignent véritablement un éventuel débarquement des Japonais sur la côte ouest du Canada. Bien qu'il a pris quelques îles du lointain archipel aléoutien, le Japon n'a pas menacé l'Amérique du Nord. Le 20 juin 1942, un sous-marin japonais bombarde le phare d'Estevan Point sur l'île de Vancouver, mais personne n'est touché. De toute façon, cela se passe bien après que King a décidé d'évacuer les Japonais canadiens. Même s'il a craint que le Japon n'attaque la côte ouest, King n'avait aucune raison de croire que les Canadiens d'origine japonaise se seraient faits complices d'une telle attaque.

Aujourd'hui, les apologistes de l'évacuation prétendent qu'une telle mesure était nécessaire pour la protection même des Japonais, que, dans un élan de rage, les Canadiens auraient pu anéantir leurs concitoyens japonais. Sans doute peut-on tirer argument d'un tel raisonnement. À la chute de Hong Kong, le jour de Noël 1941, 1 600 soldats canadiens avaient été faits prisonniers par le Japon. King a-t-il songé à l'émeute de 1907 survenue à Vancouver, plus de trente ans auparavant? A-t-il craint que des émeutes anti-japonaises en Colombie britannique entraînent des représailles contre les prisonniers canadiens à Hong Kong? Cela semble peu probable: l'argument n'a guère eu cours à l'époque. À coup sûr, il n'est invoqué par aucun de ceux dont les dénonciations sont les plus virulentes.

En fait, rien ne justifiait l'évacuation. King n'a pas été obligé d'agir comme il l'a fait pour des raisons d'État irréfutables. Comparez l'évacuation des Japonais à l'expulsion des Acadiens. En 1755, à l'exception de la garnison anglaise, toute la population de la Nouvelle-Écosse était composée d'Acadiens. Les Japonais, eux, ne formaient qu'une petite minorité en Colombie britannique, et leur nombre n'avait aucun poids par rapport à l'ensemble de la population canadienne. Les Acadiens avaient refusé de prêter serment d'allégeance au roi d'Angleterre ou de se battre contre le roi de France. Les Japonais canadiens ont professé et amplement démontré leur loyauté; loin de refuser de servir dans les forces armées, ils ont tenté de s'enrôler, mais en vain.

Le 26 février 1942, King cède aux instances des radicaux. L'évacuation complète aura lieu. Il annonce que toute personne d'ascendance japonaise sera évacuée de la côte ouest. Des décrets sont adoptés qui d'une part, établissent la Commission de Colombie britannique sur la sécurité, lui conférant le pouvoir d'expulser de sa maison toute personne d'origine japonaise, et qui, d'autre part, donnent au Séquestre des biens ennemis pleine juridiction sur les biens des évacués. Plus de 2 000 hommes ont déjà été envoyés dans les camps routiers de l'intérieur. Ceux qui ont résisté ont été internés dans un camp de concentration à Angler, en Ontario, où on les oblige à porter un vêtement marqué d'un cercle rouge au dos pour en faire des cibles faciles en cas d'évasion. Quatre cent cinquante-deux Japonais y sont toujours internés quand la guerre prend fin. Quatre mille autres Japonais sont déportés sur les fermes de betteraves à sucre d'Alberta, du Manitoba et d'Ontario. Le reste allait être transporté dans l'intérieur de la Colombie britannique.

Dans un premier temps, les Canadiens japonais sont rassemblés au parc de l'Exposition nationale de Vancouver où ils sont logés dans des enclos à bétail transformés en abris. À la fin du printemps, on les envoie à l'intérieur de la province, dans des villes minières ou des camps de baraques nouvellement construits. Ceux qui avaient été envoyés dans les camps routiers peuvent maintenant aller rejoindre leur famille dans ces baraquements. L'évacuation se poursuit tout l'été et jusqu'à l'automne. Enfin, les Canadiens japonais, qu'ils soient bien nantis, petits bourgeois ou pauvres, sont tous expulsés de leurs foyers. (On ne fait exception que pour les Japonais ayant épousé des Blancs.) Leurs terres, leurs maisons et leurs biens, tout leur est enlevé.

Alors même que s'achève l'évacuation, l'étoile du Japon commence à pâlir. À la fin, l'avance rapide des Japonais dans le Pacifique sud est mise en échec le 4 juin 1942 à la bataille de Midway. On sait maintenant pertinemment que le Japon ne peut gagner la guerre. La possibilité d'une invasion de la côte ouest n'est plus, si elle l'a jamais été, à considérer du point de vue stratégique. Il n'y a plus de motifs justifiant l'évacuation. La question est maintenant de savoir ce que l'on fera des Canadiens japonais. Doit-on leur permettre de rentrer sur la côte ouest? Faut-il les disperser dans tout le Canada? Ou encore les obliger à rentrer au Japon à la fin de la guerre?

Les députés fédéraux de Colombie britannique ne doutent pas un instant de la réponse. Il faut interdire aux Japonais de rentrer sur la côte ouest. Ils doivent tout au moins être dispersés; mieux encore, qu'on les renvoie au Japon. Seule la voix d'Angus MacInnis s'élève pour défendre les principes au nom desquels le Canada était entré en guerre. Le 30 juin 1943, au milieu des clameurs des députés qui exigent le «rapatriement» des Japonais, MacInnis déclare à la Chambre:

> Il s'agit, en effet, d'une question de principes, tels que posés dans la Charte de l'Atlantique. J'exposerai donc le plus clairement possible mon attitude afin qu'elle ne prête pas à confusion ni dans cette enceinte, ni dans ma province ni ailleurs.
>
> Le Canada est en guerre avec le Japon. Le Canada est aussi en guerre avec l'Allemagne et l'Italie. Je ne vois pas pourquoi nous traiterions la population d'origine japonaise de façon différente de celle que nous adoptons pour celles d'extraction allemande ou italienne. Si nous les traitons différemment — et c'est ce que nous avons fait — c'est la conséquence d'un préjugé de race. En autant que j'ai pu me renseigner, en autant que cela regarde les discussions à la Chambre, le noyau d'origine japonaise qui se trouve au Canada a été aussi loyal que tout autre élément de la population; et je vous prie de remarquer qu'aucun autre groupe n'a été traité comme celui-ci. De plusieurs façons, les Japonais ont démontré qu'ils étaient de loyaux Canadiens. Ils l'ont prouvé par leur empressement à s'enrôler. Très peu d'entre eux, cependant, ont reçu la permission d'entrer dans les services armés... et le Canada n'a pas lieu d'être fier de la raison de son refus. On ne leur a pas permis de s'enrôler par crainte que leurs services au pays donneraient plus de force à leurs prétentions lorsqu'ils revendiqueraient les pleins droits de citoyenneté après la guerre.

Né sur l'île du Prince Édouard, MacInnis était venu en

Colombie britannique à vingt-cinq ans. Avant d'entrer en politique, il avait été employé dans les transports municipaux à Vancouver. C'est en 1930 qu'il fut élu pour la première fois député de Vancouver-Est. Il fut membre de la Chambre jusqu'à ce qu'il prenne sa retraite, en 1957. En 1940, il était le seul député du parti CCF élu en Colombie britannique. MacInnis a fait preuve de courage politique tout au long de sa carrière, mais jamais autant que lorsqu'il fut le seul à défendre les Canadiens d'origine japonaise devant la Chambre des communes. Son discours du 30 juin se termina par ces mots:

> ... Je désire exprimer mon opposition absolue à ce qu'on appelle le rapatriement des gens d'origine japonaise qui habitent le Canada... ce ne serait pas un rapatriement au sens véritable du mot; ce serait l'expulsion ou l'exil pour ces gens.

Rien ne dissuade le gouvernement. Les événements sont déjà en train. Les Japonais ont été évacués de leurs foyers, et leurs biens ont été confisqués. En juillet 1944, quatre mille d'entre eux se sont déjà relogés à l'est des Rocheuses, mais la grande majorité est encore dans les camps de l'intérieur, et on lui interdit de rentrer sur la côte ouest. King décide de forcer les Japonais à choisir entre le relogement à l'est des Rocheuses ou le «rapatriement» au Japon. Le retour sur la côte ne leur sera pas permis. Un avis affiché dans les camps dit:

> Le gouvernement canadien paiera le passage de ceux qui seront rapatriés au Japon et de leur famille ainsi que le transport gratuit des effets personnels qu'ils voudront emporter.

Un autre avis se lit:

> Les Japonais qui veulent rester au Canada doivent maintenant s'établir à l'est des Rocheuses comme preuve de leur intention de coopérer avec la politique de dispersion adoptée par le gouvernement. Refuser d'accepter un emploi à l'est des Rocheuses pourra être ultérieurement considéré comme un manque de coopération avec le gouvernement canadien dans l'application de la politique de dispersion.

Ainsi, le désir de rentrer sur la côte ouest, la patrie qu'ils avaient adoptée depuis trois générations, serait retenu contre eux comme un «manque de coopération» dans l'application de la politique gouvernementale.

Les Japonais avaient-ils le choix? Les décrets leur interdisant de rentrer dans leurs foyers étaient toujours en vigueur. D'autre part, ils savaient qu'ils n'étaient pas les bienvenus dans les autres provinces. Furieux et désabusés, nombre d'entre eux consentirent à être «rapatriés» au Japon. Leur nombre, en comptant les enfants, atteignait plus de 10 000. Il ne s'agissait pas, toutefois, d'un rapatriement. Le Japon n'était pas leur patrie; c'était un pays que la majorité d'entre eux n'avaient même jamais vu. Leur consentement avait été obtenu en leur niant toute autre possibilité. Des milliers de personnes, les deux tiers en fait de tous ceux qui signèrent des demandes de rapatriement, demandèrent plus tard leur annulation.

Mackenzie King figure constamment dans l'histoire des Canadiens d'origine japonaise. C'est lui qui, en 1907, enquête sur les attaques de *Little Tokyo* à Vancouver. Il est premier ministre lorsqu'il impose des restrictions à l'immigration japonaise en 1928, et en 1940 lorsqu'il préside aux mesures qui priveront les Canadiens japonais de leurs biens et de leur liberté. Lorsqu'il est entré en politique, King se proclamait un réformateur dévoué aux principes humanitaires. Il semble pourtant qu'à ses yeux, très peu de questions méritent d'être posées en des termes allant au-delà de la politique; en fait, ses talents en ce domaine lui ont valu une réputation notable chez les historiens. Peu importe que Churchill et Roosevelt aient proclamé dans la Charte de l'Atlantique les idéaux pour lesquels on se battait dans une guerre mondiale. Les idéaux pouvaient attendre au lendemain. Chaque fois que King fut appelé à agir selon ses principes dans le cas des Canadiens japonais, il céda à ceux qui réclamaient à grands cris des mesures telles la restriction, l'évacuation, la confiscation et la déportation.

Fondée sur des motifs de sécurité nationale, la politique canadienne de «rapatriement» ou de dispersion des Japonais était moralement injustifiable. Tout au long de la guerre, pas un seul Japonais ne fut arrêté, encore moins condamné, pour espionnage. La politique de King s'appuyait sur des préjugés raciaux et des raisons strictement politiques. Même ceux des Japonais qui avaient répondu à l'exigence du gouvernement de se reloger à l'est des Rocheuses (ils étaient 4 000 en 1944) n'obtinrent pas les droits de la citoyenneté. Cependant, les provinces autres que la Colombie britannique n'avaient pas statué pour priver les Orientaux du droit de vote, du fait que leur population orientale était presque inexistante. Rien n'empêchait donc les Canadiens japonais vivant dans ces provinces de voter aux élections fédérales. Que fit alors le gouvernement King? En 1944, il s'assura que les Communes adoptent un projet de loi niant le droit de vote aux Japonais qui s'étaient relogés à l'est des Rocheuses.

Dans toute cette affaire, le geste le plus méprisable de King est sans doute d'avoir refusé aux Nisei la permission de s'enrôler dans l'armée canadienne. Les États-Unis avaient établi une unité entièrement japonaise, la 442e section d'assaut, qui se distingua en Europe. King refusa carrément de faire la même chose au Canada jusqu'au printemps 1945, alors que suivant la demande explicite de l'Angleterre, il permit à 150 Nisei de s'enrôler dans le Service canadien de renseignement pour servir d'interprètes aux unités des forces alliées qui combattaient en Asie du Sud-Est.

King remporta à nouveau les élections générales du 2 juin 1945. Le 14 août, le Japon se rend sans conditions; la reddition officielle est signée le 2 septembre. Quel sera le sort des Canadiens d'origine japonaise maintenant que la guerre est finie? Dans son éditorial du 14 août 1945, le *Vancouver Sun* pose la question en ces termes: «Les gens de la Colombie britannique veulent savoir si les «Japs» peuvent être définitivement expulsés du pays.»

Le nouveau Parlement se réunit en septembre. Alors qu'il met la dernière touche au discours du trône, King écrit dans son journal: «Dans ce discours, je professe ma foi en un monde gouverné par les lois de la morale...» Mais le monde de King est, bien sûr, un monde de lois morales bien particulier. L'évacuation des Japonais en 1942 avait été entreprise en vertu de la Loi sur les mesures de guerre. Cependant, les pouvoirs extraordinaires que confère cette loi au gouvernement fédéral ne peuvent être invoqués qu'en cas de «guerre ou d'insurrection, réelle ou appréhendée». La guerre étant finie, le gouvernement fédéral demande au Parlement de mettre en vigueur, le 5 octobre 1945, la loi sur «les pouvoirs transitoires résultant de circonstances critiques nationales» qui continue d'assurer au gouvernement central les pouvoirs que lui conférait la Loi sur les mesures de guerre. Le 15 décembre, le cabinet adopte en vertu de cette nouvelle législation des décrets prévoyant la déportation et la perte de la citoyenneté canadienne pour tous les Canadiens d'origine japonaise ayant demandé le «rapatriement» en 1944.

La politique de King allait faire des Canadiens japonais un

peuple sans pays. Devant l'énormité du geste posé par le gouvernement, King reste tout à fait insensible. Lorsqu'il annonce la politique du gouvernement visant à déporter des citoyens loyaux, innocents de tout crime, son goût du cliché ne lui fait pas défaut: «J'ai déjà déclaré que nous chercherions une juste solution à ces questions. Comme le démontreront les décrets que je dépose, nous avons réglé le problème d'une façon qui nous semble à la fois juste et charitable.»

Le premier de ces décrets déclare: «Attendu qu'au cours de la guerre avec le Japon certains ressortissants japonais ont manifesté leur sympathie ou leur appui à l'endroit du Japon par la présentation de demandes de rapatriement ou autrement...» Ainsi, King a décidé que les demandes de «rapatriement», faites en 1944 par les Japonais à la demande du gouvernement fédéral, sont dorénavant des preuves de déloyauté. Le décret stipule aussi:

> ... Attendu qu'il est jugé opportun que des mesures soient prises en vue de l'expulsion des catégories de personnes mentionnées ci-dessus; et attendu qu'il est jugé nécessaire en raison de la guerre, pour la sécurité, la défense, la paix, l'ordre et le bien-être du Canada, de prendre des mesures en conséquence...

Ainsi, «en raison de la guerre» qui avait pris fin en août, plus de 10 000 personnes, contre lesquelles il n'existait aucune preuve de déloyauté, seront bannies pour «(avoir manifesté) leur sympathie au Japon», ce dont on n'avait aucune preuve non plus.

Les décrets prévoient donc la déportation au Japon de toute personne âgée de 16 ans ou plus ayant demandé le rapatriement: cela inclut les ressortissants japonais, les citoyens naturalisés et toute personne d'ascendance japonaise née au Canada ainsi que leurs femmes et leurs enfants de moins de 16 ans. Les citoyens nés au Canada ou naturalisés que l'on déportait allaient perdre leur citoyenneté. Au total, 10 347 Canadiens d'origine japonaise allaient être «rapatriés». Les trois quarts étaient des citoyens canadiens; la moitié d'entre eux étaient nés au Canada.

La guerre ayant pris fin en août, des milliers de Japonais requièrent l'annulation de leur demande de «rapatriement». En outre, certains Canadiens commencent à se sentir honteux et entreprennent d'aider les Japonais. Leurs protestations poussent le gouvernement à faire des concessions. On annonce que l'on examinerait les requêtes d'annulation des Japonais nés au Canada ou naturalisés (mais pas celles des ressortissants japonais), à condition qu'elles datent d'avant le 2 septembre 1945, soit la date de la reddition officielle signée par le Japon. Le gouvernement justifie cette limitation en affirmant que les requêtes d'annulation faites après la reddition montrent que les demandeurs avaient dû souhaiter le triomphe du Japon; pour quelle autre raison n'auraient-ils pas requis l'annulation de leur demande auparavant?

La campagne contre la déportation se poursuit cependant. Des requêtes en *habeas corpus* sont présentées pour vérifier la légalité des décrets. King convient d'en référer à l'autorité de la Cour suprême du Canada. Le 20 février 1946, celle-ci rend sa décision. Le juge Thibaudeau Rinfret soutient que le cabinet est «le seul juge de la nécessité ou du bien-fondé de ces mesures» et la majorité des juges l'approuvent.

Les décrets parlaient de déportation. Tout pays a le droit d'exclure les étrangers. Ainsi, les immigrants qui n'avaient jamais adopté la citoyenneté canadienne pouvaient être déportés au Japon puisqu'ils détenaient la citoyenneté japonaise. Étant donné que ceux qui allaient être déportés avaient signé des demandes de «rapatriement», l'affaire était simple, du moins au sens strictement légal. Mais le concept de déportation ne pouvait s'appliquer aux citoyens canadiens, puisqu'un pays ne peut déporter ses propres citoyens. S'ils sont expulsés par la force, ils sont en fait bannis — condamnés à l'exil. Pour justifier les décrets, le gouvernement arguait de son droit à renvoyer les ressortissants japonais au Japon, à les rapatrier. Mais pouvait-il déporter des citoyens naturalisés ou nés au Canada? Selon le droit international, non, il ne le pouvait pas. En fait, les décrets dépouillaient les Canadiens japonais de leur nationalité. Cela n'en faisait pas pour autant des citoyens japonais. Ils n'avaient pas le droit d'entrer dans un autre pays. Ils allaient devenir apatrides, puisque le Canada ne pouvait forcer le Japon à accepter ces individus qui y retournaient à contrecœur. Il n'existait ni traité ni entente internationale entre le Japon et le Canada prévoyant une telle éventualité. Le gouvernement de King avait cependant pris des arrangements avec le général Douglas MacArthur, commandant des forces alliées au Japon, pour que les Canadiens japonais y élisent domicile. Mais en termes de droit, la question se posait toujours: le gouvernement du Canada pouvait-il bannir ses propres citoyens?

La Cour suprême soutient que la Loi sur les mesures de guerre conférait en fait un tel pouvoir au gouvernement central. Elle regimbe toutefois devant l'ordre de bannir les femmes et les enfants. Celui-ci, dit-elle, ne peut être justifié puisque rien ne montre qu'une telle déportation est nécessaire «pour la sécurité, la défense, la paix, l'ordre et le bien-être du Canada». Deux des juges refusent aussi de sanctionner l'expulsion des citoyens nés au Canada. Ivan Rand, l'un des juges dissidents, regarde le problème en face. Le gouvernement avait-il pris ces mesures contre les Canadiens japonais dans l'intérêt de la sécurité nationale ou à cause de préjugés de race?

> Il me faut envisager ce cas comme si, au lieu d'un Canadien d'origine japonaise, j'avais affaire à un ressortissant canadien de souche anglaise qui sympathiserait avec Mosley, ou à un ressortissant canadien-français qui appuierait de Valera. On me demande de soutenir que, en l'absence d'une convention avec ces pays, le gouvernement peut, en vertu de la Loi sur les mesures de guerre et sans affecter les droits à la citoyenneté de ces personnes, émettre l'ordre de les déporter sur ces rivages lointains. Je ne peux donner mon accord à cette prétention.

Appel est interjeté auprès du Conseil privé qui rend sa décision le 2 décembre 1946. Allant plus loin que la Cour suprême du Canada, le Conseil privé soutient que les décrets sont valides sous tous leurs aspects, y compris la déportation forcée des femmes et des enfants. Ces jugements de la Cour suprême et du Conseil privé montrent bien à quel point les juges étaient portés à s'incliner devant le cabinet. La question, croyait-on, relevait du jugement politique et n'était en rien assujettie à la compétence des tribunaux. La Loi sur les mesures de guerre conférait au cabinet le pouvoir d'agir et, en ce qui concerne le Conseil privé, l'affaire s'arrêtait là. Les Canadiens japonais furent donc bannis par leur propre gouvernement. (Le dernier Canadien ayant subi le même sort avant eux fut Louis Riel, banni par le gouvernement Mackenzie en 1875.)

Dans l'examen juridique des décrets, les juges s'étaient strictement limités à la lettre du statut. Ils s'étaient contentés de se demander si, oui ou non, le cabinet avait le pouvoir d'adopter ces ordonnances en vertu de la Loi sur les mesures de guerre. Personne ne suggéra qu'il fallait donner à ce pouvoir extraordinaire une interprétation précise. La guerre était finie et le Japon agonisait, mais aucun des juges ne crut bon d'examiner minutieusement l'utilité pour le cabinet de conserver ces pouvoirs maintenant que la guerre était terminée. Les décrets furent maintenus, et les juges reconnurent au gouvernement le droit d'expulser des ressortissants japonais qui n'avaient violé ni les lois de l'immigration ni le code criminel, et de priver en fait du droit fondamental à la citoyenneté des milliers de Canadiens qui n'avaient commis aucun crime et n'étaient en rien coupables de déloyauté.

Ces décrets étaient racistes. C'est une épithète dont on se sert peut-être à la légère de nos jours. L'histoire des Canadiens japonais nous aide cependant à comprendre le vrai sens du racisme et le danger qu'il représente. On s'en est pris à eux parce que leur race et leur culture se distinguaient de celles de la majorité. Pourtant, il n'y eut que le juge Rand pour poser la question en ces termes.

Les Canadiens n'étaient cependant pas tous d'accord avec leur gouvernement et les tribunaux. Le mouvement des droits et des libertés de la personne prenait de l'ampleur à travers le monde. Le temps était révolu où la politique du gouvernement fédéral n'était contestée que par une poignée d'individus; les contestataires étaient maintenant nombreux. Le 24 janvier 1947, King cède à leurs instances. Le gouvernement, annonce-t-il, n'appliquera pas son programme de déportation après tout. Mais alors, près de 4 000 personnes, dont la moitié sont nés au Canada, ont déjà quitté le pays. Si des années de persécution ne les avaient pas aigris à un tel point qu'ils ne voyaient plus de raisons de vivre au Canada, ni de faire confiance au gouvernement, beaucoup d'entre eux seraient sans doute restés ici plutôt que d'aller partager avec les Japonais la triste perspective du Japon d'après-guerre. Ceux-là sont des exilés.

Les États-Unis ne tentèrent jamais de renvoyer au Japon les Américains d'origine japonaise. Pearl Harbor suscita bien en Californie une crise d'hystérie anti-japonaise qui donna lieu à l'évacuation de 120 000 Japonais de la côte ouest, puis à leur internement. Ces mesures avaient été maintenues par la Cour suprême des États-Unis en raison de l'importance souveraine de la sécurité nationale. Le 17 décembre 1944, le gouvernement américain annula cependant les ordonnances excluant les Japonais de la côte ouest et annonça que tous les centres de détention seraient fermés en moins d'un an. On permit aussitôt aux Américains japonais de rentrer sur la côte ouest. Pour sûr, on ne tenta jamais de les bannir au Japon.

En avril 1947, le cabinet canadien révoque officiellement les décrets qui renvoyaient au Japon les Canadiens japonais. Les décrets de 1942 sont cependant toujours en vigueur, et les Japonais ne peuvent toujours pas rentrer sur la côte ouest. En 1948, trois ans après la fin de la guerre, ils ne peuvent même pas voyager librement en Colombie britannique, ni pratiquer la pêche commerciale où que ce soit au Canada. Cette année-là, l'un d'entre eux est condamné à un an de travaux forcés pour être rentré en Colombie britannique sans permission. Ainsi, les Japonais des camps ne peuvent pas rentrer sur la côte ouest, et ceux qui se sont relogés à l'est des Rocheuses ne peuvent retourner dans la province. Ils sont pris dans un enchevêtrement bureaucratique difficile à imaginer.

Le 16 juin 1948, le Parlement accorde aux Japonais qui sont citoyens canadiens le droit de voter aux élections fédérales. Malgré leur droit de vote, ces citoyens ne peuvent toujours pas rentrer sur la côte ouest. Les décrets qui le leur interdisent ne seront finalement annulés qu'en 1949, quatre ans après la fin de la guerre. Nombre d'entre eux se seront alors relogés à l'est des Rocheuses, surtout en Ontario. En fait, c'est à Toronto que l'on trouve maintenant la plus grande population de Canadiens japonais. C'est en 1949 aussi que les Japonais obtiennent enfin le droit de voter aux élections provinciales de la Colombie britannique. La même année, la *United Fishermen and Allied Workers Union* accepte que les Japonais réintègrent l'industrie de la pêche de la province.

Même si Mackenzie King écrit dans son journal «qu'il est heureux que la bombe (atomique) ait été lancée sur les Japonais plutôt que sur les races blanches d'Europe», les attitudes du public commencent à changer. En effet, qui peut voir une menace au Canada dans ce pays vaincu et soumis qu'est alors le Japon? (La tendance à l'apaisement du sentiment anti-oriental, que l'on commençait à discerner au début des années 1930, devient de plus en plus manifeste.) On s'est battu pour les idéaux de la démocratie libérale, et aux yeux des Canadiens, ces idéaux ont une place dans la société d'après-guerre. Le monde entier est horrifié par l'holocauste que la haine raciale a entraîné en Europe. Le Canada est devenu membre de l'Organisation des Nations Unies et a souscrit à la Déclaration universelle des droits de l'homme. Le racisme n'est plus en vogue.

Dans les années d'après-guerre, les Canadiens japonais se préoccupent surtout de s'établir avec leurs enfants au sein de la société canadienne. Ils s'efforcent de ne pas se faire remarquer et, à

Toronto, ils se dispersent délibérément à travers la ville. Bien des Nisei deviennent professionnels ou employés de bureau; leur assimilation, qu'on avait cru impossible, passe virtuellement inaperçue. Les mariages entre Blancs et Japonais sont monnaie courante. Les années d'humiliation sont révolues.

L'évacuation aurait-elle été, tout compte fait, une bénédiction? Certains ont avancé que l'intégration socio-économique des Canadiens japonais n'aurait pas eu lieu s'ils n'avaient pas été évacués et dispersés pendant et après la guerre; en d'autres termes, ceux-là prétendent que l'évacuation a assuré aux Canadiens japonais l'égalité des chances. Ainsi, on justifie rétrospectivement l'évacuation et la dispersion en les considérant comme les outils du progrès social. Il est vrai que les Canadiens japonais étaient confinés dans des ghettos urbains ou ruraux de la Colombie britannique, et l'on ne peut nier que depuis la guerre, depuis leur dispersion à travers le pays, ils ont prospéré comme jamais auparavant.

Mais est-ce vraiment attribuable à l'évacuation? Certains Canadiens japonais adoptent ce point de vue, sur lequel le sénateur américain Hayakawa a d'ailleurs insisté. Ce progrès était pourtant déjà manifeste avant que la guerre n'éclate avec le Japon, avant même l'évacuation. Étant donné les obstacles raciaux auxquels les Japonais du Canada étaient confrontés, quoi d'étonnant à ce que leur intégration n'ait vraiment pris place que dans les années 1950 et 1960? Après l'adoption d'une série de mesures libérales, le processus d'intégration se déroula sans anicroches. Sans doute fut-il accéléré par l'évacuation et la dispersion. Mais il était inévitable de toute façon. Que l'on examine le cas des Chinois de la Colombie britannique: avant la Seconde Guerre mondiale, ils étaient confrontés aussi aux obstacles des lois et des préjugés. Ils ne furent ni évacués, ni dispersés, mais la Colombie britannique leur accorda le droit de vote en 1947. Les obstacles se dissipèrent. Les Chinois, tout comme les Japonais, bénéficièrent de l'esprit de libéralisation qui marqua alors la société canadienne.

L'argument du «tout est pour le mieux» repose sur la notion que l'État peut disséminer les membres d'une minorité chaque fois qu'il estime une telle mesure comme étant dans leur intérêt. Si le progrès social peut justifier l'évacuation des Canadiens japonais de la côte ouest, lesquels d'entre nous formeront le prochain groupe? Et que répondrons-nous lorsque, après nous avoir dispersés, après avoir détruit nos collectivités et confisqué nos biens, on dira que c'était dans notre intérêt?

Si pareille injustice est à jamais irréparable, on peut cependant indemniser les Canadiens japonais pour la confiscation de leurs propriétés. Pourtant, on n'a pas fait grand-chose en ce sens. Confisqués au début de la guerre, les bateaux de pêche des Japonais de la côte furent vendus sans que leurs propriétaires soient dédommagés. Quant au reste de leurs biens, ils furent confiés, après l'évacuation, au Séquestre des biens ennemis qui avait le pouvoir d'en disposer plus ou moins à sa guise. Sans demander la permission des premiers intéressés — malgré leurs protestations en fait — le Séquestre vendit ces biens à des prix souvent dérisoires. Les Japonais possédaient par exemple quelque 700 fermes s'étendant sur environ 13 000 acres dans la vallée du Fraser qui renferme les meilleures terres arables de la Colombie britannique. L'ensemble de ces fermes fut évalué à 836 256 $, soit 64 $ l'acre — c'est tout ce que reçurent leurs propriétaires — et le gouvernement les conserva pour les soldats qui se battaient outre-mer. L'ironie dans tout cela est que certaines de ces fermes appartenaient à des Canadiens japonais qui avaient servi dans les forces armées canadiennes au cours de la Première Guerre mondiale. Les sentiments des Japonais devant cette injustice sont résumés dans cette lettre que Muriel Kitagawa écrivit au Séquestre après que sa maison fut vendue:

> Qui aurait cru qu'un jour, la honte et le désenchantement m'empêcheraient de défendre le gouvernement de mon pays contre les insultes du mépris? L'amertume, l'angoisse même est à son comble. Vous qui vous occupez de chiffres, de dossiers et de statistiques sans vie, ne pourrez jamais mesurer la blessure et l'outrage que vous avez infligés à nous qui aimons ce pays. C'est parce que nous sommes canadiens que nous nous élevons contre cette violation d'un droit acquis de naissance.

Il est facile, en évoquant le passé, de condamner ceux qui ont réclamé l'évacuation, l'internement et la déportation des Canadiens japonais. Mais que ferions-nous aujourd'hui si une autre minorité faisait l'objet de la haine raciale? Combien d'entre nous auraient le courage de prendre un parti impopulaire, d'aller à l'encontre d'une majorité enflammée? Dire que cela ne se produira plus ne suffit pas. Dans notre monde surpeuplé, le Canada continuera d'attirer des quatre coins de la terre des gens de toutes races. Ils y viennent déjà.

Dans les années 1960, le Canada a en effet ouvert ses portes aux Asiatiques. Ces immigrants de l'Inde et du Paskistan sont peut-être la contrepartie contemporaine des immigrants chinois et japonais du XIXe siècle. Depuis le début du siècle, le Canada excluait virtuellement toute immigration provenant du sous-continent indien. En 1941, on comptait à peine au pays 1 500 immigrants des Indes. Depuis les années 1960 toutefois, l'immigration venant de l'Inde, du Pakistan et du Sri Lanka a monté en flèche. Cela a eu des répercussions notables dans bien des collectivités de la Colombie britannique et dans celles d'autres provinces aussi, car ces immigrants n'arrivent plus comme autrefois seulement par la mer sur la côte ouest. Ils viennent par transport aérien, et leur destination peut aussi bien être Winnipeg, Toronto ou Montréal. Ainsi, on trouve dans nombre de nos centres urbains des gens venant du sous-continent indien. Pour certains Canadiens, les immigrants des Indes sont des étrangers qui s'accrochent à leur langue, à leurs costumes traditionnels, à leurs us et coutumes. On constate une recrudescence de sentiments racistes à l'endroit de ces nouveaux arrivants d'Asie. Les collectivités où l'on trouve une population notable d'immigrants des Indes ont été témoins de rossées, de vandalisme et d'attaques à la bombe incendiaire. Ces éruptions de violence sont restées isolées cependant et ont été déplorées par tous.

Jusqu'à maintenant, le virus du racisme a été tenu en échec en Colombie britannique comme dans les autres provinces. On n'a pas tenté d'ériger un autre réseau de lois et de règlements discriminatoires. Il existe maintenant dans les milieux dirigeants des libéraux qui sont prêts à défendre les droits des Asiatiques à Vancouver, des Antillais à Toronto, ou des Marocains à Montréal. Il y a des commissions des droits de la personne au gouvernement fédéral et dans les provinces. Nous avons enfin les dispositions de la Charte des droits. Tout cela donne aux minorités la confiance nécessaire pour s'élever et protester contre la violation de leurs libertés, pour revendiquer des droits dont ils devraient avoir la jouissance, comme on nous l'a tous enseigné.

Les provinces auront-elles néanmoins le pouvoir d'adopter des lois racistes à l'avenir? Le gouvernement fédéral pourrait-il, dans l'exercice des pouvoirs d'urgence, invoquer à nouveau la Loi sur les mesures de guerre contre une minorité raciale? Les minorités raciales sont-elles vraiment en sécurité au Canada?

La Charte garantit à chaque individu le droit à l'égalité devant la loi et le droit à la protection égale de la loi indépendamment «des discriminations fondées sur la race, l'origine nationale ou ethnique (ou) la couleur». Il y a cependant la clause dérogatoire. Il est difficile de prévoir si le législateur exercera souvent son pouvoir de déroger aux dispositions de la Charte. Il ne peut le faire qu'en déclarant expressément qu'une loi s'applique nonobstant la Charte. Même si une loi ne comporte pas une telle déclaration, il est possible que la Charte y soit assujettie; en effet, la Charte dispose que les droits qui y sont énoncés peuvent être restreints par une règle de droit «dans des limites qui soient raisonnables et dont la justification puisse se démontrer dans le cadre d'une société libre et démocratique.» Dans quelles circonstances ces limites raisonnables peuvent-elles être imposées au droit d'une minorité raciale à l'égale protection de la loi? Je suppose que cela peut se produire lorsque la majorité du Parlement ou des législatures impose une telle limitation, et lorsque les tribunaux trouvent que la justification d'une telle action peut se démontrer. Comme on peut toujours invoquer la Loi sur les mesures de guerre, la Charte changera-t-elle quoi que ce soit? Je crois que oui. Elle comporte la reconnaissance explicite des droits des minorités raciales à l'égalité devant la loi. Elle exige aussi des tribunaux qu'ils déterminent si, à leurs yeux, la justification d'une loi donnée peut se démontrer, et non qu'ils se contentent d'adhérer au jugement des hommes politiques comme ils l'ont fait en 1946.

Le fait est que la Constitution, la Charte et la législation ne fournissent pas une protection complète aux minorités raciales. Il serait difficile de rédiger un statut qui le fasse, car tout compte fait, l'égalité des minorités raciales dépend de nos attitudes. Nous avons fait des progrès. L'épreuve et les tourments des Canadiens japonais nous ont appris quelque chose sur les obligations de la citoyenneté au Canada. En Colombie britannique, les législateurs s'appliquaient autrefois à inventer des statuts qui limiteraient les droits des minorités raciales. En 1981, la législature de cette province a adopté la *Civil Rights Protection Act* qui combat le racisme en interdisant la propagande raciste. Une loi semblable a été adoptée par la Saskatchewan en 1979. Ce genre de législation présente toutefois un problème. La discrimination fondée sur la race dans l'emploi, dans le logement et ainsi de suite peut être soumise aux sanctions de la loi. Ce sont là des actes manifestes de discrimination. Cependant, les lois interdisant la propagande raciste, telle la loi fédérale de 1969 qui interdit la propagande haineuse, entraînent la promulgation de limitations à la liberté de parole, ce qui ne doit être fait que pour des raisons impérieuses et, dans le cas de l'intolérance raciale, en gardant à l'esprit que légiférer n'est pas nécessairement la solution à tous les maux de l'État. Si la sagesse — et l'efficacité — de telles lois est contestable, le changement dans les attitudes du public et de la législature est important. De telles lois affirment l'engagement de la société à respecter l'égalité raciale.

La troisième génération de Canadiens d'ascendance japonaise, les Sansei, a grandi sans les liens culturels et linguistiques que les Issei avaient transmis aux Nisei. Cela ne signifie pas que les Canadiens japonais sont en voie de disparition pour autant. Comme dans le cas des Acadiens, l'histoire de leur expulsion leur a donné une légende, un récit vivant des vicissitudes endurées par leurs parents et leur peuple, par ceux qui les ont précédés au Canada. Aujourd'hui, les Sansei tentent de resserrer leurs liens avec le passé et de faire redresser les torts causés à leurs parents. Mais ils ont toujours le sentiment d'être vulnérables. Devraient-ils, même aujourd'hui, garder le silence de peur que rappeler le passé provoque une autre éruption de racisme? Les Canadiens japonais ont répondu à cette question dans *A Dream of Riches*, un livre publié en 1978 par le Projet du centenaire des Canadiens japonais pour commémorer l'histoire du premier siècle de leur présence au Canada:

> Brisons ce silence destructeur et soyons fiers de notre histoire. Sinon, nous serons de plus en plus détachés de notre passé, et ce détachement contribuera à nous désunir, à fragmenter les générations à venir. Par contre, en refaisant le voyage de notre peuple dans le temps, en retournant aux sources, nous nous retrouverons entiers, l'esprit ravivé. Nous rentrerons de ce voyage profondément fiers de notre peuple, et de sa contribution au pays.

Le besoin de se rappeler est exprimé en termes encore plus éloquents par Emily, l'un des personnages de *Obasan*, roman publié en 1981 par Joy Kogawa et qui raconte l'histoire des Canadiens japonais pendant la Seconde Guerre mondiale. Répliquant à sa nièce Naomi qui insiste pour garder le silence, Emily dit:

> Tu es ta propre histoire. Si tu en coupes une partie, tu t'amputes toi-même. Ne renie pas le passé... le reniement, c'est la gangrène.

Autrefois justifié par nos institutions, le racisme n'est maintenant plus légitime. Mais tant qu'il trouvera un écho dans notre conscience collective, il demeurera une menace, parfois imminente, parfois lointaine, mais toujours présente. Nous n'avons rien à gagner en prétendant qu'il n'existe pas, ou en composant avec le mal. Chacun d'entre nous a l'obligation de maintenir le régime de la tolérance. Dans *A Dream of Riches*, les Canadiens japonais ont su exprimer ce à quoi nous devrions tous aspirer:

> Ayant regagné notre liberté... nous ne devons pas perdre de vue notre expérience de la haine et de la peur. Trop souvent nous entendons des «maudit Juif», des «paresseux d'Indien» sortir de la bouche de ceux qu'on appelait autrefois «sales Japs». La lutte des générations passées et le sens des années de guerre seront complètement trahis si nous entrons dans le camp des racistes. Honorons notre histoire... en appuyant les nouveaux immigrants et les autres minorités qui refont maintenant le chemin autrefois emprunté par notre peuple.

*Chapitre V*

# *Le parti communiste et les limites de la dissidence*

*Chapitre V*

# *Le parti communiste et les limites de la dissidence*

Avec la montée du marxisme au cours du siècle dernier, et son adoption par l'Union soviétique comme idéologie d'État, les pays occidentaux se sont trouvés confrontés à un défi dans leurs relations extérieures. En même temps, le communisme a soulevé en Occident un défi intérieur qui, en un certain sens, est encore plus éprouvant que la menace posée ouvertement par la force militaire et l'influence soviétiques dans le monde. Au Canada, ce défi intérieur ne tient pas à la possibilité que le communisme acquière un pouvoir et une influence véritables; il s'adresse plutôt à nos attitudes, à nos institutions et à nos vues sur les limites de la dissidence.

Bien qu'on ait presque toujours exagéré la menace que représente le communisme au Canada, la présence de communistes parmi nous et la doctrine qu'ils embrassent ont poussé le régime de la tolérance jusque dans ses derniers retranchements. Comment une démocratie doit-elle traiter les communistes? Devons-nous concéder la liberté de parole à ceux qui nous la refuseraient s'ils le pouvaient? Puisque la Charte des droits et libertés reconnaît la liberté d'expression, les Canadiens se voient contraints de se poser à nouveau la question.

Les communistes rejettent notre système économique et politique. S'appuyant sur les impératifs de l'histoire établis par Marx et Lénine, ils prévoient la chute violente du capitalisme et de la démocratie libérale (y compris ses variantes sociales-démocrates) et présagent l'ascension du prolétariat au pouvoir. S'ils ne faisaient que prédire la chute du capitalisme et l'effondrement de la démocratie telle que nous la connaissons, cela ne constituerait pas un abus de la liberté d'expression. Prophétie n'est pas sédition. Mais lorsqu'à la prophétie se joignent des propos visant à accélérer le cours soi-disant inévitable de l'histoire, les libertés civiles risquent d'être mises en jeu. La façon dont nos institutions canadiennes —

les législatures et la police, les tribunaux et les juristes, les tribunaux du travail et les syndicats — ont traité le parti communiste a montré jusqu'où nous avons pu accepter le principe du marché libre des idées et agir conformément à notre foi avouée en ce principe. L'histoire des rapports entre nos institutions et le parti communiste peut nous instruire sur la différence vitale qui distingue l'autocratie de la liberté, la sédition de la dissidence.

Où se situent, dans une démocratie, les limites de la dissidence? La Charte des droits (sous réserve de la clause dérogatoire) reconnaît la liberté d'expression et d'association. Mais ces droits sont assujettis à «des limites qui soient raisonnables et dont la justification puisse se démontrer dans le cadre d'une société libre et démocratique.» Ces termes sont vagues, mais on ne peut guère s'attendre à plus de précision. Quelles furent les limites de la dissidence par le passé? Que devraient-elles être aujourd'hui? La Charte ne répond pas à cette question. Elle stipule simplement que ces limites doivent être raisonnables et qu'on puisse en démontrer la justification. La question demeure cependant embarrassante. Les communistes doivent-ils avoir, comme tout autre citoyen, le droit de vote et le droit de poser leur candidature aux élections? Qu'en est-il de l'emploi dans la fonction publique? De l'admission aux corps professionnels? Que penser du leadership communiste dans les syndicats? Doit-on voir les communistes comme des agents de l'impérialisme soviétique même lorsqu'ils s'en déclarent indépendants? Doivent-ils être considérés comme acquis aux dogmes de Marx et de Lénine, même lorsqu'ils insistent que ce n'est pas le cas?

Certains faits sont clairs. Le Code criminel stipule par exemple que l'emploi de la force ou de la violence dans le but de renverser le gouvernement du Canada ou d'une province constitue un acte de trahison. Ainsi accuserait-on sans peine de trahison un groupe d'hommes armés qui, cherchant à établir un nouveau régime, envahirait le Parlement. La sédition, cependant, n'essaie pas d'effectuer un changement de gouvernement en usant de la force et de la violence, mais elle prône l'usage de la force et de la violence pour en arriver à ce but. À quel moment des accusations véhémentes à l'endroit du gouvernement deviennent-elles indistinctes de l'incitation à renverser celui-ci par la violence? Jusqu'à quel point a-t-on le droit d'examiner la libre expression des citoyens pour voir s'ils prêchent la sédition? Lorsque les autorités entreprennent d'examiner à la loupe les paroles et les écrits des gens en vue de découvrir les propos séditieux, elles ont tendance à considérer bien des formes légitimes de dissidence comme de la sédition en puissance. On ouvre des dossiers, on accumule des documents et on fabrique bientôt un appareil permettant à l'État de scruter toutes les causes qui gênent les dirigeants. De simples allégations suffisent alors pour accuser quelqu'un de vouloir renverser le gouvernement d'un pays, et la distinction entre sédition et dissidence devient une question d'étiquettes, plutôt que de preuves.

Le Canada s'est colleté à ces questions bien avant l'arrivée des communistes. En 1835, des magistrats d'Halifax ont tenté de faire taire Joseph Howe qui les accusait de négligence et de corruption. Il s'est toutefois défendu avec succès contre l'accusation de sédition portée contre lui. Accusé d'être un «agitateur insigne» par sir Francis Bond Head, lieutenant-gouverneur du Haut-Canada, William Lyon Mackenzie s'est attaqué sans répit au *Family Compact* qui gouvernait alors la colonie. Le 22 juin 1837, Mackenzie écrit dans son journal, *The Constitution*:

> J'ai dévoilé leur tyrannie, leurs détournements de fonds, leurs ruses, les complots qu'ils trament contre la liberté, l'hostilité qu'ils portent à la vérité, les pots-de-vin qu'ils ont distribués, le favoritisme, la pourriture et la corruption de ces gens-là. Canadiens! aidez-moi à poursuivre cette démarche peut-être audacieuse et périlleuse, mais aussi enivrante.

Même après avoir été expulsé de l'Assemblée à plusieurs reprises, on ne pouvait faire taire Mackenzie. Il parlait au nom des propriétaires fonciers du Haut-Canada, et sa croisade contre les marchands, les avocats et les banquiers qui formaient le *Family Compact* était appuyée par des milliers de fermiers anglophones et par le prolétariat naissant. Leurs revendications ne pouvaient pas être repoussées sous prétexte qu'ils étaient étrangers: comme Papineau et ses partisans du Bas-Canada, ils pouvaient être accusés au pire de républicanisme. Par contre, lorsque Mackenzie passa de la dissidence à la sédition et prit les armes contre le gouvernement du Haut-Canada, il fut bien sûr accusé de trahison, et sa rébellion ayant échoué, il s'exila aux États-Unis. Dans ce cas, la démarcation entre dissidence et sédition était nette.

Au début de notre siècle cependant, la dissidence est tout autre chose. Pendant les années du gouvernement Laurier, des immigrants européens s'établissent dans l'Ouest canadien. Nombre d'entre eux ne parlent pas l'anglais et ne s'assimilent pas dès leur arrivée. Ils viennent travailler sur les fermes bien sûr, mais aussi dans les industries naissantes — villes minières, camps de bûcherons, scieries et usines. Ils tentent bientôt d'y organiser des syndicats. Faisant campagne contre les dissidents, les détenteurs du pouvoir économique et politique peuvent maintenant invoquer le patriotisme ou la nécessité de préserver l'hégémonie anglophone dans l'Ouest canadien. Les *Industrial Workers of the World*, le *One Big Union* et, en particulier, le parti communiste sont très vulnérables à ces attaques.

S'il est difficile de prendre au sérieux l'actuel parti communiste, il n'en fut pas toujours ainsi. Des années 1920 jusqu'à la fin des années 1950, bien des gens ont cru que le parti communiste du Canada était formé d'hommes et de femmes diaboliquement astucieux qui pouvaient duper les travailleurs, se montrer plus malins que leurs employeurs, se jouer de la police et intimider les électeurs, tout cela suivant leur plan grandiose d'établir la dictature communiste. La réalité est évidemment fort différente. Depuis sa fondation en 1921, le parti communiste n'a eu que peu d'appuis des électeurs; excepté dans les syndicats, son influence dans la vie canadienne est restée négligeable; ses polémiques n'ont suscité que l'ennui pour l'ensemble du public. Pourtant, le parti a fait constamment l'objet de la surveillance et de l'infiltration des policiers, il a été proscrit de temps à autre par le gouvernement fédéral, et ses dirigeants ont dû faire face à l'emprisonnement, à l'internement ou à la déportation.

Le 21 juin 1921, vingt-deux délégués se réunissent dans une grange à la sortie de Guelph pour fonder le parti communiste du Canada. Parmi eux se trouvent un agent secret de la GRC et un représentant de l'Internationale communiste (aussi appelée le Comintern, organisme créé par Moscou en 1919 pour promouvoir la révolution dans les pays capitalistes). La présence de ces agents au sein du parti en illustre bien l'échec au Canada. Dès le début, il fut infiltré par la GRC et harcelé par les gouvernements fédéral et provinciaux. Mais bien plus que l'infiltration et le harcèlement, son association avec l'Internationale communiste lui fut le plus nuisible. En tant qu'instrument d'une puissance étrangère, le parti communiste n'a pu prospérer au Canada. Dès le début, des politiciens et des bureaucrates ambitieux, au pays ou en Union soviétique, ont tenté de s'en servir à leurs propres fins.

Naturellement, il y avait des communistes au Canada avant 1921. Le début des années 1900 est marqué par l'établissement de nombreuses organisations socialistes et radicales, en particulier dans l'Ouest canadien. Nombre d'entre elles sont formées par des immigrants venus de l'est et du centre de l'Europe. Pendant la Première Guerre mondiale, ceux de ces immigrants qui ne sont pas naturalisés doivent s'enregistrer comme étrangers ennemis, et plusieurs milliers d'entre eux sont internés. En 1917, après la chute du tsar, Lénine et les communistes s'emparent du pouvoir en Russie. En 1919, les troupes canadiennes s'unissent aux puissances occidentales dans l'invasion de la Russie, tentative sans succès entreprise en 1918 en vue de renverser le nouveau régime communiste.

Au début de la même année, une grève des ouvriers du bâtiment et de la métallurgie entraîne la grève générale à Winnipeg. Les services essentiels sont interrompus, les journaux ne paraissent pas, le lait et le pain ne sont pas livrés. Les policiers de la ville votent en faveur du débrayage mais restent en service à la demande du Comité central des grévistes, formé par les syndicats en grève. Dans l'Ouest, d'autres travailleurs font des grèves d'appui. À Winnipeg, il y a trente-cinq mille grévistes; on en compte soixante mille de Winnipeg à Vancouver. Les autorités fédérales s'inquiètent. Elles décident de considérer la grève de Winnipeg comme la première étape d'un complot révolutionnaire visant l'établissement d'un gouvernement communiste au Canada. John W. Dafoe, rédacteur du *Manitoba Free Press* dénonce le Comité central des grévistes, qu'il appelle les «cinq rouges». Au sujet de leurs partisans, Dafoe écrit qu'il est grand temps «de débarrasser la collectivité des étrangers et de les renvoyer dans ces pays d'Europe trop heureux de les avoir vomis sur nos rivages une décennie auparavant.»

Les «cinq rouges» ne sont pas communistes. Une Commission royale conclut d'ailleurs en juillet 1919 que rien ne prouve que des communistes ont déclenché la grève en vue de renverser les institutions canadiennes et de les remplacer par un régime soviétique. Le professeur D.C. Masters arrive à la même conclusion dans *The Winnipeg General Strike*. Selon le commissaire H.A. Robson, c.r., la cause réelle de la grève est le désir, de la part des travailleurs, d'obtenir des salaires propres à combattre l'inflation d'après-guerre. Ainsi, il s'agit bien, au fond, de questions de reconnaissance syndicale et de droits à la négociation collective, et non d'un complot communiste pour la prise du pouvoir. Une tendance a cependant été créée. On peut maintenant accuser les communistes d'inspirer les revendications de droits à la négociation collective ou les tentatives d'organiser des syndicats; tout mouvement visant à élargir le partage du pouvoir politique et économique peut désormais être assimilé à une tentative d'assujettir le Canada à un système étranger dont l'adoption entraînerait la perte de toutes les libertés.

À l'époque de la grève de Winnipeg, Arthur Meighen, ministre de la Justice dans le cabinet de Robert Borden, à qui il allait d'ailleurs succéder, demande au Parlement de modifier le Code criminel en promulguant l'article 98 qui prohibe les «associations illégales».

> Est une association illégale toute association... dont... le but avoué est de produire un changement ministériel, industriel ou économique au Canada, par force, violence, blessures corporelles contre la personne ou dégâts matériels à la propriété, ou par la menace de ces blessures ou dégâts, ou qui enseigne, préconise, conseille ou défend l'emploi de force, violence, terrorisme, blessures corporelles contre la personne ou dégâts matériels à la propriété... dans le but d'accomplir ce changement, ou pour toute autre fin, ou qui par un moyen quelconque poursuit... ce but avoué, ou enseigne, préconise, conseille ou défend, comme susdit.

Nul être raisonnable ne peut contester le précepte suivant lequel la société ne peut tolérer la violence dirigée contre ses institutions. Cela explique les dispositions du Code criminel sur la trahison et la sédition. Cependant, le libellé élastique de l'article 98 pouvait s'appliquer aussi bien à la rhétorique extravagante d'une réunion syndicale qu'aux accusations proférées avec ferveur contre l'ordre établi dans une manifestation d'étudiants, ou même aux propos d'un Laurier sur le Champ-de-Mars. Les besoins de l'époque ne justifiaient pas la promulgation d'une telle loi; à vrai dire, une mesure semblable demeure excessive à n'importe quelle époque.

L'article 98 s'accompagnait de sanctions rigoureuses. On ne pouvait adhérer à une association illégale, en être membre du conseil, porter un insigne ou un macaron indiquant une telle adhésion, ni verser une cotisation sous peine de vingt ans d'emprisonnement. En l'absence de preuve contraire, quiconque participait à une réunion d'une association illégale, parlait publiquement en sa faveur ou en distribuait la documentation était présumé en faire partie. La GRC pouvait saisir sans mandat tout bien appartenant ou que l'on présumait appartenir à une association illégale. Le propriétaire qui permettait à une telle association de tenir une réunion dans ses locaux était passible de cinq ans d'emprisonnement ou d'une amende de 5 000 $.

Mais quel mal y a-t-il, pourrait-on demander, à adopter une telle loi? Une organisation qui préconise le renversement du gouvernement par la force ne devrait-elle pas faire l'objet d'une surveillance constante et de poursuites judiciaires? L'ennui est qu'une fois promulguée, une loi comme celle-là doit être mise en application. Cela signifie qu'on donne à la police, aux services secrets de l'armée ou à tout autre corps judiciaire le mandat de surveiller de près la vie politique du pays. Il y aura toujours des bureaucrates ambitieux pour entreprendre cette tâche avec ardeur. C'est ce qui arriva après la promulgation de l'article 98. En novembre 1919, la Police à cheval du Nord-Ouest est constituée en force policière d'État qui sera dorénavant connue sous le nom de Gendarmerie royale du Canada (GRC) et qui devra répondre de la sécurité nationale. La GRC, l'armée, les corps policiers des provinces et même ceux des municipalités espionnent les syndicats, les organisations socialistes et sociales-démocrates, les clubs et les écoles ethniques. Cette tentative de classifier et de censurer l'expression de la solidarité sociale, économique et ethnique s'est poursuivie jusqu'à présent sous une forme ou une autre. Que faut-il faire alors?

La réponse est complexe, car si les démocraties doivent se défendre contre la subversion, elles doivent aussi rester fidèles aux idéaux de liberté d'expression et d'association qui constituent des aspects essentiels de l'ordre démocratique. Le ferment du changement social adopte bien des formes. Certaines alarment les dirigeants du gouvernement, de l'industrie et de la GRC. C'est cependant une grave erreur que d'adopter le genre de législation qui constitue la marque universelle des autocraties inquiètes. Nier la liberté d'expression entraîne des conséquences qu'on ne saurait surestimer, car la liberté d'expression est en un sens la vocation de l'homme, la condition *sine qua non* de toute autre liberté. Les contraintes visant à étouffer toute critique de l'ordre établi, les mesures fondées sur l'idée de la culpabilité intellectuelle par association, caractérisent le totalitarisme et non pas la démocratie. La dissidence adopte souvent un discours dont les éléments peuvent entrer dans les catégories de l'illégalité lorsqu'on les sort de leur contexte. Mais si la dissidence fait l'objet de mesures répressives, les injustices dont elle est née resteront incomprises et l'on ne cherchera pas à y remédier. C'est une chose que d'adopter un manifeste provocant ou d'exprimer son opposition aux arrangements politiques et économiques existants dans un discours ou une résolution; c'en est une autre que d'inciter à la violence. La distinction est vitale.

L'article 98 est resté en vigueur jusqu'en 1936. Les gouvernements fédéral et provinciaux s'en sont servi pour harceler non seulement le parti communiste et des groupes politiques de gauche, mais aussi les syndicats. F.R. Scott écrivait en 1932 dans *Queen's Quarterly* que «pour ce qui concerne la restriction permanente des droits d'association, de la liberté d'expression, de l'impression et de la diffusion de documentation, et pour ce qui est de la sévérité de la peine, (l'article 98) n'a pas eu d'égal dans l'histoire du Canada et probablement dans aucun des pays britanniques depuis des siècles.» Cependant, l'article 98 n'allait pas demeurer unique en son genre: on avait conservé le moule. Il allait servir de modèle pour les règlements adoptés en vertu de la Loi sur les mesures de guerre pendant la Seconde Guerre mondiale en vue de faire taire les étrangers et les dissidents, et pour les règlements adoptés en vertu de la même loi pendant la crise d'octobre 1970.

Ainsi, avant même que le parti communiste du Canada soit officiellement organisé, avant que les vingt-deux délégués ne se rencontrent dans cette grange à proximité de Guelph, les statuts comportent déjà une loi dont on peut se servir pour limiter l'activité politique. Pendant les années 1920 et 1930, la police invoque tant et plus l'article 98 pour harceler le parti, interrompre les réunions, en disperser les auditoires, envahir les bureaux du parti, confisquer sa documentation et en arrêter les militants.

Au cours des premières années de son existence, le parti communiste est composé surtout d'immigrants reçus, en particulier de Russes, d'Ukrainiens et de Finlandais. C'est un mouvement de protestation sociale pour les travailleurs immigrants, surtout dans les provinces de l'Ouest. Comme l'écrit le professeur Donald Avery dans *Dangerous Foreigners*, le parti constitue pour eux un havre que nul autre organisme ouvrier ou parti politique n'est prêt à offrir. Comme les membres sont surtout des étrangers, les rangs du parti sont fort vulnérables aux procédures de déportation. Le Parlement a adopté la Loi sur l'immigration en avril 1919 et l'a modifiée en juin de la même année pendant la grève générale de Winnipeg; cette loi va de pair avec l'article 98 du Code criminel. À l'article 41, elle dispose que le gouvernement fédéral a le pouvoir de déporter tout étranger et même tout citoyen canadien d'origine étrangère qui prêche «le renversement par la force... de la loi et de l'autorité constituées.» Ainsi, on déporte des centaines de syndicalistes d'origine étrangère et des centaines de communistes nés à l'étranger (selon June Callwood dans *Portrait of Canada*, dans la seule année 1932, plus de 7 000 personnes que l'on présume «communistes» sont déportées). Le commissaire J.H. MacBrien de la GRC affirme «qu'il n'y aura plus de chômage ni d'agitation» lorsque le Canada sera débarrassé des étrangers.

Un parti politique essentiellement canadien aurait pu venir à bout d'un tel harcèlement, mais le parti communiste du Canada suit presque toujours la ligne dictée par Moscou. Celle-ci est évidemment conçue pour servir les intérêts de l'Union soviétique, et les membres du parti au Canada sont tenus de la justifier en toutes circonstances. C'est d'ailleurs ce qui l'empêchera d'attirer un nombre important d'adhérents. (Le parti est encore la victime de ce devoir paralysant, mais de nos jours ses tentatives tortueuses pour justifier la politique étrangère de l'Union soviétique sont à peine remarquées, sauf par les groupements d'extrême gauche dont les critiques furieuses contre ceux qui suivent encore la ligne officielle du parti sont les plus vitrioliques auxquelles soit soumis le parti communiste du Canada.)

La vie de Tim Buck illustre bien la loyauté des communistes canadiens envers Moscou. Nommé premier secrétaire du parti en 1929, Buck en demeurera le principal porte-parole jusqu'en 1962. Il se rendra souvent en Union soviétique et se verra décerner l'Ordre de la Révolution d'octobre le jour de son quatre-vingtième anniversaire en reconnaissance de sa fidélité. En 1967, il écrit dans *Canada and the Russian Revolution*:

> Né de la grande révolution d'octobre, le nouvel État soviétique est demeuré invicible devant toutes les attaques venant de l'extérieur et a brillamment surmonté les divers problèmes intérieurs cependant qu'il construisait un ordre social complètement nouveau et historiquement supérieur... Par-dessus tout, le rôle magnifique qu'il a joué dans la lutte du genre humain pour prévenir une guerre nucléaire à l'échelle mondiale le place à l'avant-garde des forces démocratiques qui incarnent notre espoir pour la paix et le progrès démocratique.

Un tel dévouement peut nous sembler peu judicieux, mais Buck et ses camarades se considéraient comme les soldats d'une armée internationale qui triompherait à la fin. Pour eux, l'Union soviétique était en train de bâtir un nouveau monde. La première révolution prolétarienne de l'histoire y avait produit un régime qui construisait l'ordre socialiste. Ils croyaient profondément — pour ne pas dire religieusement — à la doctrine marxiste, et la persécution ne servait qu'à fortifier la foi de ces véritables croyants. Les adeptes du parti n'étaient pas plus enclins à contester la politique dictée par Moscou que ne l'étaient les catholiques romains du XII$^{e}$ siècle à réfuter les dogmes de l'Église. Il n'y eut pas d'autre révolution prolétarienne après 1917 — il n'y en a jamais eu en Occident jusqu'à maintenant — mais les communistes étaient prêts à attendre. Leur prophète, croyaient-ils, triompherait.

Les communistes durent payer cher cette fidélité à leurs convictions. Le 11 août 1931, Buck et huit autres personnes sont arrêtés à Toronto et accusés, en vertu de l'article 98, d'adhérer à une association illégale. Or, ils ne font rien cette année-là qu'ils n'ont fait des années durant. En dépit du harcèlement constant, ils ont présenté des candidats aux élections municipales, provinciales et fédérales. Mais en 1931, le procureur général d'Ontario présente un acte d'accusation contre Buck et ses collègues, prétendant qu'ils sont «membres d'une association illégale, nommément le parti communiste» et qu'ils «ont agi ou ont reconnu avoir agi à titre de dirigeants d'une association illégale, nommément le parti communiste». On les accuse aussi de conspiration séditieuse.

Un agent de la GRC qui s'était infiltré dans le parti témoigne contre eux, et la documentation du parti est amenée en preuve. L'un de ces documents décrit le déroulement de la réunion tenue dans la grange, près de Guelph.

> Le résultat de l'assemblée constituante est l'organisation de l'avant-garde de la classe ouvrière canadienne en parti communiste du Canada, section de l'Internationale communiste, qui se donne pour programme de mener une action de masse comme forme vitale de l'activité prolétarienne, de provoquer l'insurrection armée et la guerre civile à titre de forme finale et décisive d'une action de masse visant la destruction de l'État capitaliste et d'établir la dictature du prolétariat sous la forme du pouvoir soviétique comme levier de la reconstruction communiste de la société.

La Couronne soutient que ce document et d'autres publications dans la même veine contreviennent carrément aux interdits de l'article 98, que le parti communiste a l'intention de provoquer des changements dans le gouvernement, l'industrie et l'économie du Canada par l'usage de la force, de la violence et d'atteintes contre la personne ou la propriété et que le parti préconise les méthodes propres à assurer un tel changement. Buck et ses camarades expliquent que, selon Marx et Engels, le conflit entre la classe capitaliste et la classe ouvrière est inévitable, et qu'ils prédisent plutôt qu'ils ne prônent un changement violent. Cet argument est difficile à démontrer, surtout lorsqu'on lui oppose le ton grandiloquent des publications communistes. Huit des accusés sont reconnus coupables; Buck et six autres sont condamnés à cinq ans d'emprisonnement. Sauf pour l'accusation de conspiration séditieuse, l'appel est rejeté, et les condamnations prononcées en vertu de l'article 98 sont maintenues. Buck sera libéré en novembre 1934.

Tim Buck n'est jamais devenu le leader de la gauche au Canada. Ce titre fut réservé à son implacable ennemi, J.S. Woodsworth. Ce dernier avait été emprisonné lors de la grève générale de Winnipeg. Il était ensuite entré au Parlement comme représentant du *Independent Labour Party*. Dès le début, Buck comprit que Woodsworth était l'ennemi le plus dangereux du parti communiste. Buck avait d'ailleurs déclaré en 1929 que «les membres du parti doivent concentrer leur attention sur la menace des partisans de la réforme sociale.» Il avait raison; en 1933, Woodsworth devenait le chef du CCF (*Co-operative Commonwealth Federation*), un parti socialiste d'allégeance exclusivement canadienne.

Les campagnes électorales du parti communiste au Canada ont toujours eu un aspect don-quichottesque. Leurs candidats ne recevaient généralement qu'une poignée de votes. En janvier 1933, des candidats du parti communiste sont élus en majorité au conseil municipal de Blairmore en Alberta et s'empressent, dans un style tenant de l'opéra bouffe, de renommer la rue principale «boulevard Tim Buck». Le CCF entreprend sa première campagne fédérale pour les élections générales de 1935 et obtient vingt fois plus de votes que le parti communiste. Par la suite, les communistes tenteront tour à tour de s'allier au CCF ou de le détruire. Woodsworth s'oppose invariablement à une alliance avec les communistes, et prend des mesures impitoyables pour les empêcher de corrompre son parti. Il mène néanmoins la bataille parlementaire pour obtenir la révocation de l'article 98, mettant de ce fait un terme au harcèlement des communistes. Il dira à l'époque: «La révocation de l'article 98 ne peut que bénéficier à nos pires ennemis» mais soutiendra que pour conserver tout son sens, la liberté politique doit être également accordée à tous les partis politiques.

Bien que le parti communiste n'ait pas réussi sur la scène électorale, il est demeuré un facteur vital pour le mouvement syndical pendant les années 1920 et 1930. En 1924, Buck se présente à la présidence du Congrès des métiers et du travail du Canada (CMT) — seul organisme ouvrier à l'échelle nationale — et remporte 20% des voix. Par la suite, la force des communistes décline au sein du CMT. En 1930, les communistes fondent la *Workers Unity League* qui se compose de syndicats de mineurs, de bûcherons et d'ouvriers de l'industrie du textile. Cinq ans plus tard, le Comintern demande à la classe ouvrière du monde entier de s'unir pour combattre le fascisme; il ordonne que la *Workers Unity League* soit démantelée et que ses syndicats adhèrent au CMT. Ceux-ci deviennent une minorité au sein du Congrès, et l'influence que les communistes avaient acquise parmi eux se dissipe. Ce ne sera pas la dernière fois que leur allégeance politique à Moscou fera perdre aux communistes beaucoup de l'influence durement acquise auprès des syndicats.

En 1935, les syndicats de l'industrie aux États-Unis fondent le Congrès des organisations industrielles (COI) auquel adhèrent bientôt des millions de membres des industries de l'acier, de l'automobile, du caoutchouc, de la fonderie et de l'électricité. Au Canada, le CMT n'est pas prêt à syndiquer les travailleurs de ces industries qui demandent donc l'aide du COI. Celui-ci n'est pas en mesure de leur prêter assistance, ses ressources et sa main-d'œuvre étant employées à la lutte pour étendre l'activité syndicale dans les grandes industries de production aux États-Unis. C'est ainsi que, fort de son expérience dans la *Workers Unity League*, le parti communiste vient colmater la brèche. Comme l'a dit Tim Buck: «Notre parti avait formé tout un personnel cadre qui connaissait les syndicats et savait les mettre sur pied. De plus, même s'ils ne travaillaient pas dans l'industrie visée, les membres du parti allaient distribuer des tracts et aider à établir les syndicats.» La section syndicale du parti, dirigée par J.B. Salsberg, envoie donc des organisateurs dans les industries aux quatre coins du Canada. Dans *Nationalism, Communism, and Canadian Labour*, le professeur Irving Abella reconnaît le rôle joué par les communistes dans la formation de syndicats canadiens affiliés à la COI vers la fin des années 1930 et au début des années 1940.

> ... De toute évidence, la contribution des communistes à la création du COI au Canada fut inestimable. Ils étaient activistes dans une période qui réclamait l'activisme; ils faisaient preuve d'énergie, de zèle et de dévouement au moment où la syndicalisation des travailleurs exigeait de telles qualités. Ils aidèrent à bâtir le COI et contribuèrent à son développement jusqu'à ce qu'il soit assez fort pour se passer d'eux. Ils ont fait le travail que personne d'autre ne voulait ou ne pouvait faire...
>
> Les grands syndicats du COI (dans l'industrie de l'acier, de l'automobile, de la menuiserie, des mines et du textile) furent d'abord mis sur pied par les communistes; ils furent tous, à une époque ou à une autre de leur histoire, dominés par le parti... (Les fondateurs de ces syndicats au Canada) étaient tous des membres actifs ou des adhérents du parti, comme l'étaient une foule d'autres jeunes organisateurs sans nom qui se dispersèrent dans tout le Canada pour amener la syndicalisation aux ouvriers non syndiqués.

Évidemment, les syndicats du COI établis en Ontario, là où l'on trouve la plus forte concentration d'industries manufacturières, sont accusés de communisme. Les industriels et leur principal allié au gouvernement, le premier ministre d'Ontario, Mitchell Hepburn, sont déterminés à stopper la syndicalisation dans l'industrie; dénoncer les syndicats du COI comme communistes est pratique — ce n'est pas faux dans la mesure où nombre des hommes et des femmes œuvrant à la syndicalisation sont communistes. Les syndicats du COI sont également accusés de communisme au Québec où Maurice Duplessis, démagogue nationaliste et ennemi juré des communistes, des syndicats et de tout mouvement de gauche, a été élu premier ministre en 1936.

Mackenzie King est réélu en 1935; l'année suivante, il remplit une promesse électorale en révoquant l'article 98. Les communistes s'empressent de tirer profit de cette inhabituelle liberté pour distribuer des tracts à l'Assemblée législative de Québec, et Maurice Duplessis fait aussitôt adopter la «Loi protégeant la province contre la propagande communiste». Ce statut, que l'on a appelé la Loi du cadenas, interdit à tout propriétaire ou occupant d'une maison d'utiliser celle-ci ou de permettre à toute autre personne de l'utiliser en vue de propager le communisme. Il confère au procureur général de la province le pouvoir de cadenasser toute maison (et d'en évincer les occupants) s'il est convaincu que quiconque s'en sert pour propager le communisme. Il interdit également la publication et la diffusion de tout journal, périodique ou tract «propageant ou tendant à propager le communisme ou le bolchevisme.»

Version duplessiste de l'article 98, la Loi du cadenas est conçue pour restreindre la liberté de parole et d'association. Le clergé catholique et la population du Québec l'appuient largement. Peu de Canadiens français adhèrent au parti communiste, qui épouse la doctrine de l'athéisme et reste insensible au nationalisme québécois. La Loi du cadenas ne définit pas communisme, ni bolchevisme, mais Duplessis fournit ses propres définitions. Il décrit le CCF comme un «mouvement d'inspiration communiste», et le COI comme «communisant». Il reste sourd aux protestations et se sert tant et plus de la Loi du cadenas pour supprimer la dissidence politique et freiner le mouvement syndical. Il faudra attendre vingt ans pour que la question de la constitutionnalité de la loi soit portée devant la Cour suprême du Canada.

C'est cependant au sein même du mouvement syndical que le parti communiste est le plus combattu. Politiciens et industriels fulminent contre les communistes, mais leurs sinistres mises en garde s'appuient en grande partie sur des idées fantasques. Ce n'est pas les Hepburns, les Duplessis ou les agents de la GRC qui ont vaincu le communisme au Canada; ce sont plutôt les membres du CCF et leurs alliés anti-communistes du mouvement syndical. La rivalité opposant les communistes au parti CCF dans l'arène électorale se perpétue dans les syndicats. Les partisans du CCF s'attaquent aux communistes là où ils sont le plus puissants et, dans bien des cas, réussissent à les déloger des syndicats qu'ils avaient mis sur pied.

En 1940, le comité canadien du COI et le Congrès pancanadien du travail s'unissent pour former le Congrès canadien du travail (CCT). Les communistes, qui prédominaient dans le COI, ne sont plus qu'une minorité dans la nouvelle organisation. À l'assemblée constituante du CCT, les délégués adoptent une résolution condamnant le communisme en même temps que le fascisme et le nazisme. Par la suite, les syndicalistes du CCF prennent de l'ascendant au sein du CCT, bien que la lutte pour obtenir la suprématie des syndicats jusque-là dirigés par les communistes se poursuivra pendant plus d'une décennie. Les communistes résistent avec acharnement à la perte du pouvoir. Ils sont déterminés à conserver l'acquis et, s'ils le peuvent, à gagner du terrain. En 1943, une commission du CCT fait un rapport sur les méthodes qu'ils empruntent pour s'emparer du syndicat des chaudronniers de Vancouver.

> En menant une campagne précisément orchestrée, où les stratégies se mêlaient à une certaine politique d'intimidation, ces aventuriers ont cherché à discréditer les fondateurs du syndicat par la calomnie et le ridicule; les réunions syndicales devinrent un cauchemar où l'ordre fit place au désordre. Les meneurs politiques y occupaient des places stratégiques et désorganisaient systématiquement les réunions à tel point que, dégoûtés, les véritables syndiqués finissaient invariablement par quitter la salle, laissant ainsi les affaires du syndicat à la discrétion de ces stratèges politiques... L'état malsain des choses, la confusion qui régnait, découragèrent complètement bien des membres qui cessèrent d'assister aux réunions locales du syndicat. Cela entraîna l'apathie d'une grande partie des membres et, avec le temps, la participation aux réunions déclina de façon telle que ceux qui visaient la domination politique purent virtuellement s'emparer du syndicat...
>
> Le groupe le plus intéressé représente ce qu'on appelle communément le parti communiste. Il est fort bien organisé; ses membres se sont infiltrés dans les conseils des syndicats et y occupent un certain nombre de postes d'autorité... Bien des individus provenant de tous les coins du pays et de diverses industries et qui sont considérés comme des communistes notables... ont apparemment concentré leurs efforts et leurs tactiques dans pratiquement tous les syndicats des chantiers navals et, en particulier, dans le syndicat des chaudronniers. Des militants de cette organisation politique ont quitté leur emploi salarié dans d'autres syndicats pour venir travailler sur les chantiers navals dans le but manifeste de devenir membres du syndicat des chaudronniers et d'y concentrer leurs efforts politiques.
>
> Il semble que dans un premier temps ils tentent d'obtenir des postes à l'échelon inférieur du syndicat, puis se servent de ces postes pour assurer l'embauche de membres du parti sur les chantiers navals. Dans un deuxième temps, ils placent leurs membres aux postes les plus influents du syndicat en vue d'obtenir la mainmise sur le trésor... Tout porte à croire que la troisième étape de leur programme vise à assurer l'élection d'importantes délégations au Congrès canadien du travail dans le but ultime de dominer celui-ci.

Évidemment, les communistes n'ont pas l'exclusivité de ces méthodes. Elles sont courantes pour les membres de bien des partis ou organisations déterminés à faire prévaloir quelque grande cause. Quoi qu'il en soit, le dévouement des communistes à Moscou annulait une grande partie de leurs efforts. Rien n'illustre mieux leur obédience à la ligne officielle du parti soviétique que leur attitude au moment de la Seconde Guerre mondiale. Vers la fin de la décennie 1930, le parti communiste du Canada avait adopté la ligne antifasciste et pressé les démocraties occidentales de s'unir à l'Union soviétique pour arrêter Hitler. Cependant, lorsque Hitler signe un pacte avec Staline en août 1939, les communistes canadiens se voient obligés de renverser leurs positions. Quand la guerre éclate en septembre, Tim Buck, lié à la ligne du parti, défend le pacte germano-soviétique. Le slogan du parti affirme que le «Canada doit se retirer de la guerre impérialiste». Mais lorsque Hitler envahit l'Union soviétique en juin 1941, la ligne du parti change à nouveau. La guerre impérialiste devient une guerre prolétarienne; en fait, après le 22 juin 1941, Buck et ses camarades communistes fustigent la direction du CCT pour ne pas coopérer pleinement avec les forces alliées contre Hitler. Au fil de ces revirements successifs, le prestige du parti en prend inévitablement un coup aux yeux des simples syndiqués.

Le 16 novembre 1939, le gouvernement fédéral adopte un décret interdisant le parti communiste. Cent dix communistes sont internés, et Tim Buck fuit aux États-Unis. Après l'invasion allemande de juin 1941, lorsque l'Union soviétique devient l'alliée du Canada, Tim Buck se rend aux autorités. L'année suivante, il est relâché en même temps que les autres communistes qui avaient été emprisonnés. Le gouvernement ne lève cependant pas l'interdiction qui frappe le parti; aussi le parti communiste établit-il en 1943 «un nouveau parti de communistes», le *Labour Progressive Party* (LPP), qui renonce à l'usage de la violence pour réaliser le changement de gouvernement au Canada.

Sous cette nouvelle étiquette, le parti a plus de succès aux élections. Le 9 août 1943, Fred Rose, candidat du LPP, défait David Lewis, secrétaire national du CCF, dans une élection partielle fédérale tenue à Montréal. Pour la première fois, un membre du parti siégera au Parlement. Mais après avoir été l'instrument de la réussite électorale la plus importante du parti communiste, Rose allait devenir en moins de deux ans le symbole de son revers le plus grave.

Pendant un certain temps, le LPP collabore avec les libéraux. Le 5 février 1945, MacKenzie King annonce une élection partielle dans Grey North afin de pourvoir son nouveau ministre de la Défense, le général A.G.L. McNaughton, d'un siège à la Chambre; les communistes dénoncent alors le CCF pour avoir présenté un candidat à cette élection. Aux élections générales, en juin de la même année, le LPP appuie les libéraux. Il y a même des rencontres amicales entre des libéraux bien en vue (y compris des membres du cabinet King) et les membres du LPP, alors que le parti communiste est toujours interdit par ce même gouvernement libéral.

Aux élections générales d'août 1945, le LPP présente des candidats dans 67 circonscriptions. Fred Rose est réélu, mais demeure le seul communiste à occuper un siège. Moins d'un mois plus tard, le 5 septembre 1945, Igor Gouzenko, préposé au chiffre à l'ambassade soviétique à Ottawa, fait défection et demande l'asile politique au Canada. Gouzenko détient des preuves de l'existence d'un réseau d'espions soviétiques au Canada. Il peut également prouver que Fred Rose et Sam Carr, un cadre du LPP, ont travaillé pour l'attaché militaire soviétique à Ottawa.

Mackenzie King apprend la défection de Gouzenko le 6 septembre. Cinq jours plus tard, King et les membres de son cabinet rencontrent une délégation de leaders syndicaux, dont C.S. Jackson, un communiste fondateur de la *United Electrical Workers* du Canada. Ce soir-là, King écrit dans son journal:

> Je tiens à noter ceci. On me dit que tous ceux qui étaient présents sont communistes. Jackson, qui a parlé le plus souvent, a été interné trois ans pendant la guerre. Un ou deux autres ont aussi été emprisonnés. Un autre vient d'être renvoyé d'un syndicat. Ils avaient tous l'air buté et amer. J'ai trouvé Jackson très habile. D'autre part, j'ai vraiment senti, en essayant d'être aussi sympathique que possible, qu'ils étaient tous endurcis et dangereux. Leur présence à Ottawa et la sorte de manifestations qu'ils font, la présence aussi d'un autre groupe du syndicat des marins, leur demande de maintenir le boni de guerre en temps de paix et ce que j'ai appris sur les autres mouvements, tout cela indique clairement que le Canada est en quelque sorte criblé de leaders communistes étroitement associés au mouvement aux États-Unis et encore plus rapprochés du mouvement en Russie.

Le 6 octobre 1945, le gouvernement adopte secrètement un décret en vertu de la Loi de 1945 sur les pouvoirs transitoires résultant de circonstances critiques nationales (voir chapitre IV), qui confère à la GRC le pouvoir de détenir des personnes soupçonnées de communiquer des renseignements à une puissance étrangère et de les interroger dans des conditions déterminées par le ministre de la Justice. Le juge Robert Taschereau et le juge Roy Kellock de la Cour suprême du Canada sont nommés commissaires pour recueillir le témoignage de Gouzenko et interroger les suspects. La Commission royale sur l'espionnage tient ses audiences à huis clos, et les personnes qu'elle questionne n'ont le droit ni à la liberté provisoire sous caution, ni aux conseils d'un avocat.

King se préoccupe du fait que les suspects sont détenus «incommunicado» et que la Commission royale conduit ses interrogatoires à huis clos. Il est impatient de révoquer le décret secret autant par souci de sa réputation que par goût de la justice. Le décret est révoqué le 1er avril 1946; six jours plus tard, King écrit dans son journal:

> Je suis de plus en plus contrarié par la décision de la Commission sur l'espionnage de détenir toutes les personnes qui doivent comparaître devant elle. Cela a causé un tort irréparable au parti, et mon propre nom n'échappera pas à la responsabilité. Seuls les renseignements que j'ai reçus au préalable et leur portée sur la sécurité de l'État auraient pu justifier une telle démarche. Et encore, je pense que les fins de la justice auraient été mieux servies en prenant le risque d'obtenir moins de condamnations.

La Commission royale sur l'espionnage soumet son rapport final le 15 juillet 1946. À la suite de ses travaux, 18 personnes sont poursuivies en justice; huit d'entre elles sont trouvées coupables et sont emprisonnées alors qu'une autre doit payer une amende. Les autres sont acquittées soit en première instance, soit en appel. Rose a déjà été condamné (en vertu de la Loi concernant les secrets officiels) le 20 juin 1946 à six ans d'emprisonnement. Sam Carr a disparu après les révélations de Gouzenko. Il est arrêté plus tard à New York et déporté au Canada, le 8 avril 1949, où il passe en jugement et se voit condamné aussi à six ans.

L'affaire Gouzenko marque le début de la guerre froide. Le LPP (qui reprend en 1960 le nom de parti communiste du Canada) glisse sur une pente qu'il ne pourra jamais plus remonter.

Les révélations des crimes de Staline par Khrouchtchev, la rupture sino-soviétique, les pratiques impérialistes de l'Union soviétique, la répression de la dissidence en Russie et dans toute l'Europe de l'Est ont divisé l'opinion de l'extrême gauche et ont entraîné au Canada la création d'une multitude de partis marxistes qui, aujourd'hui encore, se font concurrence pour obtenir une poignée de votes.

La guerre froide n'a pas créé de difficultés que pour les communistes. L'affaire Gouzenko servit de prétexte pour attaquer tous les gauchistes de la fonction publique, des universités et des syndicats. Fred Rose et d'autres personnes en vue avaient été trouvés coupables d'espionnage, mais cela signifiait-il pour autant que tout communiste ou ancien communiste était déloyal? Rares sont ceux qui se posèrent la question. John Grierson, le président de l'Office national du film, fut forcé de démissionner. Les allégations du sénateur américain Joseph McCarthy poussèrent au suicide l'ambassadeur du Canada en Égypte, Herbert Norman. Qu'on ne s'y trompe pas: certains étaient communistes ou l'avaient été. Cela en faisait-il des proies faciles? Devaient-ils être chassés de tout poste de responsabilité — en même temps que bien d'autres qui n'avaient jamais été rattachés au parti communiste — sans savoir qui les accusait ni de quoi on les accusait?

Le mouvement syndical devait faire face à ces questions, et les salles de réunions syndicales devinrent de bien des façons les champs de bataille les plus féroces de la guerre froide. Bien que vulnérables, les communistes y étaient organisés; ils y avaient toujours de l'influence et détenaient au sein du mouvement nombre de postes importants. Mais ils ne purent tenir cette position bien longtemps. En 1949, le Congrès des métiers et du travail du Canada expulse le syndicat des marins, dirigé par des communistes, et adopte une motion demandant à tous les organismes qui lui sont affiliés de chasser les communistes du conseil des syndicats. Le CCT monte une offensive anti-communiste semblable mais bien plus importante puisque les communistes exercent toujours une réelle influence dans les syndicats qui lui sont rattachés. Les chefs du CCT contestent la présence des communistes dans les syndicats dirigés par ceux-ci. Avant la fin des années 1940, les *International Woodworkers of America* et les *United Auto Workers* mettent leurs dirigeants communistes à la porte. Certains syndicats, dont les *Mine, Mill and Smelter Workers* et les *United Electrical Workers*, ne peuvent être «libérés de l'intérieur», selon l'euphémisme du professeur Gad Horowitz dans *Canadian Labour in Politics*. Le

CCT tente de desserrer l'emprise des communistes sur les travailleurs en expulsant leurs syndicats. Lorsqu'éclate la guerre de Corée, en juillet 1950, le CCT adopte une modification constitutionnelle conférant à son conseil de direction le pouvoir d'expulser tout syndicat qui «suit les principes et les lignes de conduite du parti communiste». Dans certains cas, l'expulsion ne donne pas les résultats escomptés, et les travailleurs continuent d'appuyer leurs dirigeants communistes. Des ouvriers restent membres du *Mine, Mill et Smelter Workers Union* et refusent de joindre les rangs des *United Steel Workers of America*, le syndicat affilié au CCT dont ils sont censés devenir membres. Après l'expulsion de leur syndicat, les membres du *United Electrical Workers' Union* n'adhèrent pas non plus au *International Union of Electricians*, autre syndicat relié au CCT. En 1951, le CCT ne compte néanmoins plus de grand syndicat dominé ou même influencé par des communistes. Ils ont tous été récupérés ou expulsés.

En excluant les communistes de tout poste d'autorité, la direction du CCT croyait défendre les intérêts du mouvement syndical. Tant que les communistes domineraient un groupe de syndicats affiliés au CCT, l'opinion serait divisée au sein du Congrès non seulement en matière de politique étrangère, mais aussi au sujet des affaires internes. Les disputes sur les réactions que le Canada devait opposer aux activités des Soviétiques à l'étranger étaient une chose; adopter une politique contradictoire sur les grèves, les lockouts, la législation et l'appui à donner au CCF en était une autre. Cela ne pouvait que se révéler embarrassant pour le CCT, sans compter que cela risquait, à long terme, de porter atteinte aux intérêts des travailleurs. Cependant, la campagne visant l'élimination de l'influence communiste dans les syndicats fut largement exacerbée par l'anti-communisme pathologique qui régnait vers la fin des années 1940 et le début des années 1950. La vie publique et nombre des professions en furent affectées, et le virus se manifesta le plus violemment dans le mouvement syndical. Évidemment, les communistes du mouvement syndical n'étaient pas qu'une chimère; ils détenaient un pouvoir bien réel.

Les avertissements de Lénine dans ses *Textes sur les syndicats* ne laissaient aux communistes canadiens d'autre choix que de considérer les syndicats comme l'instrument permettant de faire progresser la révolution prolétarienne sous la supervision étroite du parti. C'était la théorie appliquée en Union soviétique. Mais comment appliquer une telle théorie au Canada où le parti communiste n'a aucun poids? Les communistes avaient été élus aux postes clef de certains syndicats parce qu'ils en représentaient fidèlement les membres. Les mesures prises pour les expulser reflètent ce fait. Sous l'égide du CCT, on tenait des réunions, on déposait des plaintes et on adoptait des résolutions. Pourtant, ces procédures ne s'appuyaient que rarement sur le fait que les membres des syndicats concernés avaient choisi des dirigeants communistes. Les plaintes reposaient sur de faibles prétextes mais tous les intéressés, y compris les membres, savaient qu'il s'agissait d'une lutte mortelle entre le Congrès et les communistes. Quoi qu'on dise des méthodes communistes pour obtenir et conserver une emprise sur ces syndicats, elles n'étaient pas pires que celles adoptées pour les expulser. Le professeur Abella a critiqué en ces termes l'expulsion par le CCT des syndicats dominés par les communistes:

> Il ne fait aucun doute que très peu des membres des syndicats expulsés étaient communistes. Leur crime fut simplement d'avoir élu des dirigeants auxquels le Congrès s'opposait. Des hommes tels que Jackson, Harris, Murphy et Pritchett ont apporté au mouvement ouvrier dans l'industrie canadienne une contribution qu'on ne peut nier ni même retrouver ailleurs. Le fait que les membres leur étaient dévoués en dépit de leurs convictions politiques semble montrer que les ouvriers de la base étaient satisfaits du leadership. Si, au sein même des syndicats, l'opposition à ces hommes ne pouvait entraîner leur défaite par des moyens démocratiques, le Congrès n'était guère justifié de renforcer cette opposition par des procédés antidémocratiques.

Dans sa campagne pour expulser les syndicats dirigés par des communistes, le CCT n'a pas observé les règles élémentaires de la démocratie, non plus que les syndicats membres en prenant des mesures pour démettre les dirigeants et expulser les présumés communistes ou communisants. On admettra que les conflits au sein du mouvement syndical ne sont pas résolus selon les règles du *fair-play* britannique, mais il n'en demeure pas moins que la solide tradition de démocratie syndicale en fut diminuée.

Pour les communistes, leur cause est celle des travailleurs, dont les intérêts sont identiques à ceux du parti. Vrai, ils visent l'érection d'un système dans lequel le mouvement syndical est la chose du parti et lui est complètement subordonné. La consternation des leaders soviétiques devant la montée du mouvement syndical indépendant en Pologne montre bien avec quelle rigidité on cherche à appliquer la doctrine communiste. (Cela montre aussi à quel point les dirigeants soviétiques répugnent à desserrer les liens qui soudent leur empire.) Mais pour ce qui concerne les communistes du mouvement syndical canadien, préoccupés par les affaires quotidiennes des syndicats, évoluant dans une société libre, pourquoi présumer qu'ils ne cherchent pas à servir l'intérêt de leurs membres? Ceux-ci ne sont-ils pas les mieux placés pour décider si, oui ou non, les intérêts des syndicats sont assujettis à ceux du parti? Mais dans les années 1950, à l'apogée de la guerre froide, on ne reconnaît pas que les communistes se servent des postes qu'ils occupent dans le mouvement syndical pour représenter loyalement leurs membres. Il arrive souvent que les syndicats internationaux, dont le siège social est aux États-Unis, renvoient les leaders présumés communistes de syndicats locaux du Canada; ils vont même jusqu'à mettre des syndicats canadiens en tutelle pour avoir élu des dirigeants communistes. Bien des communistes perdent ainsi leur poste, quand ils ne sont pas carrément renvoyés en même temps que nombre de simples adhérents. Dans cette purge, de nombreux leaders et membres de syndicats affiliés au CCF sont expulsés; certains d'entre eux sont des conservateurs, des libéraux ou n'ont aucune affiliation politique. Dans certains cas, on nie à ceux qui sont expulsés le droit de pratiquer leur métier.

Vers la fin des années 1950, l'anti-communisme commence à s'estomper. En 1956, le Congrès des métiers et du travail du Canada s'unit au Congrès canadien du travail pour former le Congrès du travail du Canada (CTC). À la fin des années 1960, le CTC et la plupart des syndicats qui lui sont affiliés cessent d'exclure les communistes des postes de direction et font la paix avec ceux des syndicats dirigés par des communistes qui avaient survécu aux manœuvres du CCT. Mais, suivant l'esprit de l'article 98, le mouvement syndical avait eu toute latitude pour restreindre la liberté d'expression et d'association.

Le zèle anti-communiste, si visible soit-il dans le mouvement syndical des années 1950, ne se manifeste pas aussi ouvertement au Parlement. Le gouvernement fédéral n'est pas prêt à bannir le LPP comme il avait banni le parti communiste en 1940. Bien sûr, le gouvernement libéral de l'époque sait pertinemment où se situe l'influence réelle des communistes, et après que le *Canadian Seamen's Union* (CSU), dirigé par des communistes, a déclenché une série de grèves sur les Grands Lacs, il décide de le détruire. En

1950, un an après l'expulsion du CSU par le CMT, le Conseil canadien des relations du travail lui retire l'accréditation, sous prétexte qu'il ne constitue pas un syndicat en vertu des lois fédérales puisqu'il est dominé par des communistes. Dans le geste peut-être le plus cynique de son histoire, le gouvernement Saint-Laurent invite alors Hal Banks, un gangster américain, à venir réorganiser les marins des Grands Lacs. Banks deviendra par la suite une source d'embarras continuel pour le gouvernement Saint-Laurent.

Les provinces prennent aussi des mesures pour combattre le communisme dans le mouvement ouvrier. Le Conseil des relations du travail du Québec de Duplessis révoque l'accréditation des syndicats au leadership communiste qui ont été expulsés du CCT. Cependant, lorsque la Commission des relations de travail de Nouvelle-Écosse tente d'en faire autant, le litige qui s'ensuit se rend jusqu'à la Cour suprême du Canada.

Il s'agit de la *Maritine Workers' Federation of Nova Scotia*, dont le secrétaire-trésorier, J.K. Bell, est membre du LPP. La Commission des relations de travail de la province refuse d'accréditer le syndicat comme agent de négociation des employés de Smith and Rhulands Ltd, en dépit du fait que la majorité d'entre eux y ont adhéré et qu'il a rempli toutes les exigences d'accréditation. La Commission prétend que le communiste Bell exerce une influence dominante dans le syndicat et qu'il s'est engagé, à titre de communiste, à renverser les institutions démocratiques en vue d'établir au Canada une dictature asservie à l'Union soviétique. La Commission refuse donc l'accréditation de son syndicat comme agent de négociation:

> Le parti communiste diffère essentiellement des partis politiques canadiens véritables en ce qu'il utilise le leadership et l'influence des syndicats comme un moyen de promouvoir des politiques et des objectifs dictés par un gouvernement étranger. Les déclarations et les actions des communistes montrent que leur but est d'affaiblir la structure politique et économique du Canada, cela, en vue de détruire à long terme la forme de gouvernement établi.
>
> En conséquence, reconnaître comme agent de négociation un syndicat où un membre du parti communiste exerce une direction et un leadership dominants, cela serait incompatible avec l'objectif de promouvoir la négociation collective de bonne foi. En effet, cela donnerait le pouvoir

d'affecter juridiquement les intérêts vitaux des employés et des employeurs à des personnes qui utiliseraient inévitablement ce pouvoir pour promouvoir les objectifs et politiques communistes, plutôt que les intérêts des employés.

Le syndicat intenta une poursuite contre la Commission des relations de travail, et la Cour suprême de la Nouvelle-Écosse statua en faveur du syndicat. Smith and Rhulands Ltd en appela de cette décision devant la Cour suprême du Canada, qui maintint, à quatre contre trois, le droit d'accréditation du syndicat.

Le juge Ivan Rand, dont l'opinion dans le cas des Canadiens d'origine japonaise (voir chapitre IV) divergeait de celle de ses collègues, parle ici au nom de la majorité. Il demande si le fait que le secrétaire-trésorier du syndicat adhère à la doctrine communiste constitue un motif suffisant pour que la Commission nie aux membres de ce syndicat le droit à la négociation collective:

> Nul ne peut douter des conséquences de théories semblables quand elles sont propagées avec succès, et nul ne peut ignorer que le choix entre adopter une attitude tolérante envers ceux qui y souscrivent ou adopter une attitude restrictive qui répugne à nos traditions politiques, est d'une nature délicate. Mais il y a certains faits qu'on doit regarder en face.
>
> Il n'y a aucune loi dans ce pays qui interdise l'adoption de telles idées ou le fait d'être membre d'un groupe ou d'un parti qui les propage. Bell peut-être élu ou nommé aux plus hautes fonctions politiques dans la province. Sur quoi peut-on se baser pour dire que la Législature dont il pourrait être membre a donné le pouvoir à la Commission de l'exclure d'un syndicat ouvrier? ou d'empêcher un syndicat ouvrier de bénéficier de la loi parce qu'il utilise ses services dans l'exercice d'activités légitimes? Si on pouvait démontrer que le syndicat n'a pas pour but de procurer plus d'avantages et de sécurité à ses membres, mais de détruire le pouvoir même auquel il demande des privilèges, il s'agirait d'une situation différente... La (Loi sur les relations de travail) traite des droits et des intérêts des citoyens de la province en général, et nonobstant leurs opinions personnelles sur quelque sujet que ce soit, les fait bénéficier de certaines libertés comme citoyens, jusqu'à ce qu'on prouve qu'ils les ont légalement perdues.

Selon le juge Rand, rien de la sorte n'a été prouvé. On a tout juste établi que les membres du syndicat ont élu un communiste à la direction. Rand poursuit:

> Voir dans cette caractéristique personnelle d'un individu un motif suffisant pour refuser l'accréditation, c'est ne pas vouloir faire confiance à l'intelligence et à la loyauté des membres à la fois de la section locale et de la Fédération. Les dangers de la propagation des doctrines communistes dépendent essentiellement de la réception que leur fera la société. L'ordre social canadien repose sur l'opinion éclairée et la satisfaction raisonnable des volontés et des désirs de l'ensemble des gens. Mais comment un tribunal local peut-il, par son action, promouvoir cet état de choses, autrement que sur la base de la foi et de la confiance en ceux dont il traite les intérêts? Ce sont les employés de tous les rangs et de toutes les catégories à travers le pays qui fournissent la substance de la vie nationale; la sécurité de l'État elle-même dépend de leur solidarité comme loyaux sujets. Eux, comme tous les citoyens, doivent veiller à la protection et à la défense de cette sécurité à l'intérieur de la structure gouvernementale, et de nos jours, c'est sur eux que repose la responsabilité immédiate de surveiller les motivations et les actes de leurs chefs. Voilà les considérations qui ont modelé la politique législative de ce pays jusqu'à présent et elles sont à la base de la loi qui est devant nous.

Rand repousse la notion de la culpabilité par association qui, selon lui, ne peut remplacer la preuve.

> Je ne suis donc pas d'accord pour dire que la Commission a reçu le pouvoir de décider que l'on peut interdire un syndicat parce qu'il est associé officiellement avec un individu ayant des opinions politiques que la Commission considère dangereuses. Peu importe la force et la nature de l'influence d'une telle personne, il faut prouver d'une certaine façon que cette influence était dirigée vers la destruction des objectifs légitimes du syndicat, avec l'accord des membres, pour que le fait d'être associé à lui puisse justifier la décision de priver les employés des droits et des privilèges que la loi octroie avant tout pour leur bénéfice.

Ce jugement, remarquable pour l'époque, fut prononcé

par un homme tout aussi remarquable. Ivan Rand est né à Moncton en 1884. Après avoir terminé son baccalauréat à Mount Allison, il étudie le droit à Harvard. Grand érudit aux fermes convictions, Rand est nommé à la Cour suprême du Canada en 1943. Les jugements qu'il y prononce pendant seize ans constituent la plus profonde contribution jamais faite par un Canadien à la définition d'une société libre. Comme l'a dit le professeur Edward McWhinney, Rand était «...le philosophe du droit constitutionnel au Canada — le juge qui, examinant par le menu la masse de détails disparates dont la jurisprudence est formée, en arrive aux grands principes d'organisation universelle qui, seuls, donnent un sens aux détails dispersés...»

Le cas de Smith and Rhulands Ltd nous rappelle que les syndicalistes adhérant au parti communiste furent aussi responsables de l'amélioration des salaires et des conditions de travail dans bien des industries. Très souvent, ils ont reçu, comme dirigeants, l'appui des syndiqués alors qu'ils n'obtenaient qu'un nombre dérisoire de votes de ces mêmes syndiqués lorsqu'ils briguaient les suffrages. Les syndiqués se sont montrés fort capables de faire la distinction entre l'activité syndicale et d'autres formes d'activité politique.

Bien sûr, l'Union soviétique s'est servie d'espions et d'agents secrets dans les pays occidentaux, et il y a eu des traîtres au sein du parti communiste du Canada ainsi que l'a montré l'affaire Gouzenko. Au cours des années 1950, les motifs étaient nombreux de se préoccuper de l'espionnage soviétique, mais le torrent d'allégations publiques ou, pire encore, clandestines, qui coula alors a ruiné bien des réputations, détruit des carrières et privé de nombreux travailleurs du droit de pratiquer leur métier, souvent sur la foi de simples allégations de déloyauté envers le pays, la profession ou le syndicat.

Non seulement des travailleurs furent-ils privés de pratiquer leur métier, mais on nia à bien d'autres l'entrée dans une profession à cause d'une association quelconque avec le communisme. Le cas le mieux connu est sans doute celui de Gordon Martin, qui, possédant un diplôme de droit de l'Université de Colombie britannique, fit une demande d'admission au Barreau de cette province. La *Legal Professions Act* de la Colombie britannique exige qu'une personne appelée au Barreau fasse le serment de «s'opposer à toute conspiration perfide». Les dirigeants de la *Law Society of British Columbia*, l'organisme qui régit la profession juridique, rejetèrent la demande de Martin parce qu'il avait été membre du LPP et avait brigué les suffrages comme candidat de ce parti. Les dirigeants affirmèrent que la doctrine et la pratique communistes représentaient une conspiration perfide. Martin soutint qu'il adhérait à un parti politique légal, mais les dirigeants de la *Law Society* maintinrent que:

> Le fait que le gouvernement ait adopté la politique de ne pas prendre de procédures contre les communistes ne marque pas ce qu'on appelle *Labour Progressive Party* du sceau de la légalité. De l'avis des dirigeants, le *Labour Progressive Party* est une association regroupant ceux qui adhèrent aux doctrines communistes. Ce n'est pas du tout un parti politique, au sens où on l'entend ordinairement, dans la mesure où un parti politique canadien doit, de par sa nature même, porter allégeance au système démocratique du Canada. Un parti qui adhère au marxisme révolutionnaire ne peut porter allégeance au Canada et n'est pas, de ce fait, un parti politique au sens où l'on entend ce terme dans les pays démocratiques.

La décision prise contre Martin ne s'appuyait pas sur le fait qu'il avait nui, en paroles ou en actes, au bien-être du Canada. Pour les dirigeants de la *Law Society*, même si Martin a déclaré être opposé à la violence, son association au parti communiste signifiait qu'il n'était ni une personne de bonne réputation, ni apte à être reçu avocat.

Martin recourut à une juridiction supérieure, mais la Cour d'appel de Colombie britannique jugea que les dirigeants de *Law Society* avaient le droit de décider qui peut devenir membre du Barreau. Les juges se crurent cependant tenus de dénoncer le communisme. Le juge C.H. O'Halloran loua chaleureusement les mesures prises par les syndicats et les universités pour «se débarrasser des hommes et des femmes professant des croyances communistes.» Il ajoute à ceci: «Dans nos pays occidentaux, il est universellement reconnu que permettre à un communiste ou communisant de garder un poste de confiance et d'influence constitue une menace pour notre mode de vie». Le juge Norman Robertson conclut que le gouvernement du Canada n'emploierait pas un communiste à moins que ce soit à son insu, puisqu'un communiste ne pourrait être un citoyen loyal. Quant au juge Sidney Smith, il soutint que d'adhérer au LPP était en soi un acte déloyal; aucun communiste ne pouvant être loyal au Canada, quiconque était membre du parti était indigne d'être reçu avocat. Nul besoin d'autre preuve montrant que le candidat avait dit ou fait quelque chose pour renverser les institutions canadiennes. Il n'y eut pas de pourvoi en appel devant la Cour suprême du Canada dans cette cause, et c'est bien regrettable.

Rares sont ceux qui auraient contesté l'opinion des juges dans la cause de Martin au début des années 1950. Pourtant, dans la cause de Smith and Rhulands Ltd, le juge Rand avait rejeté l'idée que l'adhésion d'une personne au LPP permette à la cour de tirer des conclusions, peu importe les sources invoquées, quant aux convictions et aux intentions politiques de cette personne. Il fallait, avait-il dit, des preuves. On devait montrer qu'une personne cherchait à renverser nos institutions.

Au début des années 1950, on assiste à de nombreuses tentatives pour freiner l'expression politique non seulement des communistes, mais de quiconque remet en question la politique étrangère des pays occidentaux. Celui qui ose parler franchement risque d'être dénoncé comme communiste, une manifestation de la tendance — qui existe toujours d'ailleurs — à réduire une question complexe en termes simplistes. Les étiquettes accolées de part et d'autre demeurent, si bien qu'on ne peut plus distinguer les convictions réelles de l'opposant. Cela peut virtuellement désarmer les personnes qui ont pourtant le droit de se faire entendre.

Il faut de la patience et du courage pour rejeter des demandes répétées d'action répressive contre les dissidents politiques. Nos leaders politiques, et nos juges, n'en font pas toujours preuve. Si les politiciens peuvent trouver des prétextes plausibles pour céder aux pressions, les juges, eux, ne peuvent avoir d'excuses. Pourtant, en proie à un patriotisme fervent, ils s'égarent parfois complètement du chemin juridique.

Mais le juge Rand n'a jamais perdu son objectivité. Grand et austère, cet homme venu des Maritimes devait écrire un autre jugement traitant à la fois de la liberté d'expression et du parti communiste. En 1957, la Loi du cadenas de Duplessis est mise à l'épreuve devant la Cour suprême du Canada dans la cause-test *Switzman c. Elbling*. Un locataire de Montréal demande aux juges de déclarer que le procureur général du Québec n'avait pas le droit de cadenasser la maison de sa propriétaire. Les tribunaux du Québec rejettent sa demande, mais la Cour suprême du Canada soutient que la Loi du cadenas est inconstitutionnelle parce qu'il s'agit de droit criminel, domaine échappant à la compétence des provinces. En ce sens, l'A.A.N.B. restreint vraiment le pouvoir des provinces de limiter la liberté de parole. Le jugement de Rand dans cette cause constitue la plus claire affirmation du droit à la liberté d'expression jamais rendue par la plus haute instance du Canada. L'avocat du gouvernement du Québec avait argué que la Loi du cadenas concernait les droits civils dans la province. À cette affirmation, le juge Rand répond:

> La loi a pour but, à l'aide de sanctions, de prévenir ce qui est considéré comme une intoxication de l'esprit humain, de mettre les individus à l'abri d'idées dangereuses, en bref de les protéger de leur propre penchant à penser. Cela ne concerne en rien les droits civils: il s'agit de réduire ou de proscrire ces libertés que la majorité considère jusqu'à maintenant comme la condition de toute cohésion sociale et son ultime force stabilisatrice.

Rand signale que la loi a sans doute pour objet «d'empêcher la propagation du communisme et du bolchevisme, mais elle aurait pu tout aussi bien avoir pour objet la suppression de toute autre doctrine ou théorie politique, économique ou sociale...»

On avait soutenu que l'interdiction était une affaire de nature locale et relevait, par conséquent, de la compétence provinciale. Il existait, avait-on dit, un besoin particulier de protéger la vie sociale et intellectuelle du Québec contre les doctrines subversives, un besoin qu'on ne retrouvait pas dans les autres provinces. Le Québec était trop arriéré, sa population ne possédait pas les qualités intellectuelles pour faire face aux théories de Marx et de Lénine; prétention d'une condescendance achevée. Le plus étonnant est qu'elle ait pu être avancée, en 1957, par le procureur général du Québec. Voici ce que Rand en fait:

> ...Le gouvernement au Canada est en fait l'émanation de la volonté de la majorité, exprimée directement ou indirectement par l'intermédiaire d'assemblées populaires. Cela correspond finalement à un gouvernement par le libre jeu de l'opinion publique dans une société libre, forme de gouvernement dont l'efficacité, comme les événements l'ont fréquemment démontré, est indiscutée.
>
> Toutefois, l'opinion publique, pour faire face à une telle responsabilité, exige comme conditions un accès à peu près libre aux idées et leur diffusion sans entraves. Le gouvernement parlementaire considère comme admise l'apti-

tude qu'a l'homme, agissant librement et sous son propre empire, à se gouverner lui-même. Ce progrès se réalise le mieux dans le degré de libération de l'homme de ses entraves, tant subjectives qu'objectives. Sous cette forme de gouvernement, la liberté de discussion au Canada, comme sujet de législation, possède un intérêt et une importance qui s'étendent à tout le Dominion. Avec de telles dimensions, elle est *ipso facto* exclue du paragraphe 16 comme matière de nature locale.

Ce fait constitutionnel est l'expression politique de la condition essentielle de la vie sociale, de la pensée et de sa communication par le langage. La liberté en ce domaine est tout aussi vitale à l'esprit humain que l'est la respiration à l'existence physique de l'individu.

Commentant le jugement dans la cause de la Loi du cadenas, *Le Devoir* demande «si la défense de la liberté doit aller jusqu'à défendre et à accepter le soi-disant droit de propager l'erreur.» Mais là est justement toute la question. Sans le droit de propager l'erreur, il ne peut y avoir de vraie liberté de parole, de véritable échange d'idées. Le gouvernement n'a pas pour fonction d'empêcher les citoyens de tomber dans l'erreur; au contraire, ce sont les citoyens qui doivent empêcher le gouvernement d'errer. Ceux qui veillent à la sécurité nationale, qu'ils soient membres de la GRC ou d'une agence civile, feraient bien de constamment se le rappeler.

Aujourd'hui, il ne reste plus du parti communiste du Canada qu'une poignée de stalinistes obtus. Pourtant, l'histoire turbulente du parti a révélé les limites réelles de la dissidence dans ce pays. Les communistes, et leur progéniture marxiste du passé plus récent, ont poussé la dissidence à sa limite. Cependant, l'histoire du parti a sûrement démontré que l'on doit protéger le droit des communistes à jouir de la même liberté d'expression et d'association que possèdent la majorité des Canadiens, lesquels par ailleurs peuvent abhorrer le communisme. Toute entrave à la liberté des uns est une entrave à la liberté des autres. Examiner à la loupe les déclarations publiques des radicaux, monter des dossiers sur leurs activités, rapporter leurs propos ou ce que l'on croit être leurs propos, insinuer qu'ils adhèrent à un groupe ou à un autre, se servir de tels renseignements pour leur refuser un emploi, pour détruire leurs chances d'avancement ou pour les déporter — tout cela contribue à entraver la liberté d'expression et à freiner la liberté d'association.

Il n'y a pas que le parti communiste à avoir fait l'objet d'une telle surveillance. Le rapport de la commission McDonald a révélé qu'en 1977, la GRC tenait des dossiers sur plus de 800 000 Canadiens. C'est aberrant. M. le juge McDonald et ses collègues ont proposé que l'espionnage intérieur soit strictement limité. Mais le jour viendra inévitablement où les responsables de la sécurité nationale chercheront à faire élargir leur mandat. Comme le montrent les révélations de la Commission, de telles requêtes devraient être envisagées avec un certain scepticisme. Toute société libre compte une prolifération de groupes épousant des causes qui contestent les fondements de notre vie. Ils s'expriment souvent par une rhétorique enflammée qui habituellement reflète autant leur frustration que leur intention révolutionnaire. Pourtant, cela ne suffit pas pour les faire entrer dans le champ de surveillance des fonctionnaires bien intentionnés qui se croient les gardiens de la vertu intellectuelle. Robin Bourne, ancien adjoint au sous-ministre de la Justice, et chargé du service de l'analyse et de la planification de la sécurité, répondit en ces termes à une question qu'on lui posa sur la surveillance des radicaux exercée par la GRC en 1970:

> Nous étions un peu naïfs à cette époque... Ces gens voulaient un changement social, et c'était là du nouveau pour nous. Après avoir enquêté sur eux, nous avons découvert qu'ils étaient des Canadiens pareils à nous.

Lorsqu'on propose des mesures visant à limiter les droits des communistes ou d'autres dont on dit qu'ils veulent renverser le gouvernement par la force, l'argument invoqué est que ces mesures constituent des «limites raisonnables» dont on peut «démontrer la justification» en vertu de la Charte des droits et libertés. D'aucuns diront que si nos institutions ne sont pas protégées, tous les droits et libertés de la Charte ne servent à rien. Mais il existe déjà des lois fédérales contre la trahison et la sédition. Nous faut-il vraiment d'autres limitations? Un autre article 98? Une autre Loi du cadenas? Certainement pas! Si nous avons vraiment confiance en nos institutions, nous devons permettre aux dissidents de soutenir qu'elles doivent être abolies, d'insister sur leur inévitable destruction ou même d'affirmer que quiconque réfléchit sur les injustices qu'elles perpétuent contribuera à les détruire. Mais à défaut d'une claire exhortation à renverser ces institutions par la force (et les lois contre la trahison et la sédition sont adéquates pour se charger de tels cas), un pays libre et démocratique ne devrait pas tenter de restreindre la dissidence.

Cela se résume à une question de preuves ou d'étiquettes. Si le simple fait d'adhérer au parti communiste est une preuve de déloyauté à l'endroit du Canada, du gouvernement, d'un syndicat, d'un corps professionnel ou d'une université, alors l'adhésion de tout citoyen à un groupe réputé extrémiste (de droite ou de gauche) suffira pour lui retirer les simples droits de la citoyenneté. Bien plus, ceux dont le nom paraît sur la liste des membres d'un tel groupe, ceux qui participent à une manifestation, assistent à une réunion ou distribuent des tracts peuvent se voir accoler les mêmes étiquettes, se voir pareillement retirer leurs droits, ceci sans la moindre preuve de déloyauté et sans autre forme de procès. Les gens devraient être punis pour ce qu'ils font et non pour ce qu'ils pensent.

Comment pouvons-nous critiquer les autorités soviétiques pour leur refus d'admettre la dissidence si nous-mêmes ne pouvons la tolérer? Que les dirigeants du parti communiste d'Union soviétique refusent de démanteler la structure du pouvoir dans leur pays et détestent la voir modifiée en Tchécoslovaquie, en Pologne et dans d'autres pays de l'Europe de l'Est n'a rien d'étonnant. Ils ne permettent pas non plus à quiconque de soutenir que cette structure doive être modifiée. Si le Canada, qui a hérité d'institutions libres et de la liberté d'expression, ne peut tolérer la dissidence, comment s'attendre à ce que l'Union soviétique le fasse? Là-bas, les esprits indépendants abhorrent la tyrannie bureaucratique, l'absence de recours pour les dissidents, le refus, en fait, d'admettre la différence sous quelque forme que ce soit. Comprendre pourquoi les droits des communistes doivent être reconnus au Canada revient à comprendre pourquoi nous recherchons le rejet du communisme à l'étranger. Parce que le droit de propager l'erreur n'est pas reconnu en Union soviétique, il ne peut y avoir de liberté d'expression ni d'association pour ceux qui s'opposent à ce que les dirigeants soviétiques ont choisi d'appeler le socialisme.

Dans l'épreuve de force entre les démocraties occidentales et les pays communistes, il nous faut veiller à ne pas céder ces choses mêmes pour lesquelles l'issue du combat prendra de l'importance aux yeux de tous. Il ne s'agit pas d'un conflit entre le capitalisme et le communisme, nés de la révolution industrielle aux XVIII^e^ et XIX^e^ siècles. Il s'agit plutôt de déterminer si notre régime de tolérance prévaudra ou non parmi les hommes et les femmes, parmi les nations. Ce régime représente l'accomplissement dont l'Occident peut à bon droit s'enorgueillir, celui qui marquera sa place dans l'histoire. Il constitue une affirmation du droit de penser ce que l'on veut, de croire ce qui nous convient et d'exprimer sa propre vérité.

*Chapitre VI*

# *Les Témoins de Jéhovah: l'Église, l'État et la dissidence religieuse*

*Chapitre VI*

# *Les Témoins de Jéhovah: l'Église, l'État et la dissidence religieuse*

Nous connaissons tous ce que fut la Révolution tranquille du Québec: en 1960, un an après la mort du premier ministre Maurice Duplessis, le gouvernement libéral de Jean Lesage prenait le pouvoir et transformait en six ans le tissu social et la trame institutionnelle de la province. Auparavant, l'Église catholique avait été l'institution dominante au Québec. Après la Révolution tranquille, c'est le gouvernement qui joua ce rôle. La première avait été la gardienne des valeurs traditionnelles; le second fut évidemment un agent de changement.

Pendant deux siècles, soit de 1759 à 1959, l'Église catholique s'était faite protectrice de la population francophone du Québec. Non seulement parlait-elle de l'au-delà, mais elle se préoccupait intensément du monde d'ici-bas. Elle éduquait la jeunesse québécoise, lui inculquant les valeurs de la famille, de la foi et de *la nation*[1]. L'Église préservait et nourrissait la culture française au Canada. Elle souscrivait en même temps à la légitimité de l'autorité britannique et à l'ordre économique établi.

C'était une force monolithique dont l'influence se faisait sentir dans tous les aspects de la vie québécoise, y compris la politique. Même après le triomphe de Laurier en 1896, l'Église ne quitta pas l'arène politique. Les politiciens cherchèrent encore à s'en faire une alliée, et Maurice Duplessis se révéla un maître dans le rôle qu'il s'était attribué de défenseur de la langue, des coutumes et de la foi du peuple.

Bien sûr, l'influence de l'Église sur le peuple du Québec ne s'est pas soudainement effondrée à la mort de Duplessis. Depuis

---

1. En français dans le texte.

longtemps, cette influence était érodée par la transformation de l'économie agricole du Québec en économie industrielle, par la migration des populations rurales vers les villes et par l'expansion des médias. On avait commencé à protester contre les tendances réactionnaires des institutions québécoises, mais jusqu'en 1949, il n'y eut jamais d'action concertée pour remettre en question l'alliance entre Duplessis et l'Église. Cette année-là cependant, une grève violente à Asbestos amena des intellectuels, des journalistes et même certains membres du clergé à prendre position aux côtés des travailleurs en lutte. Marcel Rioux dans *La question du Québec* affirme que cette grève a «(rendu) possible le printemps du Québec». Au cours de la décennie suivante, intellectuels, syndicalistes et journalistes exhortèrent le peuple à adopter des idées libérales et démocratiques (parmi eux, Pierre Trudeau, Jean Marchand et Gérard Pelletier). Ils dénoncèrent la domination du clergé sur la vie de la province. En même temps, une modeste secte de protestants, les Témoins de Jéhovah, contestait les doctrines mêmes de l'Église. Sans aller jusqu'à dire que le conflit des Témoins constitua un point tournant pour la suite des événements au Québec, on peut affirmer que la dispute entre l'Église et les Témoins, la confrontation entre Duplessis et Jéhovah, annonça l'arrivée de la sécularisation au Québec. Ce conflit mit à nu deux conceptions rivales de la liberté de parole et de la liberté de religion.

Le rôle de héros du laïcisme conviendrait mal aux Témoins de Jéhovah, mais ils étaient toutefois déterminés à établir leur droit de convertir des catholiques dans une province où personne n'avait jamais réussi à contester la mainmise de l'Église sur ses ouailles. Ils allèrent devant les tribunaux pour établir leur droit de distribuer de la documentation sur leur religion dans les rues du Québec, et les principes qu'ils affirmèrent dans cette lutte profitèrent aux dissidents religieux de tout le pays. Les dissidents politiques en tirèrent aussi avantage puisque, sous le régime de Duplessis, contester l'Église était un acte politique, en ce sens que toute limitation à l'autorité de l'Église pouvait diminuer le pouvoir de Duplessis.

Les convictions nationalistes de Maurice Duplessis se fondaient sur l'obscurantisme et la répression. Dans *La grève de l'amiante*, Pierre Trudeau, à l'époque un ennemi juré du nationalisme, écrivait:

> (c'est pourquoi), contre une ambiance anglaise, protestante, démocratique, matérialiste, commerciale et plus tard industrielle, notre nationalisme élabora un système

> de défense où primaient toutes les forces contraires: la langue française, le catholicisme, l'autoritarisme, l'idéalisme, la vie rurale et plus tard le retour à la terre.

Selon Trudeau, le peuple québécois ne croyait pas fermement à la démocratie; il se raccrochait plutôt aux valeurs traditionnelles, expulsant ceux qui en doutaient ou qui les contestaient. De toutes les institutions du Québec, celle qui résista le plus violemment au changement fut l'Église catholique.

Pendant l'ère de Duplessis, de 1936 à 1959, l'Église et l'État se donnèrent la main pour persécuter les Témoins de Jéhovah, qui menèrent à maintes reprises jusque devant la Cour suprême du Canada leur lutte pour la liberté d'expression et de religion. La Charte des droits et libertés enchâsse la liberté d'expression et la liberté de religion comme des droits inaliénables des citoyens de toutes les provinces. La ferveur de cette petite secte protestante a joué un rôle notable dans l'établissement des fondements intellectuels de la Charte.

Les Témoins de Jéhovah ont toujours répandu avec zèle ce qu'ils considèrent comme la parole de Dieu. Leur croyance les oblige à partager leur foi avec les autres et à dénoncer toute autre confession pour ses défauts et sa corruption. Leur tâche n'est pas facile et le monde est souvent indifférent, sinon hostile à leur égard.

Les Témoins s'acquittent de leur devoir dans la rue; nous sommes habitués de les voir parcourir les trottoirs de toutes les villes canadiennes. Pourquoi, demandera-t-on, ne restent-ils pas dans leurs salles de réunion à pratiquer leur religion en privé? Pourquoi faut-il qu'ils envahissent la rue telle une calamité? Ils répondent à cela que leur religion les appelle à témoigner de leur foi. L'un des aspects les plus importants de cette foi est le devoir de prêcher et de convertir; c'est pour accomplir ce devoir qu'ils descendent dans la rue et vont de porte en porte offrir leurs publications: *Réveillons-nous* et *La Tour de Garde*.

Selon les Témoins de Jéhovah, l'Église catholique romaine a eu une influence néfaste sur le développement du christianisme et des doctrines chrétiennes. Ils croient que la montée des évêques et du clergé, l'établissement d'ordres monastiques et le culte des saints et des martyrs représentent une dérogation au vrai christianisme. Le protestantisme n'a pas corrigé ces maux et, affirment-ils, Dieu a choisi un petit groupe de chrétiens auxquels il a commandé de restaurer la pureté du culte et de prêcher la bonne nouvelle du «Royaume de Christ».

À cause de leur croyance, les Témoins se sont souvent brouillés non seulement avec d'autres confessions mais avec l'État laïc. Leur loyauté va d'abord à Dieu. Ils ne reconnaissent pas devoir allégeance à l'État. Ils s'opposent à la participation à la vie politique et à la célébration des fêtes nationales; ils ne se mettent pas à l'attention pour entendre l'hymne national. Les lois de l'homme, si elles sont incompatibles avec leur interprétation de la loi divine, ne les concernent pas. Ils étudient la Bible avec ardeur et en suivent les prescriptions au pied de la lettre; ainsi, ils se sont toujours opposés aux transfusions sanguines même pour leurs enfants; il y eut des cas où, pour des raisons médicales, les autorités ont dû obtenir un ordre de la cour d'appréhender un enfant dans le but de lui administrer des transfusions. Ce genre de controverse a gardé les témoins sur la sellette.

Le mouvement fut fondé dans les années 1870 par le Dr Charles Russell, un prêcheur itinérant de Pennsylvanie, et se propagea au Canada vers la fin du XIX$^{e}$ siècle. Les attaques vigoureuses des Témoins de Jéhovah à l'endroit de l'Église catholique et des confessions protestantes ne passèrent pas inaperçues, mais ce n'est qu'à l'époque de la Première Guerre mondiale qu'ils devinrent l'objet d'une haine intense et de la persécution. Alors connus sous le nom de *Canadian Bible Students*, ils s'opposèrent à la guerre parce que, disaient-ils, un chrétien ne doit pas prendre les armes. Ils étaient donc opposés au service militaire, même comme non-combattants dans les forces armées.

Le professeur M.J. Penton, lui-même un Témoin, a fourni dans *Jehovah's Witnesses in Canada, Champions of Freedom of Speech and Religion*, un compte rendu qui fait autorité sur la persécution des Témoins (car c'est bien de persécution qu'il s'agit) pendant la Première et la Seconde Guerre mondiale et entre les deux guerres. Lorsque le Canada décrète la conscription en 1917, les Témoins se posent en objecteurs de conscience. On soutient cependant que leur organisation ne constitue pas une confession; ils doivent donc faire leur service militaire ou aller en prison. Nombre d'entre eux choisissent la prison. En plus de refuser de combattre, les Témoins condamnent les membres du clergé qui appuient la guerre. Le clergé est courroucé. Le colonel Ernest Chambers, le chef de la censure au Canada, est impatient d'imposer des restrictions sur les paroles et les publications des Témoins. Pendant la Première Guerre mondiale et au cours des années suivantes, il sera leur principal antagoniste.

Le gouvernement fédéral attend jusqu'à la dernière année de la guerre (1918) pour prendre action contre les publications des Témoins, mais il le fait alors en vertu du pouvoir que lui a conféré une loi adoptée dès les premiers jours de la guerre. Il s'agit évidemment de la Loi sur les mesures de guerre, qui donne largement au fédéral les pouvoirs de restreindre la liberté des Canadiens et de disposer de leurs biens. Lorsque le gouvernement fédéral entreprend d'agir contre les Témoins, il le fait parce que la révolution russe (qui a porté Lénine et les communistes au pouvoir en octobre 1917) avait alarmé tous les gouvernements occidentaux; comme eux, le Canada ramasse d'un seul coup de filet une multitude de dissidents. Les Témoins vont découvrir que les mesures adoptées pour réduire les activités des communistes seront utilisées contre eux avec autant de zèle. En janvier 1918, un décret interdit *The Bible Students' Monthly*, l'une des publications des Témoins, en soutenant que ce mensuel vise à dissuader les gens de s'enrôler. Le 18 juillet suivant, le gouvernement interdit toutes les autres publications de la secte. La police fait des saisies, et de nombreux Témoins sont arrêtés et emprisonnés. Le colonel Chambers se plaint alors au ministère de la Justice de la trop grande tolérance des tribunaux:

> Nombre de ces individus sont des gens paisibles qui mènent une vie saine et qui, dans leur collectivité, sont généralement réputés pour être honnêtes et tout. Ils sont cependant des fanatiques résolus et persistent à faire circuler des écrits ouvertement pacifistes, socialistes et opposés à la guerre.

Même une fois la guerre finie, la police continue d'arrêter les Témoins et de saisir leurs écrits. Quant au colonel Chambers, il continue de distribuer les avertissements contre eux. Le 31 décembre 1919, il prévient le sous-ministre de la Justice que:

> Les publications de l'*International Bible Students Association* contiennent une propagande clairement pro-ennemie des plus dangereuses et pernicieuses, d'autant grave qu'elle est insidieuse et qu'elle se déguise sous des dehors de religiosité.

Les vues de Chambers, cependant, ne prévaudront pas. Le 1er janvier 1920, le gouvernement fédéral lève l'interdit sur les écrits des Témoins; ils sont de nouveau libres de faire du prosélytisme. Au cours des années 1920, ils achètent cinq stations radiophoniques situées à travers le Canada. Mais ils perdent bientôt leur permis de diffuser sans autre forme de procès, et pour des raisons qui exigent pourtant un débat en règle. Bien que l'une des stations des Témoins (CHUC à Saskatoon) ait permis au Ku Klux Klan de diffuser sur ses ondes, c'est un discours du juge Joseph Rutherford qui entraîne immédiatement le refus de renouveler leur permis. (Rutherford a succédé à Russell comme principal porte-parole des Témoins.) Lu au congrès de juillet 1927 à Toronto, le discours diffusé dans les stations des Témoins semble calculé pour provoquer la fureur des potentats de l'Église et de l'État, sans oublier les pouvoirs financiers:

> Les gens ont le droit de se gouverner eux-mêmes pour le bien-être général de tous; mais au lieu de jouir de tels droits, ils sont gouvernés par une petite minorité. Le pouvoir financier du monde est concentré dans les mains de quelques hommes qu'on appelle les grands financiers et qui, à leur tour, ont corrompu ceux qui rédigent et font respecter les lois du pays. Le clergé perfide s'est uni de plein gré aux grands financiers et aux politiciens professionnels, et c'est cette alliance impie qui constitue le pouvoir gouvernant le peuple.

Arthur Cardin, ministre fédéral de la Marine et des Pêcheries, est chargé des permis des stations radio. En mars 1928, il refuse de renouveler les permis des stations appartenant aux Témoins à Vancouver, à Edmonton et à Toronto. Il y a eu, dit-il à la Chambre, trop de plaintes:

> ... la propagande effectuée sous le couvert de causeries évangéliques est, dit-on, antipatriotique et injurieuse pour nos diverses Églises. D'après les données que nous possédons, il semble que les sermons tendent à démontrer que toutes les églises organisées sont corrompues et régies par des influences iniques, que toutes les institutions sociales sont défectueuses, et qu'il faut réprouver toutes les formes de gouvernement.

Cette évaluation de l'émission radiophonique des Témoins est assez juste, mais était-ce un motif suffisant pour refuser le renouvellement de leurs permis? Il ne semble pas qu'on ait posé la question à la Chambre.

Après avoir perdu leurs permis de diffuser, les Témoins montrèrent pour la première fois leur étonnante habileté à faire signer des pétitions. Ils obtinrent 458 026 signatures sur une pétition concernant le renouvellement de leurs permis, mais en vain. Ils continuèrent cependant de diffuser sans permis: ils achetèrent du temps d'antenne dans les stations commerciales de radio et continuèrent de s'en prendre aux catholiques comme aux protestants, s'attirant ainsi la haine du clergé dans tout le Canada. En 1932, le gouvernement conservateur de R.B. Bennett établit la Commission canadienne de la radio qui se chargea d'émettre les permis pour les stations radio. Le 18 janvier 1933, la Commission envoya une directive à toutes les stations du Canada les avisant que les discours «d'un certain juge Rutherford, agitateur anti-social et étranger» ne pouvaient être diffusés sans l'approbation préalable de la Commission. *The Golden Age*, publication américaine des Témoins, décrivit le président de la Commission comme «un voleur, un menteur, un Judas et un putois, juste bon à s'acoquiner avec le clergé.» Les Témoins envoyèrent au Parlement une autre pétition, portant cette fois 406 270 signatures, mais ne purent toujours pas diffuser.

C'est aussi en 1933 que les Témoins se tournent vers le Québec. C'est la première fois qu'une confession non catholique cherche à convertir la population catholique du Québec. Leurs brochures sont anticléricales et anti-catholiques. Les Témoins se voient accusés d'une série d'infractions comme de violer la Loi de l'observance du Dimanche, de troubler la paix, de colporter sans permis ou même de poser des actes séditieux. Nombre d'entre eux sont trouvés coupables: certains doivent payer une amende, d'autres sont emprisonnés.

Les Témoins ne se découragent pas, mais poursuivent plutôt leur campagne; ils gagnent néanmoins peu d'adeptes car le Québec a toujours été pour eux une terre infertile. En 1936, Maurice Duplessis prend le pouvoir au Québec. Il accentue la campagne contre les Témoins, se servant non seulement des lois existantes mais aussi de sa nouvelle Loi du cadenas, dont le libellé permet de rafler aussi bien les Témoins que les communistes.

Duplessis est défait en 1939. Les Témoins ne profitent cependant que d'un bref répit; la Seconde Guerre mondiale éclate un peu plus tard dans l'année, et le 9 septembre, le gouvernement fédéral invoque la Loi sur les mesures de guerre. Le 4 juillet 1940, le gouvernement central frappe d'interdit la société *Canadian Watch Tower Bible and Tract* (personne civile propriétaire des salles de réunion des Témoins et qui s'occupe de leurs publications). Appartenir à la société devient une infraction, et tous les biens de l'organisation sont remis au Séquestre des biens ennemis. La police confisque les publications des Témoins, saisit les biens de la société

*Watch Tower*, ferme les salles de réunion des Témoins et poursuit ces derniers pour avoir possédé ou distribué des publications interdites. Le vrai crime des Témoins est de s'opposer à la guerre et de ne pas s'en cacher. Mackenzie King dira d'eux:

> (Les écrits) des Témoins de Jéhovah disent, en fait, qu'il faut ignorer l'autorité et les lois humaines lorsqu'elles viennent en conflit avec les interprétations que donnent à la Bible les Témoins de Jéhovah, qu'ils refusent de saluer le drapeau de n'importe quel pays, d'honorer tout homme, et qu'ils s'opposent à la guerre. L'effet général de ces imprimés, entre autres choses, sape le sens moral des responsabilités des gens, surtout en temps de guerre.

Naturellement, les Témoins ne sont que rarement vus comme une grave menace à l'effort de guerre. De plus, il n'y a pas de colonel Chambers pour insister sur l'attitude rigoureuse qu'il convient de prendre à leur égard. À vrai dire, ils ont même des défenseurs au Parlement, notamment un simple député conservateur du nom de John Diefenbaker. Pourtant, la sévérité du traitement que leur inflige le gouvernement fédéral pendant la Seconde Guerre mondiale est remarquable. Le 23 juillet 1942, un comité de la Chambre recommande de lever l'interdit qui frappe les Témoins et les communistes, mais Louis Saint-Laurent, ministre de la Justice, refuse de le faire, surtout parce que le haut clergé catholique s'y oppose. Selon le professeur Penton, il n'y avait que 7 007 Témoins au Canada en 1941, et quelque 500 d'entre eux furent arrêtés pendant la période de l'interdit. John Diefenbaker écrit dans ses mémoires que «le traitement infligé aux Témoins de Jéhovah pendant la guerre ne pourra jamais être justifié.» Ce n'est que le 13 juin 1944 que le gouvernement fédéral lèvera l'interdit frappant la société *Watch Tower* après que les Témoins ont présenté au Parlement une autre pétition comportant 223 448 signatures.

Une fois la guerre terminée, les Témoins sont à nouveau libres de recruter des adeptes. On ne s'oppose guère à eux dans les provinces anglophones. Cependant, les Témoins sont maintenant plus déterminés que jamais à mettre à jour les iniquités de l'Église catholique, et particulièrement de celle du Québec qui, selon eux, a suscité la persécution dont ils ont été victimes pendant la guerre. Ils sont convaincus que Saint-Laurent et les autres ministres de King au Québec n'ont été rien de moins que l'instrument de la politique du Vatican.

Ils se remettent donc à parcourir les rues du Québec. Leurs publications, à forte tendance anti-catholique, profèrent d'amères accusations contre l'Église catholique, ses évêques, ses prêtres et ses écoles. Le cardinal Rodrigue Villeneuve dénonce les Témoins comme hérétiques et communistes. On perquisitionne dans les foyers sans mandat, des réunions paisibles sont interrompues, les bibles sont confisquées et des centaines de Témoins accusés de sédition. Les réunions des Témoins sont dispersées par des catholiques furieux. L'Église, qui avait tenté sans hésitation d'imposer sa volonté à Laurier, n'allait pas laisser une petite secte de protestants (si bruyants soit-elle) calomnier la foi catholique et ses œuvres dans son bastion d'Amérique.

Pendant des générations, l'Église catholique du Québec avait travaillé de concert avec le gouvernement, les écoles et les tribunaux pour mettre en application un régime de valeurs et d'attitudes qui confirmait son pouvoir et encourageait le peuple québécois à voter pour les défenseurs de l'ordre établi. Essentielle à la protection des minorités francophones dans les provinces anglaises, la préservation de l'exclusivité religieuse et linguistique au Québec était assurée par l'Église et l'État pour de tout autres raisons: au Québec, cette exclusivité préservait le *statu quo*.

Il n'empêche que même les plus vénérables institutions changent. Partout au monde, l'Église catholique d'aujourd'hui est un ardent défenseur des droits de la personne et du partage des richesses. Mais en 1946, l'Église du Québec n'était pas disposée à tolérer les critiques et la dissidence. Ayant repris le pouvoir, Duplessis s'appliqua une fois de plus à faire taire les Témoins de Jéhovah, et la police procéda à de nombreuses arrestations. En novembre 1946, alors que 800 de leurs membres attendaient leur procès, les Témoins distribuèrent un tract rédigé en anglais et en français, intitulé: «La Haine ardente du Québec pour Dieu, pour Christ et pour la liberté est un sujet de honte pour tout le Canada.» Conçu pour courroucer les catholiques, ce tract était adressé au peuple québécois en réponse aux émeutiers qui avaient dispersé les réunions des Témoins quelque temps auparavant.

> Est-ce que les curés, qui ont approuvé passivement de tels actes de violence, ont montré quelque considération pour les principes chrétiens? Que penser de la législature du Québec, qui élève la malveillance au rang de loi pour «avoir» ceux qui n'ont pas la faveur des dirigeants? Des forces de police, qui n'interviennent pas lorsque la racaille

s'abandonne à l'émeute, mais qui en arrêtent les chrétiennes victimes pour rien d'autre qu'avoir distribué quelques bibles ou diffusé des tracts portant des extraits de la Bible?...

Et que faut-il penser de ces juges qui imposent de lourdes amendes ainsi que des peines de prison à ces personnes, qui les invectivent d'un langage injurieux et qui suivent délibérément une politique malicieuse en ajournant maintes fois les causes, afin de garder des centaines de causes pendantes?...

Avec la hargne de l'orage, la violence et le préjudice éclaboussent chaque jour les Témoins de Jéhovah dans la province de Québec...

Ces actions sont l'excroissance d'une haine ardente et abaissent le voile de la honte sur le Canada tout entier...

Non contents de lancer pierres, tomates ou pommes de terre, cette fois-ci les voyous catholiques ajoutèrent à la pluie de projectiles des œufs pourris, des concombres et des excréments!...

Tous les gens avisés au Canada s'accordent à dire que la province de Québec, avec sa population catholique à 86%, est sous la coupe de l'Église. À l'Assemblée législative, le crucifix préside au-dessus du fauteuil de l'Orateur, et le trône du Lieutenant-Gouverneur est flanqué de celui réservé au Cardinal...

Tous les faits affirment haut et clair que la cause première de la haine suicidaire du Québec est la toute-puissance de la prêtraille. Si aveuglés par les curés sont des milliers de Québécois catholiques qu'ils croient faire la volonté de Dieu en assaillant les Témoins de Jéhovah...

Les catholiques du Québec doivent montrer leur amour pour Dieu, pour Christ et pour la liberté non seulement par de bonnes paroles mais aussi par des actions vertueuses. Ils se joindront ainsi aux milliers de gens du Québec, aussi bien catholiques que protestants, qui ont dénoncé avec force le traitement inique infligé aux Témoins de Jéhovah dans cette province obscurantiste, assujettie à la loi du clergé.

Ô Québec, les Témoins de Jéhovah proclament dans tout le Canada la honte que tes funestes actions jettent sur le

> pays. En langues anglaise, française et ukrainienne, ce tract crie à la nation ton manquement au devoir. Tu prétends faire la volonté de Dieu, respecter la liberté. Mais quand des dissidents revendiquent cette même liberté, tu la piétines en recourant à des tactiques dignes de la Gestapo, en tolérant la loi de la populace...
>
> Toi, Québec, tu as rendu totale obéissance au clergé et tu en récoltes en surabondance les fruits empoisonnés.

Duplessis qualifia ce tract «d'intolérable et séditieux», et les arrestations se poursuivirent. Le premier ministre prenait ces mesures sachant qu'il était appuyé par la presse canadienne-française, le haut clergé et le peuple québécois: tous convenaient que les Témoins s'étaient attiré ces ennuis. Ceux qui s'attaquent ouvertement à la religion d'une majorité vertueuse doivent s'attendre à voir leur insolence punie.

Cette façon d'envisager la liberté de religion contraste avec les principes de la démocratie, dont l'un des aspects essentiels est la tolérance en matière de religion. Le théologien protestant Reinhold Niebuhr a soutenu que les prémisses morales à la base d'une société doivent constamment faire l'objet d'un examen vigilant. Seul cet examen constant pourra éviter de «tuer dans l'œuf l'apparition de nouvelles forces vives de l'histoire.» Une société qui «se dispense de critiquer ses principes premiers aura du mal à faire face aux forces historiques qui se sont approprié ces vérités et en ont fait leur propriété privée.»

Les Témoins lancèrent, à l'échelle nationale, une campagne pour l'adoption d'une charte des droits et, le 9 juin 1947, ils présentèrent au Parlement une pétition portant un demi-million de signatures. Le 8 février 1949, ils présentèrent une deuxième pétition, signée cette fois par 625 510 personnes. John Diefenbaker, leur principal allié au Parlement pendant la Seconde Guerre mondiale, épousa leur cause et devint le plus ardent défenseur de la Charte des droits en politique canadienne. En 1960, alors qu'il était premier ministre, c'est avec fierté qu'il déposa la Charte canadienne des droits, précurseur de la Charte des droits et libertés.

Bon nombre des Témoins qui avaient été arrêtés au Québec en 1946 furent accusés de distribuer des publications sans permis; la police porta néanmoins des accusations plus graves. Aimé Boucher, un fermier qui avait diffusé le tract «La haine ardente du Québec...» fut accusé de sédition. Le Code criminel prévoit qu'il est séditieux de publier ou de faire circuler un document préconisant l'emploi de la force comme moyen d'accomplir un changement de gouvernement. La disposition-clé est celle qui concerne l'intention séditieuse. La personne qui nourrit des intentions séditieuses ne crie pas nécessairement à qui veut l'entendre que le peuple doit prendre les armes sur le champ pour renverser le gouvernement. Les tribunaux ont toujours jugé que répandre le mécontentement et la désaffection chez les citoyens ou promouvoir des sentiments de haine ou d'animosité entre différentes classes de citoyens pouvait indiquer une intention séditieuse. Toutefois, l'article 133 a. du Code criminel[2] prévoit que ce n'est pas de la sédition que signaler les erreurs ou les défectuosités du gouvernement, ou signaler, afin de les faire disparaître, des aspects de la loi qui produisent des sentiments de haine et d'animosité entre différentes classes de citoyens. Boucher appuya sa défense sur cet article du Code criminel. Cependant, le juge à son procès enjoignit virtuellement le jury de prononcer un verdict de culpabilité et omit de mentionner aux jurés qu'ils pouvaient eux-mêmes décider si Boucher avait agi de bonne foi en vertu de l'article 133 a. Évidemment, le jury condamna Boucher. La Cour d'appel du Québec rejeta son pourvoi en appel.

Boucher se tourna alors vers la Cour suprême du Canada; ce fut la première fois qu'un pourvoi en appel des Témoins de Jéhovah se rendait jusqu'à cette instance. L'appel de Boucher fut entendu juste après que la Grande-Bretagne eut aboli, en 1949, les pourvois en appel du Canada devant le Conseil privé. Ainsi, la Cour suprême du Canada était devenue le tribunal de dernière instance. Ses dix premières années à titre de recours final furent sa plus grande décennie. En effet, tout au long des années 1950, aucun autre tribunal du monde anglophone ne mit plus d'ardeur à se préoccuper des libertés fondamentales, et les jugements les plus importants rendus par cette cour furent ceux du juge Ivan Rand. D'une grande éloquence, cet érudit à l'esprit profond portait un dévouement inflexible aux libertés civiles.

Les décisions rendues par la Cour suprême pendant les années 1950 sont peu connues, sauf des avocats, et même ceux-ci ne les connaissent pas assez. Les juristes s'intéressèrent peu à ces affaires décisives, les facultés de droit discutèrent à peine des jugements, et ni les médias ni le public n'en saisirent l'importance. Il

---

2. L'article 60 du Code actuel a remplacé l'article 133 a.

n'empêche que ces décisions fournissent aujourd'hui des perceptions proprement canadiennes quant aux questions de liberté de parole et de religion et qu'elles confèrent substance aux garanties de la Charte.

Le pourvoi en appel de Boucher força la Cour suprême à carrément envisager la question de la nature et de la portée de la sédition. Dans son jugement, Rand retrace d'abord l'histoire des lois contre la sédition en Angleterre et au Canada, puis il se penche sur le tract comme tel:

> Les événements décrits plus haut sont attribuables à de paisibles citoyens, qui ne semblent pas manquer de douceur, mais qui, pour avoir distribué, apparemment sans permis, des bibles et des tracts sur la doctrine chrétienne; pour avoir célébré des services religieux dans des maisons privées ou sur des terrains privés dans l'esprit des communautés chrétiennes; pour avoir tenu des réunions où ils faisaient des conférences publiques pour enseigner les vérités de la religion chrétienne telles qu'ils les perçoivent; qui, pour avoir exercé ce qui est considéré comme des droits incontestables des Canadiens, ont été assaillis et battus, ont vu leurs bibles et leurs publications déchirées et détruites par des individus et des foules; ont vu leurs maisons envahies et leurs biens volés; et qui, par centaines, ont été accusés d'infraction et soumis à des cautionnements excessifs. On rapporte que les policiers ont fait montre d'animosité à leur égard et les ont traités comme s'ils étaient des criminels, qui s'étaient attiré, par leur action et leur enseignement chrétiens, la violence dont ils ont été l'objet. L'on rapporte aussi que des officiers publics et des membres du clergé catholique romain ont non seulement été témoins de ces outrages, mais ont pris part à certaines poursuites. Le document accusait l'Église catholique romaine du Québec d'entretenir des relations douteuses avec l'administration de la justice, et des prêtres de cette Église de faire pression pour que des poursuites soient intentées.

À propos d'Aimé Boucher, Rand écrit:

> La conduite de l'accusé jusqu'ici n'a rien d'exceptionnel; selon ce qui a été dévoilé jusqu'à présent, c'est un citoyen exemplaire, qui est pour le moins sympathique à des doctrines de la religion chrétienne qui sont, évidemment, différentes des versions protestante ou catholique romaine;

> cependant leur fondement demeure le même dans tous les cas, à savoir le Christ et sa relation à Dieu et à l'humanité.

La Cour devait-elle considérer ce tract comme séditieux? La population catholique du Québec avait été profondément choquée par les allégations qu'il contenait, et la Couronne avait argué que sa diffusion visait à créer le mécontentement parmi le peuple québécois et l'animosité entre différentes classes de citoyens. Rand rejeta cet argument. Le simple fait de tendre à créer le mécontentement, la désaffection et l'animosité parmi la population n'était pas suffisant pour faire du tract en question un document séditieux. Pour cela, il doit y avoir intention d'inciter le peuple à la violence.

> La liberté de pensée et de parole et les désaccords en matière d'idées et de croyances sur tous les sujets concevables font partie de l'essence même de notre vie. Le choc des idées lors de discussions critiques sur des sujets politiques, sociaux et religieux est devenu une expérience trop quotidienne pour que la seule animosité produite par une controverse puisse frapper cette dernière d'illégalité. Un examen superficiel du mot «animosité» suffit à démontrer qu'il ne peut avoir cet effet. Quel est le degré d'animosité nécessaire pour qu'il y ait crime? L'animosité, une condition purement subjective, peut-elle jamais être un crime? Des divergences au niveau des conceptions abstraites engendrent constamment des controverses acharnées; dans certains domaines, l'hérésie est encore un péché mortel; et il peut y avoir du puritanisme fanatique dans les idées aussi bien que chez les mortels. Mais notre entente pour avoir une société libre accepte et absorbe ces différences, et elles s'épanouissent pleinement à l'intérieur du cadre de la liberté et de l'ordre, de manière d'autant plus large et profonde qu'on les considère comme des bases de stabilité sociale. Il en est de même pour le mécontentement et l'hostilité. Conséquences subjectives de controverses, ils font partie de notre vie, comme les idées qui les ont soulevées, et servent en fin de compte à nous stimuler, à clarifier notre pensée et ils nous aident, croyons-nous, à rechercher la constitution et le vrai sens des choses.

La Cour suprême déclara à l'unanimité que Boucher n'avait pas bénéficié d'un procès équitable et que le juge n'avait pas donné des directives adéquates au jury. La condamnation de Boucher devait donc être annulée. Rand se demanda si l'appelant devait être soumis à un second procès. Il conclut cependant que les Témoins de Jéhovah avaient agi de bonne foi et que, en vertu de l'article 133 a, Boucher devait être acquitté.

> Il ne fait aucun doute que ce document fut écrit avec un vif sentiment d'injustice dont les Témoins auraient été victimes. Mais il est incontestable que son but et son objet étaient de faire cesser ce traitement qu'ils considéraient inique. Nous avons ici des disciples du Christ consciencieux et déclarés, qui se plaignent d'avoir été privés de leur liberté de culte dans leurs propres maisons et à leur manière, et d'avoir été emprisonnés pour avoir obéi au commandement «d'aller enseigner toutes les nations». Ils disent qu'un des magistrats les a traités de «bande de fous». Peu importe ce que cela veut dire, c'est peut-être une description exacte selon son point de vue; je n'en sais rien. Mais il y a un fait qu'ils ont fait valoir et que personne ne conteste, c'est que tout ce qu'ils ont fait a été fait pacifiquement et de manière à apporter, selon eux, aux hommes et aux femmes la lumière et la paix de la religion chrétienne. Dire cela, c'est dire que leurs actes étaient légaux. Il est peu probable qu'en pareilles circonstances d'autres groupes de l'Église chrétienne montreraient autant de patience et de ferveur dans leur appel à la charité chrétienne que celles dont ils ont fait preuve face à de tels abus... Les cours inférieures... ont... perdu de vue le fait que, même si c'était l'expression d'une profonde indignation, ses conclusions étaient un appel sincère à l'opinion publique de la province pour que l'on étende aux Témoins de Jéhovah, en tant que minorité, la protection de lois impartiales.

Que le document ait été rédigé dans des termes exagérés qui provoquent le ressentiment n'en fait pas un document illégal, car même l'intention de susciter l'animosité et la haine entre différentes classes de citoyens n'est pas en soi une intention séditieuse. Les Témoins n'ont jamais eu l'intention de susciter l'opposition par la violence à l'autorité légale. La majorité des juges de la Cour suprême soutinrent que Boucher devait être acquitté.

L'affaire Boucher concernait autant la liberté d'expression que la liberté de religion, c'est-à-dire non seulement la liberté de culte mais aussi la liberté d'observance de la règle d'un culte — ou la liberté de n'en observer aucune. Des pratiquants convaincus tels les Témoins de Jéhovah peuvent tenter de convertir les gens dans la rue; ils peuvent manifester contre une politique gouvernementale qu'ils trouvent contraire à la doctrine chrétienne ou aux préceptes bibliques; ils peuvent aussi faire campagne au pays ou à l'étranger pour la justice sociale — comme le font les tenants d'un nouvel évangile social — parce qu'ils ne pensent pas que la prière à elle seule suffira à enrayer le racisme, la famine et l'oppression. Pour accomplir cela, ils doivent être libres de parler, de diffuser de l'information, de faire campagne dans les rues, dans des salles de réunions ou sur la colline parlementaire. La liberté de religion ne peut exister sans la liberté de parole.

Duplessis demeurait déterminé à chasser les Témoins de Jéhovah des rues du Québec. S'il ne pouvait se servir des lois contre la sédition, il pouvait toujours recourir aux règlements municipaux sur les permis. La police continua d'arrêter des Témoins pour avoir violé ces règlements. Un Témoin de Jéhovah, Laurier Saumur, contesta en cour le pouvoir de la province de conférer aux municipalités le droit d'adopter des règlements prohibant la distribution de publications sans permis. Il s'agissait de la validité d'un règlement municipal qui défendait de distribuer dans les rues de la ville de Québec des livres, pamphlets ou tracts sans avoir obtenu au préalable la permission du chef de police. Les Témoins alléguèrent que ce règlement contrevenait à la liberté d'expression religieuse et soutinrent que la province ne pouvait conférer à une municipalité le pouvoir de limiter la liberté de religion puisqu'elle ne possédait pas elle-même un tel pouvoir. Les tribunaux du Québec rejetèrent cet argument, et Saumur en appela à la Cour suprême du Canada.

Le 6 octobre 1953, ce tribunal rendit sa décision, à cinq contre quatre en faveur de Saumur, et sept des neuf juges écrivirent leurs motifs du jugement. Cet excès d'opinions juridiques ne se résume pas facilement, mais les jugements sont devenus un riche filon pour les avocats en quête de sagesse juridique. Comme on peut s'y attendre, le jugement de Rand est le plus riche d'enseignements. Le juge Rand constate que la Cour se retrouve devant la même question que dans l'affaire Boucher: la liberté de religion ne peut exister sans la liberté de parole. Le règlement en question prévoyait que la police devait approuver le texte d'un tract avant qu'un permis de distribution soit délivré. C'était là un cas flagrant de restriction préalable.

> La façon d'appliquer le règlement démontre que ses termes comportent un pouvoir de censure. On a reconnu dès ses débuts que l'imprimerie présentait des possibilités immen-

ses et, depuis son introduction en Europe occidentale ou à peu près, on l'a placée sous le contrôle des gouvernements. À cette époque, et encore de nos jours dans les régimes dictatoriaux, l'autorité regardait avec crainte et colère la littérature imprimée sans contrôle: elle était, et elle est encore, la *bête noire*[3] des fanatiques dans tous les domaines de la pensée. La question de savoir qui en a le contrôle dans ce pays revient donc à une question de la plus haute importance.

Le Québec avait prétendu que l'Acte de l'Amérique du Nord britannique conférait aux provinces le pouvoir de faire des lois relatives aux droits civils dans la province et aux matières d'une nature locale et privée. Rand soutint qu'en droit constitutionnel canadien, les droits civils renvoient au droit privé, tel le droit de faire respecter un contrat, celui de poursuivre un automobiliste ayant causé un accident ou encore le droit de prendre des procédures contre un diffamateur. À son avis, les droits civils n'incluent pas ce que les Canadiens considèrent comme des libertés fondamentales telles que la liberté de parole, de culte ou d'association; ces libertés, dit le juge, appartiennent à tous, aucune législature provinciale ne peut y toucher. Pour Rand, il «va de soi» que la législation relative à la religion n'est pas une matière de nature locale ou privée: «Cette question intéresse la nation toute entière; elle se rattache à un domaine illimité d'idées, de croyances et de foi dont les racines et la loyauté sont des plus profondes.» À propos de la liberté de parole, il ajoute qu'elle est essentielle à l'idée même des institutions libres d'une société démocratique.

> En vertu de (la) Constitution, ce sont les institutions parlementaires, notamment les assemblées populaires qu'élit l'ensemble de la population des provinces et du Dominion, qui exercent le gouvernement: cette forme de gouvernement repose en définitive sur l'expression de l'opinion publique, réalisée grâce à la discussion et au jeu des idées. Si cette discussion est réglementée, on en détruit le fondement même: le gouvernement, qui réglemente, se sépare des citoyens. La seule garantie d'évolution contre cela est le progrès dans la compréhension des choses, ce pourquoi la plus grande liberté de controverse est une condition *sine qua non*.

3. En français dans le texte.

Depuis les années 1950, de solides précédents juridiques permettent de soutenir que seul le Parlement peut légiférer pour limiter les libertés fondamentales. Dans la cause de 1957 concernant la Loi du cadenas, on jugea que la liberté de parole dépassait la compétence provinciale. Les procès des Témoins de Jéhovah établirent que la liberté de religion n'est pas non plus du ressort des provinces. Seul le Parlement, lorsqu'il exerce son pouvoir de légiférer en matière criminelle, peut adopter des lois relatives aux libertés fondamentales. Rand alla plus loin cependant. Il ne suffisait pas de dire que les provinces ne pouvaient pas légiférer en matière de libertés fondamentales. Il voulait énoncer la question en termes positifs:

> ... la liberté de parole et de religion et l'inviolabilité de la personne sont des libertés primordiales qui constituent les attributs essentiels de l'être humain, son mode nécessaire d'expression et la condition fondamentale de son existence au sein d'une collectivité régie par un système juridique.

Il prévoyait ainsi les grands traits de la Charte des droits et établissait une solide base philosophique pour justifier l'idée que les libertés fondamentales échappent à la portée de l'autorité législative, qu'elle soit fédérale ou provinciale.

La série de procès ayant permis aux Témoins de Jéhovah de contester l'autorité quasi dictatoriale de Duplessis culmina dans une poursuite intentée contre Duplessis lui-même. Le 4 décembre 1946, un mois après la publication de «Haine ardente du Québec...», Duplessis, en sa qualité de premier ministre et de procureur général du Québec, instruit la Commission des liqueurs du Québec de révoquer le permis d'alcool de Frank Roncarelli. Pour quelle raison? Simplement parce que Roncarelli a fourni caution pour des centaines de ses frères, comme lui, Témoins de Jéhovah. Duplessis dit à la presse:

> Un certain M. Frank Roncarelli s'est porté caution pour les Témoins de Jéhovah dans plusieurs centaines de cas. La sympathie que cet homme témoigne aux Témoins de Jéhovah — et cela d'une manière aussi évidente, multipliée et audacieuse — constitue une provocation à l'ordre public, à l'administration de la justice dans la province et est absolument contraire aux fins de la justice. Il ne s'agit pas, en l'occurrence, d'une personne cautionnant pour une autre personne, mais il s'agit d'un cautionnement en masse et

dont le nombre seul est par le fait même des plus répréhensibles.

La Commission des liqueurs ne se contente pas d'annuler le permis de Roncarelli, mais rend celui-ci inhabile à détenir un permis «à jamais».

Roncarelli poursuit Duplessis en dommages, soutenant que son permis a été annulé illégalement; Duplessis plaide qu'il a agi en toute légalité dans l'exercice de ses fonctions de procureur général. La Cour supérieure du Québec accorde 8 123,53 $ à Roncarelli, mais ce jugement est renversé par la Cour d'appel du Québec. Roncarelli porte sa cause devant la Cour suprême du Canada qui, dans l'arrêt le plus célèbre de son existence, rétablit le jugement de première instance et porte les dommages-intérêts à la somme de 33 123,53 $. À six contre trois, les juges de la Cour suprême jugent que Duplessis a agi à titre privé et non dans l'exercice de ses pouvoirs officiels. En effet, Duplessis n'avait aucune autorité, même à titre de premier ministre, ni de mandat légal en tant que procureur général pour faire révoquer le permis d'alcool de Roncarelli. Il est donc tenu de payer des dommages à Roncarelli. Bien que basé sur le Code civil du Québec, le jugement s'applique également dans les provinces anglophones où s'applique le droit coutumier.

Le jugement de l'affaire Roncarelli fut rendu par la Cour suprême en 1959. La perte de son permis d'alcool avait depuis longtemps obligé Roncarelli à fermer son restaurant, mais la décision dans cette cause fut une victoire éclatante du principe de légalité et définit les limites du pouvoir exécutif. Le jugement de Rand a fait époque dans tout le monde anglo-saxon. Certains avocats — et même des juges — disent trouver difficiles les jugements de Rand. D'accord, ils ne se lisent pas rapidement et exigent réflexion; mais les vérités qu'ils révèlent valent bien la peine de les lire avec une attention soutenue. Ils constituent du reste le monument judiciaire le plus imposant du Canada.

Duplessis avait soutenu que la Commission des liqueurs du Québec pouvait, à sa discrétion, accorder, renouveler ou révoquer un permis d'alcool. En pressant la Commission d'agir, il ne faisait que l'inciter à faire ce qu'elle avait le pouvoir légal de faire. La Commission ayant le pouvoir d'annuler, à son gré, tout permis d'alcool, Duplessis maintenait qu'on ne pouvait sûrement pas le poursuivre pour avoir instruit celle-ci de faire son travail. Rand rejeta cette prétention.

> Dans une réglementation publique de cette nature, il n'y a rien de tel qu'une «discrétion» absolue et sans entraves, c'est-à-dire celle où l'administrateur pourrait agir pour n'importe quel motif ou pour toute autre raison qui se présenterait à son esprit; une loi ne peut, si elle ne l'exprime expressément, s'interpréter comme ayant voulu conférer un pouvoir arbitraire illimité pouvant être exercé dans n'importe quel but, si fantaisiste et hors de propos soit-il, sans avoir égard à la nature ou au but de cette loi. La fraude et la corruption au sein de la commission ne sont peut-être pas mentionnées dans des lois de ce genre, mais ce sont des exceptions que l'on doit toujours sous-entendre. La «discrétion» implique nécessairement la bonne foi dans l'exercice d'un devoir public. Une loi doit toujours s'entendre comme s'appliquant dans une certaine optique, et tout écart manifeste de sa ligne ou de son objet est tout aussi répréhensible que la fraude ou la corruption. Pourrait-on refuser un permis à celui qui le demande sous le prétexte qu'il est né dans une autre province, ou à cause de la couleur de ses cheveux? On ne peut fausser ainsi la forme courante d'expression de la législature.
>
> Refuser ou révoquer un permis parce qu'un citoyen exerce un droit incontestable et qui n'a absolument rien à voir avec la vente de liqueurs alcooliques dans un restaurant excède, de la même manière, la discrétion conférée par la loi.

Rand décrivit l'inhabilité «à jamais» de Roncarelli comme une «mise hors-la-loi dans une vocation précise.»

Ce jugement de Rand ne relève pas d'une interprétation étroite de la loi, mais plutôt des fondements sur lesquels reposent les corps statutaires. Ces fondements renvoient au principe de légalité. Roncarelli, dit-il, a été la victime d'un:

> ... abus flagrant d'un pouvoir donné par la loi, dont le but exprès était de le punir à raison d'un acte tout à fait étranger à cette loi, de lui infliger une punition dont le résultat a été, comme on l'avait voulu, de détruire sa vie économique de restaurateur dans la province... Le fait (que) ... la victime d'une telle mesure subisse celle-ci et ses conséquences sans aucun recours ni aucune réparation, et le fait que les sympathies et les antipathies arbitraires, de même que les visées non pertinentes d'officiers publics qui agissent en excédant leurs pouvoirs, puissent dicter leurs actions et

> remplacer une administration établie par la loi, voilà le signe avant-coureur de la désintégration du principe de légalité...

Roncarelli avait un recours en loi, et la Cour suprême rétablit le jugement de première instance.

L'histoire des Témoins de Jéhovah demeure pertinente aujourd'hui. Qu'ils aient réussi ou non à leur gagner des adeptes, les efforts des Témoins ont établi le droit des minorités et des dissidents à propager leur foi dans les rues. Les membres d'une société libre doivent pouvoir se servir des rues non seulement comme voies de circulation mais aussi pour la communication. Les endroits publics — les rues, les trottoirs, les squares et les parcs — devraient être ouverts au public pour la circulation, la récréation et une diversité d'activités, y compris les rassemblements politiques. Qu'ils le deviennent ou non reste fonction de nos vues sur les libertés fondamentales. Celles-ci sont-elles à la base de nos arrangements constitutionnels? Ou ne sont-elles qu'un à-côté des buts principaux de l'activité législative? Pendant vingt ans, l'opinion de Ivan Rand eut prépondérance en droit canadien.

En 1978, cependant, la Cour suprême du Canada rejeta les vues de Rand quant à la place que devaient occuper les libertés fondamentales dans le droit constitutionnel canadien. Dans l'affaire du *Procureur général du Québec c. Dupond*, la Cour, dans une décision à six contre trois, rejeta expressément l'idée que les libertés fondamentales puissent servir de valeurs constitutionnelles en soi. En 1969, la Ville de Montréal avait adopté un règlement conférant des pouvoirs extraordinaires au Comité exécutif de la ville. Le règlement prévoyait:

> Lorsqu'il y a des motifs raisonnables de croire que la tenue d'assemblées, de défilés ou d'attroupements causera du tumulte, mettra en danger la sécurité, la paix ou l'ordre public, ou sera une occasion de tels actes, sur rapport du directeur du service de la police et du chef du contentieux de la Ville qu'une situation exceptionnelle justifie des mesures préventives pour sauvegarder la paix ou l'ordre public, le comité exécutif peut, par ordonnance, prendre des mesures pour empêcher ou supprimer ce danger en interdisant pour la période qu'il détermine, en tout temps ou aux heures qu'il indique, sur tout ou une partie du domaine public de la Ville, la tenue d'une assemblée, d'un défilé ou d'un attroupement ou de toute assemblée, défilé ou attroupement.

Le Code criminel confère à la police des pouvoirs qui suffisent amplement à disperser des assemblées illégales. Néanmoins, préoccupé par une série de manifestations et certains comportements violents qui avaient alors cours, le Comité exécutif adopta une ordonnance prohibant «la tenue de toute assemblée, défilé ou attroupement» partout dans le domaine public pendant trente jours. Une municipalité pouvait-elle adopter un tel règlement en vertu des pouvoirs qui lui sont conférés par la province? La question se posa, mais l'affaire ne se rendit en Cour suprême qu'en 1978.

Parlant au nom de la majorité, le juge Jean Beetz soutint alors que ce règlement était conçu pour supprimer des conditions propres à favoriser le crime. En droit constitutionnel canadien, adopter un tel règlement est bien différent de légiférer en matière criminelle; cela relève de la compétence provinciale puisqu'on peut dire qu'il s'agit simplement d'une affaire locale. Ainsi, le règlement ne se rapportait pas au droit criminel qui est, lui, de compétence fédérale, mais relevait de la compétence législative de la province. Le juge en chef, Bora Laskin, parla au nom des juges minoritaires. «La Ville de Montréal, dit-il, a édicté un mini-code criminel sur la prévention d'éventuelles violations de la paix publique et d'éventuelles violences, et le maintien de l'ordre public.» À son avis, le règlement «vise expressément les troubles de la paix publique et le maintien de l'ordre public et, de ce fait, relève nettement du pouvoir fédéral exclusif en matière de droit criminel.» Renvoyant au fait que l'interdiction s'appliquait à toute assemblée, défilé et attroupement, le juge Laskin ajoute:

> En l'espèce, toutes personnes qui voudraient se réunir pour des motifs inoffensifs doivent en être empêchées, non pas parce que certains endroits publics devraient rester accessibles à certaines heures, certains jours ou en certaines occasions — ce qui relèverait d'un pouvoir ordinaire de réglementation — mais afin de prévenir des violences possibles ou probables. De tels principes ne pourraient qu'alarmer les tenants de la liberté même s'ils étaient invoqués et appliqués sous l'autorité du Parlement du Canada.

Le juge Beetz rejeta expressément l'argument voulant que les libertés fondamentales soient des matières distinctes relevant de la loi constitutionnelle du Canada. Il décréta que la Ville de Montréal, exerçant des pouvoirs conférés par la province, pouvait imposer des restrictions à la liberté de parole. Dans un passage étonnant, il fournit la définition la plus étroite possible de la liberté de parole:

> Une manifestation n'est pas une forme de discours mais une action collective. C'est plus une démonstration de force qu'un appel à la raison; la confusion propre à une manifestation l'empêche de devenir une forme de langage et d'atteindre le niveau du discours.

Sans doute les municipalités doivent-elles avoir le pouvoir d'accorder ou de refuser des permis pour les défilés, assemblées et manifestations dans le domaine public. Elles doivent aussi s'assurer que les rues sont sûres, que rien n'y entrave la circulation et que les places publiques ne sont pas utilisées exclusivement pour des défilés, des assemblées et des manifestations. Il ne faut cependant pas en conclure que les municipalités doivent avoir le pouvoir de prohiber tout attroupement dans tout lieu public en quelque temps que ce soit ou en tout temps, ni que la province peut conférer un tel pouvoir. Les observations de Beetz en ce sens répudient tout ce que son grand prédécesseur avait cherché à affirmer vingt ans auparavant.

Le juge Beetz se fait de la liberté de parole une idée étriquée. Son interprétation de la constitution exclut certains des moyens essentiels permettant l'exercice de la liberté de parole, c'est-à-dire les assemblées, défilés, attroupements et manifestations. Bien sûr, pour nombre d'entre nous, les défilés et manifestations ne représentent pas la façon la plus agréable d'exercer cette liberté. Il est cependant peu judicieux de prétendre, comme l'a fait le juge Beetz, qu'une manifestation «n'est pas une forme de discours mais une action collective» et que c'est plus une démonstration de force qu'un appel à la raison. Un défilé de personnes portant affiches et bannières est une chose. Mais dans le cas d'une manifestation, il y aura, règle générale, des discours, et des tracts seront distribués aux passants. Ce genre d'exercice de la liberté de parole est depuis longtemps reconnu au Canada. Pour ceux qui n'ont pas facilement accès aux médias ou qui n'ont pas les moyens de payer de la publicité, les assemblées, défilés et manifestations sont parfois la seule façon de porter leurs revendications à l'attention du public. Ce ne sont pas toutes les causes qui font la manchette dans le *Globe and Mail* ou *Le Devoir*.

Ceux qui n'ont pas facilement accès aux journaux, à la radio et à la télévision doivent aussi pouvoir exercer la liberté de parole. En outre, les médias de masse étant de plus en plus concentrés dans les mains d'un nombre toujours décroissant, rien ne dit qu'ils couvriront adéquatement les dissidents ou leurs causes, ou qu'ils le feront avec impartialité. Les défilés, les assemblées et les manifestations sont des formes légitimes de l'exercice de la liberté de parole; ils sont essentiels à la liberté d'information, surtout lorsque les médias ne font valoir qu'un côté de la médaille — comme ce fut le cas lorsque la presse se joignit aux extrémistes contre les Canadiens d'origine japonaise en 1942, ou encore lorsque les médias devinrent en fait officines de relations publiques pour le gouvernement fédéral pendant la crise d'octobre 1970.

La Charte des droits garantit la liberté de conscience et de religion, la liberté de pensée, de croyance, d'opinion et d'expression et la liberté de réunion pacifique et d'association. La Charte, sous réserve de la clause dite «nonobstant», est enchâssée comme la loi suprême du Canada. Toute loi qu'adoptent le Parlement ou les provinces et qui est incompatible avec la Charte sera inopérante dans la mesure de cette incompatibilité. Les libertés fondamentales seront désormais hors de l'atteinte de la législation provinciale (et fédérale). La mise en vigueur de la Charte aura entre autres pour heureuse conséquence de renverser l'arrêt Dupond et d'enchâsser les libertés fondamentales comme valeurs constitutionnelles indépendantes.

Ivan Rand est l'homme dont l'action a le plus contribué à éclairer la pensée canadienne sur les libertés fondamentales. S'il est un héros pour les Canadiens anglophones, qu'en pensent les Canadiens francophones? Voici une série de décisions qui «feront époque», comme l'a dit Jules Deschênes, juge en chef de la Cour supérieure du Québec; voici une série de confrontations entre la Cour suprême, institution fédérale, et la province de Québec. Le pouvoir fédéral a été utilisé pour annuler les lois du Québec. Cette province ne devrait-elle pas avoir le pouvoir de supprimer les discours religieux qui offensent sa majorité de catholiques? Ne devrait-elle pas pouvoir limiter la liberté des dissidents politiques? Certains soutiendront que les provinces doivent avoir compétence en matière de libertés fondamentales. Sans doute le Québec est-il dans une position particulière en matière de langue et de culture, ceci sous réserve de l'enchâssement des langues officielles et des droits à l'instruction dans la langue des minorités. Il y a des raisons qui justifient la compétence du Québec en ces matières et il n'existe aucun motif d'accorder la même compétence aux autres provinces. Cependant, pour ce qui concerne les libertés fondamentales, le Québec doit, à mon avis, partager la position de toutes les autres provinces. Ni les provinces, ni le gouvernement central doivent avoir le pouvoir de retirer aux citoyens leurs libertés fondamentales.

La confrontation entre Duplessis et la Cour suprême a-t-elle affaibli la Confédération? A-t-elle encouragé le séparatisme en limitant le pouvoir législatif du Québec? Peut-être, mais je ne le crois pas. Qu'auraient été les conséquences sans l'intervention de la Cour suprême? Les droits des dissidents au Québec n'auraient reçu aucune protection. Cela aurait diminué les chances de ceux qui cherchaient à libérer la société et les institutions québécoises d'une forme quasi dictatoriale de gouvernement.

Grand spécialiste des libertés civiles au Canada, Walter Tarnopolsky a dit:

> Le meilleur test de la norme des libertés civiles dans une société est la façon dont cette société traite ses dissidents et ses minorités. En ce siècle, peu de dissidents, et aucune autre minorité religieuse, ont soumis le Canada à un test plus rigoureux que l'ont fait les Témoins de Jéhovah.

Les conflits des Témoins avec les autorités ont fourni l'occasion d'élaborer les valeurs constitutionnelles à la base du fédéralisme canadien. La liberté de parole et la liberté de religion sont des aspects fondamentaux de la démocratie canadienne, et les dissidents peuvent les revendiquer même si cela offense les croyances de la majorité. Aucun gouvernement ne peut diminuer ces droits, et même un premier ministre ne peut abuser de ses pouvoirs pour en priver les dissidents.

*Chapitre VII*

# *Démocratie et terreur: octobre 1970*

*Chapitre VII*

# *Démocratie et terreur: octobre 1970*

Les Canadiens ont longtemps considéré leur pays comme un royaume paisible. Nous n'avons pas connu la guerre civile ni le joug d'un gouvernement brutal et sans loi; nous ne sommes pas affligés par cette violence aveugle qui défigure la vie politique aux États-Unis.

La crise d'octobre 1970 mit cependant un terme à notre innocence. L'irruption du terrorisme au Québec et la décision du gouvernement fédéral d'y voir le début d'une insurrection portèrent un grand coup à nos présomptions. Il y avait au Canada, comme en Amérique latine, des terroristes urbains capables d'enlever un diplomate étranger, de kidnapper un ministre et d'assassiner. Comment le gouvernement du paisible royaume devait-il réagir devant cette crise? Quelle devait être l'attitude de la population?

Les limites de la dissidence politique avaient été outrepassées par des actes successifs de violence. Il ne s'agissait pas d'une grève virant à l'émeute ou d'une manifestation tournant à la violence, mais de cette forme typique de terrorisme imitateur, isolé et sans soutien populaire qui afflige les démocraties modernes. Ce genre de contestation peut néanmoins semer la confusion dans l'État et jeter le trouble dans le peuple. Dans un tel état de crise, les gouvernements risquent de perdre la tête; et dans la guerre au terrorisme, les libertés fondamentales des «neutres» sont toujours menacées.

La crise d'octobre est passée depuis bientôt quinze ans, mais qui peut en oublier la brûlante tragédie? Qui a oublié les enlèvements, la proclamation de la Loi sur les mesures de guerre, la mise hors-la-loi du Front de libération du Québec (FLQ), l'occupation de Montréal et de Québec par l'armée canadienne, l'arrestation de Québécois par centaines et le meurtre de Pierre Laporte? Dans ces jours troublés, l'anxiété étreignit le pays tout entier.

Quinze années de recul ne peuvent suffire pour juger objectivement ces événements. Il ne fait pas de doute cependant que la crise a soumis les hommes d'État canadiens à rude épreuve. Alarmés par les déprédations du FLQ, ils prirent des mesures draconiennes pour faire échec à ce qu'ils ont appelé une insurrection appréhendée — et pour étouffer du même coup toute dissidence au Canada. Ils conférèrent à la police des pouvoirs extraordinaires; des centaines d'innocents furent détenus. Cette manifestation d'une pulsion autocratique en dit long sur l'état d'esprit et le caractère de nos leaders. Elle nous révéla aussi beaucoup de choses sur nous-mêmes. Bien des questions qu'on souleva alors nous préoccupent encore aujourd'hui. Le gouvernement aurait-il dû acquiescer aux demandes des felquistes pour obtenir la libération des otages? A-t-il eu raison de recourir à la Loi sur les mesures de guerre? Pourquoi au Québec la police arrêta-t-elle tant de gens pour n'en accuser qu'un petit nombre? Pourquoi les Canadiens ne contestèrent-ils pas les mesures adoptées?

Le FLQ est né dans les années 1960, décennie fort agitée au Québec. Le 8 mars 1963, les fenêtres de trois casernes fédérales sont bombardées de cocktails Molotov. Pendant tout le reste de la décennie, les attentats à la bombe se poursuivront contre les casernes et les institutions anglophones au Québec. Ces attentats font de nombreux blessés et quelques morts; il y a des vols de matériel militaire, de dynamite et de munitions. Le 13 février 1968, une bombe du FLQ éclate à la Tour de la Bourse de Montréal faisant 27 blessés. La vague d'explosions se poursuit de plus belle en mai et en juin 1970.

Certains de ceux qui ont commis ces attentats sont arrêtés et condamnés à l'emprisonnement. Le FLQ les considère comme des prisonniers politiques et proclame son intention de recourir au kidnapping et à l'assassinat pour les faire libérer. En juin 1970, la Sûreté du Québec découvre que le FLQ complote pour enlever le consul-général des États-Unis et celui d'Israël à Montréal.

Au matin du lundi 5 octobre, le FLQ enlève James Cross, chef de la délégation commerciale britannique à Montréal. Quatre hommes se rendent au domicile de Cross dans un taxi volé. Ils se font ouvrir en prétendant avoir un présent pour Cross, qui vient juste de célébrer son quarante-neuvième anniversaire. Une fois à l'intérieur, l'un d'eux pointe un revolver, l'autre une mitraillette. Ils s'emparent de Cross et quittent les lieux dans le taxi; en route, ils changent de voiture et passent à Cross un masque à gaz dont les verres ont été obscurcis. Ils se rendent à une maison où Cross sera gardé prisonnier pendant 51 jours.

À midi, le même jour, les kidnappeurs préviennent un poste de radio par téléphone qu'un communiqué a été déposé dans un casier de l'Université du Québec à Montréal. Ce message révèle que Cross est détenu par la cellule Libération du FLQ. Il pose les conditions pour la libération de Cross: le manifeste du FLQ doit être publié dans tous les journaux et lu à la télévision française; 23 «prisonniers politiques» condamnés ou en procès pour actes de terrorisme doivent être libérés et munis de sauf-conduits pour l'Algérie ou pour Cuba; le gouvernement fédéral doit réembaucher 450 camionneurs congédiés récemment par les postes; un demi-million de dollars en lingots d'or doit être livré au FLQ; la police doit cesser toute recherche des ravisseurs. L'exigence la plus importante est la libération des «prisonniers politiques».

Le FLQ pratiquait le terrorisme depuis sept ans. Les «prisonniers politiques» dont il réclamait la libération n'avaient pas été mis en accusation parce qu'ils étaient dissidents; ils n'avaient pas été condamnés parce qu'ils s'opposaient à l'ordre établi au Québec. Ils avaient tous été condamnés pour des infractions criminelles sans caractère politique, non pas pour sédition ou pour conspiration. Rien ne justifiait qu'on les qualifiât de prisonniers politiques, mais le FLQ insista jusqu'à la fin pour obtenir leur libération.

Se soumettre aux exigences du FLQ eût été, pour n'importe quel gouvernement, renoncer à son mandat de gouverner. L'affaire concernait deux paliers de gouvernement: le fédéral était responsable du bien-être de James Cross, un diplomate étranger, tandis que l'administration de la justice dans la province relevait du gouvernement du Québec. Certains des «prisonniers politiques» étaient détenus dans des prisons fédérales, d'autres dans des institutions provinciales du Québec. Tout au long de la crise, Ottawa a dû conférer avec le gouvernement québécois, dont Robert Bourassa était le premier ministre. Le soir du 6 octobre, après consultations entre Ottawa et Québec, Mitchell Sharp, secrétaire d'État aux Affaires extérieures, déclare à la Chambre des communes que les exigences du FLQ sont complètement déraisonnables. Il espère néanmoins qu'un arrangement quelconque assurera le retour de Cross à la liberté et invite les ravisseurs «à établir une voie de communication pour atteindre cet objectif.»

Dès le début, le premier ministre Trudeau affirme qu'il ne

peut y avoir de compromis. Cette opinion ne fait pas l'unanimité. Claude Ryan, intellectuel fort écouté au Québec et rédacteur en chef du *Devoir*, suggère que le gouvernement envisage de libérer certains des prisonniers pour sauver la vie de Cross. Le gouvernement central fait une concession: le jeudi soir, Radio-Canada diffuse le manifeste du FLQ à la radio et à la télévision. Adressé aux travailleurs du Québec, le manifeste dit en partie:

> Le Front de libération du Québec veut l'indépendance totale des Québécois, réunis dans une société libre et purgée à jamais de sa clique de requins voraces, les «big-boss» patronneux et leurs valets qui ont fait du Québec leur chasse-gardée du cheap labor et de l'exploitation sans scrupules...
>
> Travailleurs du Québec, commencez dès aujourd'hui à reprendre ce qui vous appartient: prenez vous-même (*sic*) ce qui est à vous. Vous seuls connaissez vos usines, vos machines, vos hôtels, vos universités, vos syndicats...
>
> Qu'aux quatre coins du Québec, ceux qu'on a osé traiter avec dédain de lousy French et d'alcooliques entreprennent vigoureusement le combat contre les matraqueurs de la liberté et de la justice et mettent hors d'état de nuire tous ces professionnels du hold-up et de l'escroquerie: banquiers, businessman (*sic*), juges et politicailleux vendus...
>
> Nous sommes des travailleurs québécois et nous irons jusqu'au bout. Nous voulons remplacer avec toute la population cette société d'esclaves par une société libre, fonctionnant d'elle-même et pour elle-même, une société ouverte sur le monde.

Permettre la diffusion de ce *mélange*[1] est une chose; libérer les «prisonniers politiques» en est une autre. Le FLQ émet un communiqué le 9 octobre: si les autorités ne satisfont pas à ses exigences avant 18h00 le lendemain, Cross sera «exécuté». Les felquistes et la nation entière attendent la réponse du gouvernement à cet ultimatum. Celle-ci vient le 10 octobre, une demi-heure avant l'échéance. Jérôme Choquette, ministre de la Justice du Québec, paraît à la télévision et demande aux kidnappeurs de relâcher James Cross. Les autorités, dit-il, ne vont pas libérer les «prisonniers politiques»,

---

1. En français dans le texte.

mais les ravisseurs peuvent être assurés que les demandes de mise en liberté conditionnelle des prisonniers déjà condamnés seront examinées «objectivement» et que ceux qui subissaient leur procès seront jugés «avec clémence». Il propose cependant aux ravisseurs un sauf-conduit pour l'étranger. C'est déjà bien plus que la position initiale de Trudeau refusant tout compromis, mais c'est loin de satisfaire à l'exigence principale du FLQ: la libération des «prisonniers politiques». En fait, même si la déclaration du ministre offre la liberté aux kidnappeurs, il est peu probable qu'elle les persuade de libérer Cross. S'ils quittent le pays, il n'y a aucune chance qu'ils soient accompagnés des «prisonniers politiques» — et l'enlèvement aura été un échec total. Oui, les terroristes accepteront cette proposition à la fin, mais ce n'était pas réaliste de croire qu'ils le feraient dès le début.

Il est arrivé que d'autres pays échangent des terroristes emprisonnés contre des otages. Mais Ottawa et Québec tiennent bon. Voilà toutefois que Pierre Laporte est enlevé. Ce second rapt constitue la réplique du FLQ au refus de libérer les «prisonniers politiques»; il s'agit cependant d'une réplique bien mal articulée. Laporte est enlevé par la cellule Chénier, qui n'a aucun contact avec la cellule Libération. Nous savons maintenant que la cellule Chénier se composait d'abord des occupants d'une voiture qui, en route vers New York, entendent à la radio la nouvelle de l'enlèvement de Cross et rentrent aussitôt au Québec, comme attirés par la crise. Il s'agit des frères Jacques et Paul Rose, de leur mère, Rosa Rose, et d'un ami, Francis Simard. De retour à Montréal, ils achètent deux carabines et un fusil. Ils savent déjà ce qu'ils feront si Choquette refuse de libérer les «prisonniers politiques». Lorsque le ministre annonce que ceux-ci ne seront pas relâchés, les frères Rose, Francis Simard et un ami, Bernard Lortie, se rendent à Saint-Lambert, en banlieue de Montréal, pour y enlever Pierre Laporte. Vers 18 h 00, deux d'entre eux, armés et portant des cagoules, assaillent Laporte alors qu'il sort de chez lui, le forcent à monter dans leur voiture et l'emmènent.

L'enlèvement de Pierre Laporte, membre important du cabinet québécois, est une tout autre affaire que le kidnapping d'un diplomate étranger. Avec ce deuxième rapt, la crise que l'on avait cru pouvoir surmonter prend une tournure imprévisible. Résoudre l'affaire Cross avec calme et détachement aurait pu être possible, mais l'enlèvement de Laporte jette tous les politiciens d'Ottawa et de Québec dans l'angoisse. Ce kidnapping les touche de bien plus près que ne l'avait fait le précédent, plus, il enraie le mécanisme monté par Ottawa et par Québec pour régler l'affaire Cross. Cette fois-ci, les deux gouvernements doivent prendre une décision au péril de la vie d'un des leurs.

Le dimanche soir, le premier ministre Bourassa reçoit une lettre de Laporte le pressant, en ces termes, de relâcher les «prisonniers politiques»:

> Mon cher Robert,
>
> ... Tu as le pouvoir en somme de décider de ma vie; s'il s'agissait que de cela et que ce sacrifice doive avoir de bons résultats, on pourrait y penser. Mais nous sommes en présence d'une escalade bien organisée qui ne se terminera qu'avec la libération des prisonniers politiques. Après moi, ce sera un troisième, puis un quatrième et un vingtième. Si tous les hommes politiques sont protégés, on frappera ailleurs donc dans d'autres classes de la société.

Deux enlèvements avaient été commis. Le FLQ était-il en mesure de frapper encore et encore, comme le prétendait Laporte dans sa lettre? Le gouvernement devait-il céder? Ou était-ce plus important que jamais de tenir bon?

Le même soir, la réponse de Bourassa est diffusée à la radio. Le gouvernement de la province, dit-il, est prêt «à établir des mécanismes qui garantiraient, si l'on veut prendre l'exemple dont parle M. Pierre Laporte, que la libération des prisonniers politiques ait comme résultat certain la vie sauve aux deux otages». Cette déclaration est presque une promesse de libérer les prisonniers, qu'il appelle maintenant «politiques»; le premier ministre québécois va peut-être plus loin que le gouvernement fédéral est disposé à le faire. Du fait que certains des prisonniers sont détenus dans des institutions fédérales, les deux paliers de gouvernement doivent être partie à toute entente conclue avec le FLQ. Si toutefois Bourassa était parvenu à un accord visant l'échange des prisonniers (y compris ceux des prisons fédérales) contre les otages, le gouvernement central aurait dû faire preuve d'une volonté de fer pour refuser de s'y prêter. Un tel refus aurait provoqué un clivage profond entre les deux ordres de gouvernement; advenant l'assassinat d'un des otages, nombreux sont ceux qui auraient tenu le gouvernement fédéral responsable. En fait, ni l'un ni l'autre des gouvernements ne poussera le compromis plus loin que cette déclaration conciliante de Bourassa; du reste, il recule presque aussitôt.

De toute façon, Trudeau demeure inflexible. Le mardi 13 octobre, le réseau anglais de Radio-Canada diffuse une entrevue, maintenant célèbre, avec Pierre Trudeau. Il déclare que le gouvernement fédéral ne permettra jamais à «un pouvoir parallèle» de dicter sa volonté au gouvernement dûment élu du Canada.

> Je crois (...) que la société doit prendre tous les moyens à sa disposition pour se défendre contre la montée d'un pouvoir parallèle qui met au défi le pouvoir dûment élu au pays et je crois que cela ne s'arrête nulle part. Dans la mesure où il y a ici un pouvoir défiant les représentants élus du peuple, je crois qu'il faut le supprimer et je crois (...) que seuls les lâches auront peur de prendre ces mesures.

Claude Ryan et René Lévesque, le chef du Parti québécois, rassemblent un groupe de Québécois très en vue qui, dans la soirée du mercredi 14 octobre, font une déclaration demandant à Bourassa de libérer les «prisonniers politiques» en échange de Cross et de Laporte. Ils soutiennent que l'ascendant que prend Ottawa sur Québec (et de Trudeau sur Bourassa) «risque de réduire le Québec et son gouvernement à une impuissance tragique».

À Ottawa comme à Québec, chacun s'inquiète de la progression rapide des événements. Le dimanche 11 octobre, le Front d'action politique (FRAP) — groupe organisé pour s'opposer au maire Jean Drapeau dans les élections imminentes — déclare qu'il appuie les «objectifs» du FLQ et qu'on ne peut pas toujours condamner ceux qui recourent à la violence contre l'ordre établi. Le mercredi, le Conseil central des syndicats nationaux de Montréal appuie «sans équivoque tous les objectifs du manifeste du FLQ». Le même jour, Michel Chartrand, président du Conseil central, et Robert Lemieux, un avocat représentant le FLQ, prennent la parole devant un groupe d'étudiants à l'Université de Montréal. Le lendemain, un millier d'étudiants votent en faveur de la fermeture de l'université pour appuyer la libération des «prisonniers politiques»; quelque huit cents étudiants de l'Université du Québec à Montréal votent en faveur d'une grève. Dans la soirée, environ 1 500 étudiants défilent dans les rues jusqu'à l'aréna Paul-Sauvé où ils entendent une série de discours prononcés par Pierre Vallières (l'auteur de *Nègres blancs d'Amérique* que beaucoup considèrent comme le philosophe du FLQ), Lemieux, Chartrand et d'autres.

Dans *Bleeding Hearts, Bleeding Country*, le professeur Denis Smith commente la tension croissante de ces jours-là:

> ... Pour les hommes politiques qui s'opposaient à tout compromis avec les terroristes mais qui essayaient tout de même de gagner du temps, ces événements répétés ne pouvaient signifier que la désintégration troublante de leur autorité politique. Il était naturel, dans cette perspective, d'envisager des solutions extrêmes au problème que posait le rétablissement de l'autorité politique.

Bourassa abandonnera bien vite la ligne conciliante suivie le dimanche soir. Le mercredi, il demande qu'on envoie les forces armées canadiennes au Québec. L'armée, qui a déjà commencé de garder les personnes en vue à Ottawa, entre alors au Québec pour protéger les personnalités et les édifices publics à Québec et à Montréal.

Le jeudi 15 octobre à 21h00, Bourassa diffuse un message offrant aux ravisseurs de Cross et de Laporte un sauf-conduit pour l'étranger en échange de la libération des otages, mais ne fait pas d'autre concession. Une réponse est exigée avant 3h00 le lendemain; comme on s'y attendait, cette réponse ne vient pas. À 4h00 dans la nuit du vendredi 16 octobre, le gouvernement fédéral proclame la Loi sur les mesures de guerre et édicte, en vertu de cette loi, le Règlement de 1970 concernant l'ordre public.

Les motifs invoqués officiellement par Ottawa pour proclamer la Loi sur les mesures de guerre s'appuient sur deux lettres adressées au premier ministre Trudeau, l'une par Jean Drapeau, maire de Montréal, l'autre par Robert Bourassa, premier ministre du Québec. Les deux lettres ont été expédiées dans la nuit du 16 octobre et réclament des mesures extraordinaires. Celle de Bourassa demande «l'autorité d'arrêter et de détenir les personnes que le procureur général du Québec estime, pour des motifs raisonnables, être dédiées au renversement du gouvernement, par la violence et des moyens illégaux. ...Nous faisons face à un effort concerté pour intimider et renverser le gouvernement et les institutions démocratiques de cette Province par la commission planifiée et systématique d'actes illégaux, y compris l'insurrection; il est clair que les individus engagés dans cet effort concerté rejettent totalement le principe de la liberté dans le respect du droit.»

Quant à la lettre du maire Drapeau, elle fait état d'un rapport préparé par le directeur de la police de Montréal, Marcel Saint-Aubin; selon ce rapport, les enlèvements ont marqué:

> le déclenchement... (d'un) projet séditieux... menant directement à l'insurrection et au renversement de l'État.
>
> Dans ces circonstances, l'enquête que doivent mener les autorités policières doit nécessairement porter sur l'ensemble des activités des réseaux de ce mouvement séditieux et ne saurait se restreindre, à peine d'être vouée à l'échec, à une simple recherche des individus qui ont perpétré l'enlèvement odieux de deux (2) personnes encore à ce jour prisonnières.
>
> La lenteur des procédures et les contraintes qui résultent des mécanismes et des moyens légaux dont nous disposons actuellement ne nous permettent pas de faire face à la situation.

Dans sa lettre, Drapeau requiert «l'assistance des gouvernements supérieurs pour protéger la société du complot séditieux et de l'insurrection appréhendée dont les enlèvements récents ont marqué le déclenchement.»

Une chose au moins est certaine. On demande des pouvoirs accrus pour faire face à la sédition et à l'insurrection. Personne n'a jamais prétendu avec conviction, ni à l'époque ni par la suite, que ces pouvoirs étaient nécessaires pour traquer les ravisseurs. La Loi sur les mesures de guerres fut proclamée pour contrer la menace posée aux institutions du gouvernement québécois. En fait, sans l'énoncé d'une telle menace, on n'aurait jamais pu invoquer cette loi.

En vertu de la Loi sur les mesures de guerre, le cabinet fédéral peut s'attribuer des pouvoirs extraordinaires en temps de «guerre, d'invasion ou d'insurrection réelle ou appréhendée». La loi fut d'abord invoquée dès après sa mise en vigueur, en 1914, pendant la Première Guerre mondiale, puis de nouveau en 1939, lorsqu'éclata la Seconde Guerre mondiale. En 1970, le gouvernement fédéral y recourt pour la première fois sans avoir l'excuse d'une guerre. La proclamation du 16 octobre se lit en partie ainsi:

> Attendu que la Loi sur les mesures de guerre édicte que l'émission d'une proclamation sous l'autorité du gouverneur en conseil est une preuve concluante que l'état d'insurrection réelle ou appréhendée existe et a existé pendant toute période de temps y énoncée et qu'il continue jusqu'à ce que, par une proclamation ultérieure, il soit déclaré que l'état d'insurrection a pris fin.

> Et attendu qu'il existe actuellement dans la société canadienne un noyau du groupe appelé le Front de Libération du Québec qui préconise l'emploi de la force ou la perpétration de crimes, y compris le meurtre, les menaces de mort et l'enlèvement, et y a recours, comme moyen ou instrument aux fins de réaliser un changement de gouvernement au Canada, et dont l'activité a engendré un état d'insurrection appréhendée dans la province de Québec.
>
> Sachez donc maintenant que sur et avec l'avis de notre Conseil privé pour le Canada, Nous proclamons et déclarons en vertu de Notre présente proclamation qu'un état d'insurrection appréhendée existe et a existé depuis le quinze octobre mil-neuf-cent-soixante-dix.

La Loi sur les mesures de guerres confère au cabinet le pouvoir d'adopter tout règlement jugé nécessaire pour «la sécurité, la défense, la paix, l'ordre et le bien-être du Canada,» y compris des mesures telles la censure, l'arrestation, la détention et la déportation. C'est précisement ce que fait le cabinet en approuvant le Règlement concernant l'ordre public en même temps qu'il proclame la Loi sur les mesures de guerre.

Le Règlement interdit le FLQ. L'article 3 prévoit que:

> Le groupe de personnes ou l'association appelés le Front de Libération du Québec et tout groupe et toute association succédant audit Front de Libération du Québec ou tout groupe de personnes ou toute association qui préconisent l'emploi de la force ou la perpétration de crimes comme moyen ou instrument aux fins de réaliser un changement de gouvernement au Canada, sont déclarés être des associations illégales.

Le Règlement dispose aussi qu'être membre ou faire office de dirigeant du FLQ constitue une infraction et qu'assister à une réunion de cette association est une preuve suffisante d'adhésion. Quiconque permet au FLQ d'utiliser des locaux dont il est le propriétaire, le locataire, le régisseur ou le surintendant est coupable d'un acte criminel.

Une série de dispositions confèrent à la police des pouvoirs accrus en cas d'arrestation. En vertu du Code criminel, un agent de la paix peut arrêter une personne qui, d'après ce qu'il croit pour des motifs raisonnables et probables, a commis ou est sur le point de commettre un acte criminel. Mais le Règlement donne à un agent de la paix le pouvoir d'arrêter une personne lorsqu'il a «des raisons de soupçonner» qu'elle a commis ou est sur le point de commettre un acte criminel. Des dispositions semblables concernent les pouvoirs de perquisition et de saisie. D'ordinaire, un agent de la paix doit être muni d'un mandat de perquisition obtenu d'un juge de paix pour pouvoir entrer dans un local et y saisir des biens. Le Règlement donne à un agent de la paix le pouvoir de perquisitionner et de saisir sans mandat quand et là où il a «des raisons de soupçonner...» Le professeur D.A. Schmeiser soutient que le Règlement a l'effet d'obvier à la nécessité que les agents de la paix agissent raisonnablement.

Une autre série de dispositions abrogent l'application régulière de la loi en limitant le droit des citoyens à l'*habeas corpus*, au cautionnement et à l'assistance d'un conseiller juridique. En vertu du Code criminel, un prévenu doit être conduit devant un juge de paix dans un délai de vingt-quatre heures, et la Couronne doit alors être prête à l'inculper. En vertu du nouveau règlement, la Couronne n'est pas tenue d'inculper un prévenu avant un délai de sept jours, et le procureur général peut, avant la fin de ce délai, ordonner que l'accusé soit détenu pendant 21 jours de plus. Ce pouvoir aliène en fait le droit à l'*habeas corpus* tel que nous le connaissons. Une personne arrêtée en vertu du Code criminel peut demander à être relâchée sous cautionnement. Selon le Règlement, un prisonnier ne peut faire une telle demande qu'avec le consentement du procureur général de la province. De plus, le Règlement permet qu'un prisonnier soit détenu au secret, ce qui revient à lui nier le droit à l'assistance d'un conseiller juridique.

Devant la Loi sur les mesures de guerre et le Règlement de 1970 concernant l'ordre public, que vaut donc la Charte canadienne des droits? Elle avait pourtant été adoptée en 1960 précisément pour interdire, entre autres, la détention arbitraire et le refus de cautionnement sans motif valable. Ces dispositions ne s'appliquent pas pendant la crise d'octobre, puisque la Charte de 1960 dispose qu'elle est inopérante en cas de proclamation de la Loi sur les mesures de guerre.

Le samedi 17 octobre, au lendemain de la proclamation de la Loi sur les mesures de guerre, Pierre Laporte est assassiné. Son corps est retrouvé ce soir-là dans une voiture abandonnée à l'aéroport de Saint-Hubert. James Cross, lui, est toujours aux mains de ses ravisseurs.

On a proclamé la Loi sur les mesures de guerre pour régler l'insurrection soi-disant imminente. Si elle n'aide pas les policiers à découvrir les ravisseurs, la loi leur donne cependant le pouvoir d'interner des suspects. Ce pouvoir extraordinaire sera utilisé pour arrêter et détenir des centaines de personnes associées à toutes les formes de dissidence politique dans la province de Québec.

La Sûreté du Québec commence à procéder aux arrestations dans les heures qui suivent la proclamation, par Ottawa, de la Loi sur les mesures de guerre. Ceux qu'on arrête ne sont même pas au courant de cette proclamation. Ils ne savent pas que, au cours de la nuit, pendant qu'ils dormaient, le droit à l'application régulière de la loi leur a été enlevé. La proclamation déclare que les activités du FLQ ont donné lieu «à un état d'insurrection appréhendée au Québec». Néanmoins, cette proclamation ne se limite pas au Québec, mais s'applique à tout le Canada. Les mêmes pouvoirs extraordinaires ont été conférés à la police de chaque province, et les policiers d'Halifax, de Toronto, de Vancouver et d'ailleurs multiplient les arrestations.

Le 16 octobre, le premier ministre s'adresse à la nation par le truchement de la télévision. Trudeau déclare que le gouvernement a l'intention de «se débarrasser du cancer que représente un mouvement révolutionnaire». L'opinion publique appuie massivement le gouvernement pour avoir assumé les pouvoirs extraordinaires. Chacun semble entraîné à la suite de ce qu'on perçoit comme la fermeté du gouvernement à l'endroit de terroristes qui cherchent à renverser, par la force, les institutions canadiennes.

Les ravisseurs tentaient-ils vraiment de renverser le gouvernement par la force? Plus précisément, y avait-il conspiration pour renverser le gouvernement du Québec et, le cas échéant, les conspirateurs étaient-ils capables de le faire? Dans la mesure où ils avaient des objectifs bien arrêtés, les ravisseurs souhaitaient sans aucun doute assurer la libération des «prisonniers politiques» et humilier le gouvernement québécois. Mais pouvaient-ils compter sur des alliés prêts à joindre leurs rangs pour renverser ce gouvernement? Le raisonnement du cabinet était-il bien fondé? Sa crainte d'une insurrection, raisonnable? Personne ne voulut soulever ces questions. Une fois la décision prise, les membres du gouvernement doivent de toute évidence justifier leurs actes. C'est Jean Marchand qui ira le plus loin en déclarant:

Ces gens-là (le FLQ) ont infiltré chaque endroit stratégique

> dans la province de Québec, chaque endroit où des décisions importantes sont prises... Ils sont en mesure de causer des dommages irréparables aux gouvernements du Québec et du Canada et à la Ville de Montréal, avec l'appui d'organisations étrangères.

Marchand ne présentera jamais la moindre preuve à l'appui de ses allégations.

Le professeur James Eayrs, qui à l'époque signait une chronique dans le *Star* de Toronto, tente de remettre la crise en perspective. «Invoquer la Loi sur les mesures de guerre contre le FLQ, dit-il, équivaut à élever une poignée de terroristes déguenillés au statut de puissance belligérante contre le royaume du Canada — comme s'ils étaient les puissances centrales, les puissances de l'Axe, les puissances communistes.» Eayrs est virtuellement le seul à tenir un tel raisonnement. Dans tout le pays, les chroniqueurs et éditorialistes appuient sans réserve l'action du gouvernement. Remettre en question le bien-fondé du recours aux mesures de guerre revient à prendre le parti des ravisseurs.

La réaction la plus exagérée est peut-être celle qui vient de Colombie britannique. En effet, emporté par la vague d'hystérie qui sévit à l'échelle nationale — suivant même volontiers le courant —, le gouvernement de cette province adopte, le 2 novembre 1970, un décret déclarant qu'il est «d'intérêt public d'empêcher une personne enseignant dans une institution à financement public d'endosser les objectifs du Front de Libération du Québec ou de prôner le renversement du gouvernement par la violence.» Le libellé de ce décret illustre bien comment l'excitation morbide d'une crise peut mener jusqu'à l'abrogation des libertés civiles même dans des endroits fort éloignés de la menace. Car qui peut dire ce qu'était la politique du FLQ? De toute évidence, les felquistes s'opposaient à la domination de l'économie québécoise par les Anglophones. Ils voulaient l'indépendance du Québec. Les enseignants auraient certainement dû pouvoir discuter de la crise, des buts du FLQ — buts que partageaient du reste nombre de Québécois — et de politique révolutionnaire sans crainte d'être dénoncés comme des alliés du FLQ. L'Alliance des professeurs de Montréal s'est crue obligée de prévenir ses membres que toute tentative de discuter du manifeste du FLQ en rapport avec les événements contemporains pourrait entraîner la perte de leur emploi; c'était déjà bien regrettable. Mais que les enseignants de Colombie britannique se retrouvent dans la même situation confinait au ridicule.

Existait-il une seule preuve de l'imminence d'une insurrection au Québec? Deux hommes sont enlevés par deux groupes, peut-être étroitement liés, mais peut-être pas. Des personnalités en vue du Québec continuent de tenir des discours enflammés comme elles le font depuis des années. On tient des assemblées. Des étudiants montrent publiquement qu'ils appuient le FLQ, mais ce n'est pas la première fois que les étudiants du Québec ou d'ailleurs embrassent des causes radicales ou douteuses. Ce genre de preuves appelle-t-il l'état de siège?

Le 23 octobre, en réponse à certaines questions, Trudeau se justifie en Chambre d'avoir invoqué la Loi sur les mesures de guerre:

> ... Premièrement, deux personnes très importantes au Canada avaient été enlevées et mises à rançon sous menace de mort. Deuxièmement, le gouvernement de la province de Québec et les dirigeants de la ville de Montréal ont prié le gouvernement fédéral d'autoriser le recours à des mesures exceptionnelles car, en leurs propres termes, une insurrection était appréhendée. Troisièmement, nous nous sommes rendu compte en examinant tous les faits dont les Canadiens sont maintenant au courant, de la confusion qui régnait dans la province de Québec à cet égard.

Voilà les preuves sur lesquelles repose la réponse pondérée du chef du gouvernement. Trudeau rappelle aussi «qu'il y a eu au cours de l'année des quantités considérables de dynamite volées au Québec et non retrouvées... (qu'il) est disparu une quantité considérable de carabines et de petites armes à feu.» On ne peut accuser Trudeau d'avoir dissimulé les preuves. «Les faits connus de la Chambre, dit-il, sont ceux qui ont motivé notre action, et c'est cette position que nous prenons maintenant.» Les preuves mises à jour depuis 1970 confirment que la Chambre possédait toute l'information dont disposait alors le gouvernement. Bien que troublants, les faits révélés depuis 1970 sur les activités de la GRC semblent avoir été inconnus du cabinet de l'époque.

Le Québec avait connu autrefois une insurrection, réelle celle-là, contre le régime. En 1837, Louis-Joseph Papineau avait en effet inspiré une révolte armée contre le gouvernement du Bas-Canada, et il y avait eu des accrochages entre les patriotes et la troupe britannique. À Saint-Charles et à Saint-Eustache, les rebelles avaient été défaits. La bataille avait fait des morts nombreuses, dont celle du rebelle Jean-Olivier Chénier. On avait emprisonné des milliers de personnes et décrété la loi martiale. La rébellion reprit en 1838 et fut de nouveau écrasée. En 1837-1838, il y avait des raisons de prendre des mesures exceptionnelles; contrairement à Papineau, Chénier et les patriotes, le FLQ n'avait ni de partisans organisés parmi le peuple, ni de plan rationnel pour un ordre nouveau au Québec, ni l'intention de s'engager dans un conflit ouvert contre l'armée ou la police.

En 1970, la prétention qu'une insurrection est imminente n'a pas de fondement. À l'époque, Robert Stanfield, leader du parti conservateur, appuya le gouvernement. Mais en juin 1979, il écrit que les événements de 1970 au Québec «ne constituaient pas l'insurrection appréhendée contre laquelle le gouvernement fédéral invoquait la Loi sur les mesures de guerre et l'usage de pouvoirs extraordinaires.» Rares sont ceux qui contesteraient ce verdict à présent. Pourquoi donc en est-on arrivé à d'autres conclusions en 1970, après l'examen des faits?

De toute évidence, Trudeau et ses collègues avaient le sentiment qu'ils devaient agir. Bien sûr, il était difficile d'évaluer clairement la situation compte tenu des deux enlèvements, du discours enflammé des radicaux du Québec et du problème personnel que représentait l'enlèvement de Laporte pour nombre d'entre eux. Même en faisant la part des choses, on ne peut guère échapper à la conclusion que devant «la confusion qui règne dans la province de Québec», Trudeau et ses collègues décidèrent d'affirmer de façon décisive le pouvoir et l'autorité du gouvernement fédéral. Des terroristes n'allaient pas les faire reculer; une manifestation de force de l'État était indispensable.

La mort de Pierre Laporte, au lendemain de la proclamation de la Loi sur les mesures de guerre, renforce énormément la position de Trudeau. La colère suscitée chez les Canadiens par ce meurtre constitue pour le premier ministre un moment d'exaltation politique, une apothéose personnelle. Mais le sentiment ne peut durer longtemps. À mesure que le temps passe, passent aussi la mentalité de siège et le bon vouloir du public à suspendre son jugement. Les enlèvements et autres actes de violence ne se répètent pas. Les gens commencent à se rendre compte que prendre une position ferme contre les ravisseurs est une chose, mais proclamer la Loi sur les mesures de guerre en est une autre. Des protestations s'élèvent peu à peu. Certains éditorialistes et commentateurs politiques commencent à se demander si, en supposant qu'elle ait jamais existé, l'insurrection appréhendée existe toujours.

Le gouvernement a du mal à persister dans sa prétention que l'insurrection, imminente le 16 octobre, risque toujours de se produire: cela commence à se faire sentir. Le 2 novembre 1970, le gouvernement fédéral dépose devant le Parlement un nouveau projet de loi portant nom de Loi prévoyant des pouvoirs d'urgence provisoires pour le maintien de l'ordre public au Canada, désignée comme la «Loi du maintien de l'ordre public.» Sanctionnée le 3 décembre, cette loi révoque la proclamation de la Loi sur les mesures de guerre, mais maintient les mesures exceptionnelles. Son préambule dit que l'ordre public au Canada est toujours menacé par le FLQ. En vertu de cette nouvelle loi, une personne arrêtée doit comparaître devant un juge de paix dans un délai de trois jours plutôt que de sept; le procureur général de la province ne peut prolonger la durée de la détention qu'à sept jours au lieu de 21. Toutefois, même après comparution devant un juge de paix, le consentement du procureur général est toujours requis pour relâcher un détenu sous cautionnement. La loi comporte une disposition spéciale prévoyant qu'elle a prépondérance sur celles de la Charte canadienne des droits, qui interdit la détention et l'emprisonnement arbitraires ainsi que le refus de cautionnement sans juste motif. (La nouvelle loi expirera le 30 avril 1971 et, avec elle, les mesures d'exception qu'avait exigées la crise d'octobre.)

Les pouvoirs extraordinaires conférés à la police en vertu de la Loi sur les mesures de guerre et de la Loi du maintien de l'ordre public ne contribuèrent pas à faire libérer James Cross et à traquer les meurtriers de Laporte. Bernard Lortie, membre de la cellule Chénier, est arrêté le 6 novembre. En décembre, le gouvernement conclut un marché avec les ravisseurs de Cross, membres de la cellule Libération. En échange d'un sauf-conduit pour Cuba, Cross est libéré le 4 décembre, soit un jour après que la Loi du maintien de l'ordre public a été sanctionnée. Plus tard en décembre, cernés dans une maison de la Rive sud de Montréal, les frères Rose et Francis Simard se rendent à la police.

Paul Rose et Francis Simard furent reconnus coupables et condamnés à l'emprisonnement à vie pour le meurtre de Pierre Laporte. Bernard Lortie fut inculpé d'avoir enlevé Pierre Laporte et condamné à vingt ans de prison; Jacques Rose fut déclaré coupable de complicité dans l'enlèvement de Laporte et condamné à huit ans d'emprisonnement. Cinq des ravisseurs de Cross, las de l'exil à Cuba puis en France, rentrèrent un à un au Canada en 1978 et plaidèrent coupables aux accusations d'enlèvement, d'extorsion et de conspiration portées contre eux. Ils furent condamnés. Avant la fin de 1983, les cinq ravisseurs ainsi qu'un sixième complice qui n'avait jamais quitté Montréal avaient tous été relâchés.

On doit examiner séparément les négociations avec les ravisseurs et la proclamation de la Loi sur les mesures de guerre. À mon avis, il est possible de juger séparément chacun des aspects de la crise.

Des actes terroristes peuvent gagner la sympathie de beaucoup de gens parce qu'ils dramatisent des griefs partagés par toute une classe de citoyens ou même par tout un peuple. Il ne fait pas de doute que de nombreux Québécois, tout en déplorant les enlèvements, éprouvaient quand même de l'admiration pour l'audace et le dévouement des ravisseurs à la cause de l'indépendance du Québec, en dépit de l'odieux des moyens employés.

Mais il y a terroristes et terroristes. Les felquistes n'étaient pas des guérilleros forcés d'employer la violence contre un régime réprimant l'expression de toute forme de dissidence. Quelques mois auparavant, le Parti québécois, épousant la cause de l'indépendance du Québec, avait fait élire sept députés à l'Assemblée nationale. Il ne s'agissait pas d'un peuple désespéré qui, écrasé par la violence institutionnelle, n'a d'autre moyen de protester que la terreur. Dans une démocratie libérale, on ne peut, pour justifier le terrorisme, user d'arguments qui, dans d'autres pays et sous d'autres régimes, peuvent être convaincants. Les moyens choisis par le FLQ étaient tout à fait disproportionnés à la gravité de leur cause. Dans une telle situation, ce sont les terroristes, et non le régime, qui représentent la force arbitraire, la violence délibérée. On aurait eu tort de libérer les «prisonniers politiques» comme l'exigeait le FLQ.

On peut cependant demander des comptes à Trudeau et à ses conseillers pour avoir proclamé sans motif suffisant la Loi sur les mesures de guerre, pour avoir adopté, en vertu de cette loi, des mesures trop rigoureuses et pour les avoir perpétuées par la mise en vigueur de la Loi du maintien de l'ordre public. Forts des pouvoirs que leur conféraient ces mesures, les policiers québécois détinrent des centaines de leurs concitoyens qui ne menaçaient en rien ni la province, ni le pays, qui n'avaient commis aucun acte criminel et qui n'étaient associés au FLQ d'aucune façon. Aussitôt proclamée la Loi sur les mesures de guerre, le 16 octobre 1970, la Sûreté du Québec et la police de Montréal arrêtèrent des centaines de personnes; elles furent soumises à des interrogatoires et, dans bien des cas, leur résidence fut perquisitionnée, parfois à maintes reprises. Quatre cent quatre-vingt-dix-sept personnes furent ainsi arrêtées au Québec. Seulement 62 d'entre elles furent inculpées et de ce nombre, 18, soit moins du tiers, furent condamnées. Évidemment, les condamnés comptaient surtout les responsables des enlèvements et du meurtre de Pierre Laporte. Seulement deux de ces condamnations se rapportaient à des infractions au Règlement concernant l'ordre public et à la Loi sur le maintien de l'ordre public. Deux condamnations sur quelque 500 arrestations ne sauraient constituer une récolte abondante de révolutionnaires. Sur plus de 450 cas, la plupart des détenus ne furent jamais inculpés; ceux qui furent mis en accusation furent acquittés. La conclusion est évidente: ces arrestations étaient arbitraires, et l'interrogatoire de ces personnes n'a fourni aucune preuve de l'imminence d'une insurrection. Tout l'exercice révèle à quel point il est imprudent de laisser de tels pouvoirs à la disposition d'un gouvernement.

En 1958, Trudeau avait écrit dans *Vrai*, un hebdomadaire politique du Québec:

> Demain matin, de préférence aux petites heures, n'importe lequel d'entre vous peut être arrêté... Vous trouverez cela extraordinaire, vous croyez que j'exagère? Point. (...) On s'indigne de ce qu'autrefois, sous la monarchie absolue, une lettre de cachet suffisait pour envoyer des hommes libres au bagne, sans autre forme de procès. Mais s'indigne-t-on assez de ce que des choses équivalentes se produisent sans cesse dans la société démocratique où nous vivons?

Ce que Trudeau considérait comme monstrueux à l'époque de la grande noirceur, sous Duplessis, devint nécessité d'État en 1970 lorsqu'il était premier ministre.

Le plus triste de cette histoire est l'indifférence du peuple canadien devant l'arrestation arbitraire de concitoyens québécois. En 1958, Trudeau écrivait aussi dans *Vrai* que «peu d'hommes s'indignent d'une injustice quand ils sont sûrs de n'en être pas victimes eux-mêmes (...) Lorsqu'une forme donnée d'autorité brime un homme injustement, c'est tous les autres hommes qui en sont coupables; car ce sont eux qui par leur silence et consentement permettent à l'autorité de commettre cet abus.»

Ce consentement, on l'a donné en octobre 1970. Dans l'édition revue de 1978 de *Rumours of Wars*, Robert Stanfield décrit l'indifférence du grand public:

> La vérité sans fard est que la plupart des Canadiens ne se souciaient guère de savoir s'il y avait vraiment insurrection appréhendée ou pas. Ils n'aimaient pas ce qui se passait au Québec et approuvaient que le gouvernement fédéral prenne des mesures rigoureuses pour régler la situation; si le gouvernement ne disposait pas d'autres moyens que la Loi sur les mesures de guerre, il fallait s'en servir. Pour de nombreux Canadiens, sinon pour la majorité, contester le recours à cette loi était antipatriotique, même avant le meurtre de Laporte.
>
> Le plus révélateur, ce n'est pas que le gouvernement de l'époque ait adopté une telle mesure — un autre gouvernement aurait pu en faire autant — mais que, préoccupé par les événements, le public l'ait approuvée avec enthousiasme et n'ait jamais depuis demandé qu'on lui rende des comptes sur la prétendue insurrection appréhendée, ni sur le comportement des forces policières à l'endroit de citoyens dont les droits légaux fondamentaux ont été suspendus.

Bien des politiciens — et des citoyens — croient qu'en cas de crise politique, les règles ordinaires du débat doivent être suspendues et qu'on doit traiter ceux qui abusent du droit de critiquer comme s'ils souhaitaient détruire l'État — comme si tout doute sur l'action du gouvernement devait être banni pour que la menace contre l'État soit écartée.

La sécurité de l'État, cependant, ne dépend pas de ce que le gouvernement puisse s'approprier des pouvoirs extraordinaires, mais de la conviction de la nation que le droit à la dissidence est essentiel à la vie et à la santé de l'État. On se montre plus ferme — et il faut souvent beaucoup de courage pour le faire — en défendant les libertés civiles, en rappelant aux électeurs le besoin de distinguer entre sédition et dissidence et en distinguant les actes criminels établis par la preuve de la culpabilité par association.

La proclamation de la Loi sur les mesures de guerre par le gouvernement Trudeau fut une affirmation de la volonté de gouverner devant une tentative terroriste visant à prouver l'impuissance de nos institutions. Le terrorisme est très répandu, et c'est lamentable. Par leurs actes, les terroristes tentent d'ébranler la volonté des dirigeants, de faire trembler l'État. Devant cette menace, Trudeau affirma la détermination du gouvernement fédéral à régler de façon catégorique le problème des activités subversives. Fallait-il pour autant assimiler deux enlèvements à une conspiration séditieuse, une conspiration si menaçante qu'elle ne pouvait être réprimée que par l'abrogation des libertés civiles dans tout le Canada? Le pays n'aurait-il pas été mieux servi par la défense résolue et inflexible des libertés civiles? À coup sûr, le gouvernement possédait amplement le pouvoir et les moyens nécessaires pour capturer les ravisseurs et il aurait dû rassurer le public sur ce point. Je crois que cela aurait démontré la force de la nation et de sa constitution bien mieux que ne l'a fait l'abrogation des droits des citoyens. Nos dirigeants auraient pu faire appel à la patience et à la retenue — plutôt qu'à des mesures exceptionnelles augmentant les pouvoirs déjà redoutables de la police et du gouvernement.

À l'époque, on n'entendit guère d'appel au calme et à la prudence. Les médias se firent les supporters de Trudeau et de son gouvernement. Robert Stanfield, un homme pourtant réfléchi et libéral, a pensé qu'il ne pouvait pas, à titre de chef du parti conservateur, s'opposer au recours à la Loi sur les mesures de guerre ni à la Loi du maintien de l'ordre public. Le NPD s'opposa à cette dernière loi, comme il s'était auparavant opposé à la proposition du gouvernement demandant à la Chambre d'approuver le recours à la Loi sur les mesures de guerre, mais il le fit à un coût politique si onéreux qu'il lui fut impossible de voter contre la loi en troisième lecture. Seul David MacDonald, député conservateur de l'Île-du-Prince-Édouard et pasteur de l'Église-unie, vota contre cette loi. N'est-il pas ahurissant de constater qu'aucun des nombreux avocats siégeant à la Chambre des communes ne fut prêt, en l'occurrence, à voter contre l'abrogation de l'application régulière de la loi? Il est vrai que lorsqu'en 1942 le pays tout entier fut submergé par une vague de racisme contre les Japonais, seule la voix d'Angus MacInnis s'éleva au Parlement en faveur des Canadiens d'origine japonaise. Cette fois-là aussi les avocats restèrent silencieux.

Les policiers s'enhardirent à arrêter des centaines de personnes associées d'une façon ou d'une autre à la dissidence politique au Québec. Ils firent une descente dans les bureaux du Nouveau Parti démocratique à Montréal. Ils perquisitionnèrent même au domicile de Gérard Pelletier, alors secrétaire d'État au gouvernement fédéral. Des citoyens du Québec et d'autres provinces, toujours en liberté, mais qui auraient pu s'opposer au recours à la Loi sur les mesures de guerre, s'empêchèrent de faire des déclarations publiques ou exercèrent leur droit de critiquer le gouvernement et ses actes au risque de se faire arrêter. Je parle ici non pas de la critique exprimée devant le Parlement ou dans les législatures qui ne peut faire l'objet de poursuites judiciaires, mais de celle qui s'exprime dans les rues, au cours de manifestations publiques, dans des réunions ou par la diffusion de tracts. Puisque la presse, la radio et la télévision se posaient en gardiens non pas de la liberté de parole mais de la réputation du gouvernement, il était plus important que jamais de préserver la liberté d'expression dans les réunions publiques et dans la rue. Pourtant, à cause du règlement édicté en vertu de la Loi sur les mesures de guerre, l'exercice de cette liberté fut mis en danger.

En un sens, la proclamation de la Loi sur les mesures de guerre accomplit précisément ce que le FLQ avait voulu. D'un seul coup, les terroristes du FLQ ont réussi à s'établir comme pouvoir parallèle. Ils s'étaient saisis d'un diplomate et d'un politicien, avaient vu la Loi sur les mesures de guerre proclamée et l'établissement d'un état policier au Québec. Dans *La crise d'octobre*, où il fait l'apologie des actes du gouvernement fédéral, Gérard Pelletier prétend que les felquistes savaient que leurs activités allaient entraîner la répression. Il en conclut que le FLQ est l'auteur de la Loi sur les mesures de guerre. La logique de ce raisonnement laisse entendre que le gouvernement fédéral n'est pas autonome et que, en fin de compte, il n'est pas responsable de ce qu'il fait. Si l'on en croit Pelletier, le gouvernement a simplement réagi comme le voulait le FLQ. Il s'agit d'une bien faible défense.

Quoi qu'il en soit, on ne doit pas sous-estimer les gains obtenus. Une seule vie fut perdue. Le gouvernement n'a pas aquiescé à la principale exigence du FLQ, c'est-à-dire la libération des «prisonniers politiques». Il n'y eut pas d'autres événements. À vrai dire, il n'y eut pas d'autres actes de terrorisme au Québec tout au long des années 1970. Peut-être l'émergence du Parti québécois et sa montée progressive vers le pouvoir ont-elles fourni une avenue légale à tout l'éventail des factions nationalistes du Québec, y compris celle qui avait eu recours à la terreur pendant les années 1960. On peut aussi prétendre que la proclamation de la Loi sur les mesures de guerre a été la principale raison de la disparition du terrorisme. Mais cela n'est pas une certitude. J'ai l'intime conviction qu'une position fermement adoptée par le gouvernement pour appuyer les libertés civiles aurait eu le même résultat. Un refus, de la part du gouvernement, de succomber à la tentation d'employer les instruments de l'oppression légale — entraves à la liberté de parole et d'association, perquisitions et saisies sans motif suffisant, négation de l'application régulière de la loi — un tel refus, dis-je, aurait contrarié tous les plans du FLQ aussi sûrement que la proclamation de la Loi sur les mesures de guerre.

Dans le *McGill Law Journal*, le professeur Noel Lyon prétend que l'usage, par le cabinet, des pouvoirs exécutifs qui lui étaient délégués a constitué une usurpation de la fonction judiciaire. Dans le Règlement concernant l'ordre public, le décret du cabinet portant que le FLQ était une organisation qui préconisait l'emploi de la force ou la perpétration de crimes comme moyen de réaliser un changement de gouvernement au Canada et déclarant le FLQ association illégale n'était rien de moins qu'un jugement passé par le pouvoir exécutif, jugement selon lequel le FLQ était une conspiration séditieuse, ses membres et militants étant parties à cette conspiration. On aurait dû laisser aux tribunaux le soin de rendre un tel jugement en appliquant la loi ordinaire contre la sédition. Selon le professeur Lyon, le Règlement concernant l'ordre public établissait un recours collectif au pénal, et le pouvoir judiciaire en était «réduit au rôle de chronométreur enregistrant le nom des personnes qui avaient assisté à telle ou telle réunion ainsi que leurs déclarations.» La culpabilité, dit-il, «était déterminée par décret exécutif.»

Les tribunaux n'ont pas admis l'interprétation de Lyon et n'ont pas décrété le règlement inconstitutionnel pour ces motifs. Néanmoins, son raisonnement mérite qu'on s'y arrête. La cour jugea que le Règlement concernant l'ordre public était une mesure que le pouvoir exécutif fédéral pouvait adopter. Sa mise en vigueur ne violait pas, au sens juridique, la règle de droit — mais en un sens plus général, elle le faisait. Le règlement était un décret du cabinet visant à limiter la liberté de parole et d'association et à déclarer illégales certaines formes d'expression et d'association. D'aucuns prétendront que ce pouvoir est fondamental pour la sécurité nationale. Mais aucune autorité, à l'exception du Parlement, ne devrait pouvoir exercer un tel pouvoir, et le Parlement même ne devrait pouvoir l'invoquer sans un motif profond et convaincant.

L'étude de la crise d'octobre montre comment un premier ministre, dont la carrière avait auparavant été consacrée à la défense des droits des dissidents, a pu devenir l'instrument d'arrestations massives et de la répression de la dissidence pour la simple raison que le pouvoir de le faire est à la disposition des élus du peuple. Notre constitution devrait refléter la foi aux lois et non à ceux qui gouvernent; elle devrait refléter la foi aux libertés fondamentales et non la volonté de donner aux dirigeants le pouvoir de révoquer ces libertés.

Avant d'entrer au Parlement, Pierre Trudeau avait fourni des arguments persuasifs pour l'enchâssement des libertés fondamentales et la limitation du pouvoir policier. À la tête du gouvernement, en octobre 1970, il a fourni la preuve indéniable de la nécessité d'enchâsser ces libertés. Mais il n'était pas seul; nous y étions tous. La crise d'octobre fut un test. Pendant cette période, des craintes sans nom qui sommeillaient dans notre inconscient se cristallisèrent soudainement en une certitude à laquelle chacun se raccrocha. Pour un temps, les Canadiens chassèrent toutes les incertitudes reliées d'une façon quelconque à la crise en exorcisant, pour ainsi dire, le FLQ. La question des droits des dissidents de toute sorte, anglophones ou francophones, fut laissée de côté en un acte glorieux de voluptueuse colère. L'unité canadienne ne s'était jamais fait sentir avec autant de ferveur, n'avait jamais eu tant d'adeptes criant leur conviction.

La crise d'octobre nous amena à cet état de choses qui existe dans nombre de pays dont nous réprouvons les méthodes. Dans ces pays-là, il faut se conformer à une norme aussi arbitraire qu'indéfinissable. Dans ces pays-là, la répression de la dissidence politique étouffe inévitablement la créativité sociale et culturelle. C'est pourquoi les libertés fondamentales doivent être enchâssées dans la Constitution et de façon telle qu'elles restent hors d'atteinte de la Loi sur les mesures de guerre. Cela désarmerait-il le gouvernement devant quelque nouvelle menace de terrorisme? Évidemment pas. Comme l'a montré la crise d'octobre, le Code criminel donne à la police les moyens de maîtriser le terrorisme.

La proclamation de la Loi sur les mesures de guerre, émise à 4 h 00 le vendredi 16 octobre 1970, affirmait que le FLQ avait recouru au meurtre, à des menaces de meurtre et à l'enlèvement. Le gouvernement ne devait-il pas avoir le pouvoir d'agir en pareil cas? Des personnes présumées auteurs de tels crimes doivent être mises en accusation en vertu du Code criminel. C'est en vertu de ce Code que les felquistes furent accusés — et trouvés coupables — tout comme l'avaient été leurs prédécesseurs au cours des années 1960. Quand bien même le FLQ aurait constitué une conspiration séditieuse visant le renversement du gouvernement par l'emploi de la force, ses membres n'en auraient pas moins été inculpés et poursuivis en vertu du Code criminel.

Les arguments invoqués pour accroître le pouvoir policier étaient fallacieux en 1970 et le sont toujours. Ces pouvoirs policiers accrus n'ont pas sauvé la vie de Pierre Laporte; ils n'ont ajouté en rien à la sécurité de la société ni à celle d'aucun d'entre nous. Ils ont perturbé, arbitrairement et sans aucune utilité, la vie de centaines de citoyens — et vous et moi aurions pu être du nombre.

Bien entendu, même si la police arrêta et détint des centaines de personnes, aucune d'elle ne fut gardée, comme Cross, dans l'incertitude quant à sa survie. Aucune ne fut assassinée comme le fut Pierre Laporte. Cependant, Cross fut enlevé, et Laporte assassiné, par des terroristes. On peut difficilement s'attendre à ce que ces derniers soient régis par le principe de la légalité ou portent quelque respect à l'application régulière de la loi. Le FLQ n'agissait pas au nom de L'État; il n'exerçait pas non plus des pouvoirs conférés par le Parlement. Les policiers, si. C'est pourquoi la sagesse de conférer de tels pouvoirs et la manière dont ils sont exercés par la police sont des sujets de préoccupation légitime pour les citoyens d'un pays qui croit au principe de légalité. Nous tentons de décourager l'enlèvement et le meurtre, et ceux qui commettent de tels actes sont poursuivis et punis. En même temps, il nous faut voir à ce que l'on n'abuse point des pouvoirs exercés en notre nom.

La Loi sur les mesures de guerre fut mise en vigueur pour donner au gouvernement fédéral le pouvoir de mobiliser la nation contre des ennemis extérieurs et d'éteindre une rébellion intérieure. Son intention était de prévoir le cas d'une insurrection avec des objectifs cohérents et un appui de la masse, une insurrection représentant une théorie qui prétend déterminer l'organisation de l'État et la distribution de ses richesses, et qui met au défi les forces armées de l'État. Mais dans un pays urbain, industrialisé, la contestation sociale se manifeste parfois par des voies de fait sur la personne ou la résidence d'un homme politique, d'un diplomate ou d'un industriel. La Loi sur les mesures de guerre convient mal comme instrument pour combattre cette forme de terrorisme. Le terrorisme n'est ni la guerre, ni l'insurrection.

Le gouvernement fédéral doit posséder le pouvoir d'agir, et d'agir rapidement, pour défendre le pays en cas de guerre ou d'urgence nationale. Il peut se voir obligé de déployer les forces armées, d'imposer des restrictions économiques. Le gouvernement fédéral doit posséder le pouvoir d'arrêter et de détenir quiconque est présumé, pour des motifs raisonnables, avoir commis ou pouvoir commettre des actes contrevenant au Code criminel. Mais c'est là que doivent s'arrêter les pouvoirs du fédéral. Rien dans notre histoire ne justifie le besoin d'aller plus loin. On doit nier à ceux qui nous gouvernent le pouvoir d'effectuer une rafle chez les minorités et les dissidents sans la moindre preuve d'infraction au Code criminel et pour la simple raison qu'ils épousent des croyances radicales en matière de politique ou de religion ou encore parce que leur race ou leur langue diffère de celle de la majorité.

Dans l'introduction de l'édition revue de *Rumours of War*, Robert Stanfield écrit:

> Au fond, les libertés civiles au Canada continueront de dépendre de l'importance qu'y attachent les Canadiens et de notre volonté de les défendre dans les moments de tension. Dans notre quête de protection contre la violence, il nous faut reconnaître que l'abrogation arbitraire des droits individuels affaiblit plutôt qu'elle ne renforce l'ordre social.

En vertu de la Charte des droits et libertés, le cabinet n'aura pas le pouvoir exclusif de déterminer si l'insurrection appréhendée existe ou non. L'article 1 de la Charte stipule qu'on doit pouvoir «démontrer» la «justification» de toute restriction aux libertés garanties par la Charte. Les tribunaux ne seront pas tenus d'accepter automatiquement l'opinion du cabinet chaque fois que le gouvernement prétendra qu'une situation d'urgence l'oblige à abroger des libertés fondamentales, mais devront plutôt déterminer si une telle abrogation est justifiée. Les pouvoirs d'urgence du fédéral sont donc soumis à certaines limitations, mais après coup seulement. Le cabinet a toujours le pouvoir d'invoquer la Loi sur les mesures de guerre et n'est pas tenu d'obtenir la sanction du Parlement pour le faire. Toute contestation devant les tribunaux d'une proclamation d'un état d'insurrection ne peut être amenée qu'après le fait. Les tribunaux hésiteront sans doute à intervenir dans ce qui est avant tout affaire de jugement politique.

Il reste à se demander quelles mesures seront exigées par la police dans une autre crise. Jusqu'à quel point les dirigeants se sentiront-ils obligés d'agir conformément à ces exigences? Jusqu'où le public donnera-t-il son assentiment? Lorsqu'on lui demandera de restreindre l'application régulière de la loi, le gouvernement hésitera-t-il à le faire parce qu'il sentira profondément que les libertés civiles sont un bien précieux au Canada, que la Charte des droits et libertés doit être respectée, que les libertés fondamentales doivent être maintenues même en temps de crise? La mise en vigueur de la Charte des droits, la valeur symbolique qu'elle prendra aux yeux de la nation, la mesure dans laquelle elle sera perçue par les Canadiens comme la concrétisation des idéaux du peuple — tout cela aura une signification plus profonde que l'effet purement légal de la Charte lorsqu'il s'agira d'assurer la protection des libertés fondamentales, même si l'on croit avoir un motif des plus graves pour les atténuer.

*Chapitre VIII*

# *Les Indiens nishgas et les droits ancestraux*

*Chapitre VIII*

# *Les Indiens nishgas et les droits ancestraux*

Parmi tous les aspects que présentent les droits de la personne au Canada, la question des droits aborigènes est la plus ancienne. Paradoxalement, c'est aussi la plus récente, car elle n'a atteint notre conscience collective et notre vie politique qu'au cours de la dernière décennie. Elle remonte à l'époque où des Blancs vinrent occuper un continent déjà habité par une autre race, une race possédant en propre des cultures, des langues, des institutions et un mode de vie. Les membres de cette race revendiquent aujourd'hui les terres qu'ils occupaient jadis et réclament l'autonomie politique. Cela soulève des questions fondamentales, et nous en sommes venus à comprendre comment ces questions sont reliées aux événements du passé. Elles le sont en effet puisque les revendications actuelles des Autochtones s'appuient sur les droits ancestraux.

Ces droits sont tout simplement ceux qui reviennent aux peuples autochtones du fait qu'ils sont les peuples originaires du Canada. Jusqu'à récemment, l'idée des droits ancestraux semblait sans rapport avec les préoccupations des Canadiens. Mais au cours des années 1970, nous avons commencé à nous rendre compte que les droits ancestraux forment l'axe le long duquel s'articulent nos rapports avec les Autochtones. Reconnaître ces droits équivaut à comprendre le sens véritable de notre histoire; pour les Autochtones, la reconnaissance des droits ancestraux est l'instrument qui leur permettra d'obtenir une place distincte dans la vie canadienne contemporaine.

Ce sont les initiatives prises par des Indiens, des Inuit, des Métis de tout le Canada qui, dans les années 1970, ont donné lieu à l'émergence des peuples autochtones comme force politique. Les droits ancestraux sont le trait commun à toutes ces initiatives. L'idée que les peuples autochtones se font d'eux-mêmes s'est ainsi précisée. En même temps, l'idée que nous nous faisions d'eux a changé radicalement: nous les voyions autrefois comme des peuples en marge de notre histoire et sans rapport avec nos préoccupations modernes, mais ils sont maintenant considérés par un nombre croissant de Canadiens comme des peuples ayant un droit moral, un droit constitutionnel en fait, à se modeler un avenir de leur choix.

L'histoire des relations entre les Blancs et les Indiens de Colombie britannique illustre bien l'histoire des rapports entre Blancs et Autochtones dans tout le Canada. C'est là que les Indiens ont le plus contesté la perte de leurs terres; la question des terres indiennes a agité la province pendant plus d'un siècle. La tribu des Nishgas se situe au premier plan de cette controverse. Son histoire est celle de tous les Indiens du Canada en quête de la reconnaissance juridique de leurs droits ancestraux. Elle nous ramène dans le passé, jusqu'au début de la colonisation européenne en Amérique du Nord, et nous reporte au centre même du conflit actuel touchant les revendications territoriales, l'autonomie indienne et la notion de gouvernement indien.

Les Nishgas forment l'une des tribus de la côte ouest. La mer et la forêt ont toujours bien pourvu aux besoins de ces tribus et, avant l'arrivée des Blancs, la population indienne sur la côte nord-ouest était l'une des plus denses en Amérique du Nord. Les Nishgas y possédaient des villages, des lieux de pêche et des territoires de chasse. Ils considéraient comme leur la vallée de la rivière Nass. Ils l'avaient défendue avant l'arrivée des Blancs et ont continué de la défendre depuis. Ils ont aujourd'hui quatre villages dans cette vallée: Kincolith, Greenville, Canyon City et New Aiyansh. Parce qu'ils l'occupent de temps immémoriaux, ils soutiennent avoir aujourd'hui le droit de revendiquer la vallée de la Nass.

En revendiquant le titre ancestral, les Nishgas ne diffèrent pas des Indiens ailleurs au Canada. Lorsque les Européens découvrirent, puis entreprirent de coloniser l'Amérique du Nord, les Indiens s'estimaient les propriétaires légitimes de la terre. Ils en étaient les premiers occupants; chaque tribu détenait traditionnellement son propre territoire que les autres tribus reconnaissaient comme tel.

En vertu du principe de la découverte, les pays européens affirmèrent leur souveraineté sur le Nouveau Monde. Lorsque l'un d'entre eux tentait de ravir à l'autre un territoire nouvellement découvert, ils se faisaient la guerre et c'était toujours l'un ou l'autre de ces pays européens qui, à l'issue de ces guerres, dominait le territoire disputé. Il ne serait jamais venu à l'idée des Européens que les Indiens pouvaient conserver la souveraineté sur leurs territoires. Les puissances européennes basaient leur appropriation du pouvoir sur la prétendue supériorité morale de leur culture et de leur religion par rapport à celles des Indiens ainsi que sur l'indubitable supériorité de leurs armes. Elles reconnurent néanmoins que les Indiens conservaient des droits légaux aux terres puisqu'ils en étaient les premiers occupants. Par la suite, ces droits légaux prirent le nom de titre aborigène ou titre indien.

Ayant reconnu que les Indiens possédaient des droits légaux aux terres, les Européens se sont vus obligés de trouver un moyen pour les persuader d'abandonner ces droits. Ainsi les Indiens signèrent-ils des traités prévoyant l'abandon de leur titre. Aux États-Unis, lorsque le gouvernement ne pouvait acquérir des terres en négociant, il le faisait en guerroyant. Et pourtant, chaque fois que le gouvernement américain soumit une tribu indienne, il rédigea un traité pour obtenir la cession du titre indien. Au Canada, bien qu'on signât peu de traités dans les provinces de l'Atlantique et au Québec, les Britanniques avaient adopté, avant même le milieu du XVIII^e^ siècle, la politique de traiter avec les Indiens pour obtenir leurs terres. Cette politique fut enchâssée dans la Proclamation royale de 1763. Ainsi, avant 1850, les Indiens avaient cédé virtuellement tout le sud de l'Ontario; à mesure que la colonisation progressait vers l'ouest, des traités furent conclus (à partir des années 1870) avec les Indiens de ces régions pour permettre la construction du chemin de fer du Canadien Pacifique, qui allait ouvrir le pays à l'exploitation agricole. La conclusion de traités vint aussi faciliter l'exploitation des ressources naturelles dans le Nord. Entrevue dès les années 1880, la perspective d'extraire le pétrole des sables bitumineux de l'Athabaska mène à la signature d'un traité avec les Stonies en 1899; en 1921, d'autres traités sont conclus avec certaines tribus du Nord à la suite de la découverte de pétrole à Fort Norman, dans les Territoires du Nord-Ouest. En 1975, les Cris et les Inuit du Nord québécois signent la Convention de la baie James et du Nord québécois et, ce faisant, cèdent le titre aborigène aux terres pour que puisse se poursuivre le projet de la baie James, vaste complexe d'exploitation hydro-électrique. Tous ces traités visent un but commun: éteindre le titre aborigène des peuples autochtones pour faire place à l'expansion agricole ou industrielle.

Mais en Colombie britannique, une très petite partie de la province a fait l'objet de traités. Ce n'est que vers la fin du XVIIIe siècle que la marine britannique découvre la côte ouest, soit en 1778, lorsque le capitaine Cook accoste sur l'île de Vancouver. La Compagnie de la baie d'Hudson établit Fort Victoria sur l'île de Vancouver en 1841, mais la colonie ne commencera à croître qu'en 1849, lorsque l'île deviendra colonie de la Couronne britannique. Pendant un certain temps, la Compagnie de la baie d'Hudson dominera cette colonie, surtout par l'intermédiaire de son agent principal, James Douglas, qui en devient aussi gouverneur après 1851. Douglas a une grande expérience des affaires indiennes; il a même épousé une métisse, «suivant la coutume du pays». De 1849 à 1854, il conclut avec les Indiens du sud de l'île de Vancouver une série de traités prévoyant la cession de leurs terres à la Compagnie en échange de couvertures et d'un peu d'argent. Cependant, ces traités prévoient aussi des réserves pour les Indiens qui, malgré l'empiètement de la colonisation blanche, conservent ainsi le droit de chasser et de pêcher sur les terres cédées jusqu'à ce qu'elles soient colonisées. Douglas insistait pour que la colonisation ne prenne place qu'après avoir obtenu l'extinction du titre aborigène.

Après 1854, il ne peut toutefois maintenir cette politique. Le *Colonial Office* de Londres le presse de continuer à signer des traités avec les Indiens mais refuse de lui fournir les fonds nécessaires. La colonie refuse d'assumer cette responsabilité et ses administrateurs ne votent pas les budgets requis aux fins de traités. L'assemblée législative de la colonie a d'abord reconnu le titre aborigène, mais lorsqu'elle se rend compte qu'elle doit financer l'extinction du titre indien, elle prétend que celui-ci n'existe pas et qu'elle n'a aucune obligation à compenser les Indiens pour leurs terres. La colonie de Colombie britannique, établie sur le continent en 1858, adoptera aussi cette politique. Lorsque les deux colonies sont réunies en 1866, la même politique sera maintenue. En 1867, Joseph Trutch, commissaire aux biens-fonds et travaux, écrit:

> En vérité, les Indiens n'ont aucun droit aux terres qu'ils revendiquent, pas plus qu'ils y attachent quelque valeur ou utilité; je ne vois pas pourquoi ils devraient les garder au préjudice de l'intérêt général de la colonie, ni pourquoi on devrait leur permettre de les vendre au gouvernement ou à des individus.

Même si la Colombie britannique ne reconnaît pas le titre aborigène, les autorités admettent que les Indiens doivent bien vivre quelque part et mettent donc des réserves à leur disposition. Lorsqu'il était gouverneur de l'île de Vancouver, Douglas avait enjoint le commissaire aux biens-fonds et travaux de se laisser guider par les Indiens eux-mêmes dans le choix des emplacements destinés aux réserves et dans l'établissement de leurs limites. Mais après que Douglas a pris sa retraite, en 1864, cette politique est rejetée, comme l'a été celle qu'il avait instaurée au sujet de l'extinction du titre indien; ainsi, les réserves sont souvent déterminées sans consulter les Indiens.

Les manuels d'histoire nous apprennent que la Colombie britannique est entrée dans la Confédération en 1871 parce que John A. Macdonald avait promis de construire un chemin de fer jusqu'au Pacifique. Cette promesse, et les délais mis à l'exécuter, est une source constante de conflits entre Ottawa et la Colombie britannique. Leurs disputes incessantes au sujet du titre indien et des réserves sont tout aussi acrimonieuses. En vertu de l'Acte de l'Amérique du Nord britannique, les «Indiens et les terres réservées aux Indiens» relèvent de la compétence fédérale. Selon les conditions de l'Union de 1871 (qui admet la Colombie britannique dans la Confédération), le soin des Indiens ainsi que la «garde et l'administration des terres réservées pour leur usage et bénéfice» incombent au gouvernement fédéral. Les conditions de l'Union stipulent aussi que le gouvernement fédéral, en assumant sa responsabilité des Indiens, doit suivre une ligne de conduite «aussi libérale que celle suivie (jusque-là) par le gouvernement de la Colombie britannique»; cependant, rien n'est prévu pour le règlement de la question des terres indiennes. Étant donné la politique décidément intolérante appliquée jusque-là par le gouvernement de la colonie, les termes des conditions de l'Union ou bien font preuve du plus pur cynisme de la part du gouvernement fédéral, ou alors ils ont été rédigés dans un moment de distraction totale. Reste à savoir comment le gouvernement central va acquérir les terres nécessaires à l'établissement de réserves pour les Indiens de la province, alors que les conditions de l'Union stipulent que ces terres vont devenir la propriété du gouvernement provincial. Tout ce que les conditions précisent est que la province doit transférer au fédéral «des étendues de terres ayant la superficie de celles que le gouvernement de la Colombie britannique (a jusque-là) affectées à cet objet.»

Il fallait régler la question sur-le-champ parce qu'on avait omis de réserver des terres pour les Indiens. Un problème épineux se posa: quelle était la dimension d'une réserve adéquate? La province permettait aux Blancs d'acquérir 320 acres par droit de préemption pour y établir leur ferme. Que devait-on allouer aux Indiens? En 1873, le gouvernement fédéral recommande d'allouer 80 acres de terres à chaque famille indienne composée de cinq personnes. La province refuse de dépasser les 20 acres. En 1874, la Colombie britannique adopte la *Land Act* concernant l'usage des terres de la Couronne, mais cette loi est désavouée par le gouvernement central parce qu'elle ne prévoit pas de réserves pour les Indiens. Elle ne sera approuvée qu'après que la province aura convenu d'établir un processus de sélection et d'allocation de réserves.

La question du titre aborigène est une autre affaire. Même si la province est disposée, bien qu'à regret, à prévoir des réserves indiennes, elle refuse, à l'exemple de la colonie avant elle, de reconnaître une quelconque obligation à indemniser les Indiens pour les terres destinées à la colonisation. Elle entend faire arpenter ses territoires et émettre des octrois de la Couronne sans jamais plus conclure de traités.

John A. Macdonald tend à appuyer la position de la Colombie britannique. En 1872, Trutch, devenu lieutenant-gouverneur de la province, envoie le message suivant à Macdonald:

> Cher John,
>
> Commencer à racheter le titre indien aux terres de Colombie britannique serait revenir sur tout ce qui a été fait ici depuis trente ans et, en toute équité, vous seriez alors obligé d'indemniser les tribus qui ont occupé les régions maintenant colonisées par les Blancs de la même façon qu'il vous faudrait indemniser celles qui vivent dans des régions plus éloignées et non cultivées...

L'année suivante, cependant, Macdonald perd le pouvoir à la suite du scandale du Pacifique. Le libéral Alexander Mackenzie lui succède. Pour les libéraux, les revendications des Indiens ne sont pas qu'une question théorique. Télesphore Fournier, ministre de la Justice du gouvernement Mackenzie, soulève la question des droits aborigènes en Colombie britannique dans l'opinion qu'il écrit pour recommander le désaveu de la *Land Act* de 1874:

> ... sauf une exception mineure quant aux terres de l'île de Vancouver cédées à la Compagnie de la baie d'Hudson, exception qui rend l'absence d'autres cessions encore plus notable, on n'a jamais obtenu la cession des terres habitées par les tribus indiennes de la province; le gouvernement

> a établi des réserves de façon arbitraire et sans l'assentiment des Indiens. La politique d'obtenir la cession à ce moment-ci, alors que la situation de la province a changé, est peut-être contestable, mais je crois de mon devoir de confirmer les droits, juridiques ou en équité, qui peuvent exister en faveur des Indiens.

Se référant alors à la politique illustrée dans la Proclamation royale de 1763, Fournier poursuit:

> Il ne fait pas le moindre doute que, dès le début, l'Angleterre a toujours pensé qu'il était impératif de rencontrer les conseils de bandes indiennes et d'obtenir la cession d'étendues de terre à mesure que celles-ci étaient requises aux fins de la colonisation.

Fournier conclut par une condamnation accablante de la politique provinciale:

> Ainsi donc, attendu ces quelques caractéristiques de l'affaire, attendu que les tribus indiennes n'ont jamais cédé ni transféré à la province des droits territoriaux de nature juridique ou en équité; attendu que ces tribus soutiennent que les terres réservées par le gouvernement pour leur usage ont été sélectionnées de façon arbitraire et sans leur consentement, et qu'elles ne sauraient les faire vivre ni répondre à leurs besoins; attendu que les Indiens sont favorables à l'idée d'engager des hostilités pour faire respecter des droits qu'il est impossible de leur nier, et que la loi en question non seulement ne tient aucun compte de ces droits mais interdit expressément aux Indiens la jouissance du droit d'obtenir des terres par enregistrement ou par préemption, sauf s'ils obtiennent le consentement du lieutenant-gouverneur; — le soussigné croit qu'il n'a d'autre choix que de déclarer cette loi inacceptable parce qu'elle concerne des terres dont on assume qu'elles sont la propriété absolue de la province et que cette présomption ne tient aucun compte de l'honneur et de la bonne foi dont la Couronne a fait preuve à l'endroit des Indiens de Colombie britannique et ceci, depuis que sa souveraineté sur les territoires d'Amérique du Nord l'a mise en situation de traiter avec les diverses tribus qui s'y trouvaient.

Le gouvernement Mackenzie considère cette question

comme essentielle à la légitimité de l'occupation et de la colonisation de la province. En 1876, le gouverneur général, lord Dufferin, se rend en Colombie britannique; il y prononce un discours pressant le gouvernement de régler la question des terres indiennes:

> Admettons-le: l'état de la question indienne en Colombie britannique est insatisfaisant. Sir James Douglas a quitté son poste au gouvernement de la Colombie britannique en négligeant de reconnaître ce qu'on appelle le titre indien; cette erreur initiale se perpétue depuis et c'est, à mon avis, fort malheureux. Au Canada, on a toujours procédé à la reconnaissance de ce titre; ni le gouvernement central ni celui des provinces n'ont manqué de reconnaître que le titre original aux terres appartenait aux tribus et aux collectivités indiennes qui les occupaient et y chassaient. Avant de toucher un acre, nous concluions un traité avec le chef qui représentait les bandes concernées, et après avoir convenu d'un prix et l'avoir payé, ce qui supposait toutes sortes de marchandages et de difficultés, nous entrions en possession; mais jusque-là, nous considérions que nous n'avions pas le droit de toucher à cet acre. C'est pour cela que les Indiens du Canada sont satisfaits, qu'ils sont aimables envers les Blancs et qu'ils respectent les lois et le gouvernement. En ce moment même, le lieutenant-gouverneur du Manitoba a entrepris un long voyage pour aller conclure un traité avec les tribus du nord de la Saskatchewan. L'an dernier, il a signé deux traités avec les Chippewas et les Cris; des arrangements ont été pris pour qu'il en signe un l'an prochain avec les Pieds-noirs; après cela, la Couronne britannique aura acquis le titre à toutes les terres sises entre le lac Supérieur et les montagnes Rocheuses.

Cependant, Mackenzie et Dufferin ne réussissent pas mieux que Douglas à persuader le gouvernement de Colombie britannique de modifier sa position. Les colons blancs de la province et leur gouvernement estiment en effet que les Indiens constituent un obstacle au progrès. En tout cas, ils se sont persuadés, comme l'a fait le lieutenant-gouverneur Trutch avant eux, que les Indiens ont été traités équitablement. Trutch avait dit à John A. Macdonald: «Nos Indiens sont satisfaits et mieux vaut les laisser tranquilles...»

Il avait tort. Les Indiens n'étaient pas satisfaits. Dans les années 1860 et 1870, on craignit même une guerre indienne. Il y eut, en fait, des confrontations armées dont la rébellion de Chilcotin qui, en 1864, fit treize morts chez les Blancs. On échappa toutefois à la guerre: les peuples indiens se soumirent aux envahisseurs blancs. Mais leur sentiment de perte, d'intolérable douleur, persiste encore aujourd'hui.

Le gouvernement Mackenzie tenta bien d'obtenir un règlement des revendications des Indiens de Colombie britannique, mais il échoua parce qu'aucune disposition constitutionnelle n'obligeait la province à conclure un tel règlement. Les terres publiques appartenant à la province, il ne pouvait y avoir de règlement sans son accord. En 1878, le gouvernement libéral de Mackenzie est défait. Avec Macdonald à la tête du gouvernement, Ottawa adopte une attitude plus conciliante envers la position de la Colombie britannique sur la question des terres des Indiens. Par la suite, le gouvernement central interviendra de moins en moins dans les affaires provinciales pour protéger les droits des Indiens.

L'examen de la correspondance entre Ottawa et la Colombie britannique jette un peu de lumière sur la nature des conflits entre le fédéral et les provinces. Ces documents ne laissent toutefois pas entendre la voix des Indiens. Nous savons qu'ils éprouvaient de la colère, de l'amertume. Mais que leur arrivait-il, en fait? Comment leur vie allait-elle être affectée par la perte de leurs terres et le confinement sur des réserves?

Lorsque les marchands de fourrures arrivent d'Europe, les Indiens de la côte nord-ouest ont déjà une culture complexe que les premiers contacts avec les Blancs viennent enrichir et affiner. Par exemple, le ciseau à bois et la hache permettront de beaucoup perfectionner la sculpture des totems. Claude Lévi-Strauss, éminent anthropologue français, a décrit la culture indienne de la côte nord-ouest comme l'une des grandes efflorescences du genre humain et a dit des Indiens qu'ils soutenaient la comparaison avec les Grecs et les Romains de l'Antiquité. Beaucoup de gens estiment que l'effondrement de cette culture est l'une des grandes tragédies des temps modernes. Comment cela s'est-il produit?

Les Indiens furent des partenaires indispensables de la traite des fourrures; ils les recueillaient et les apportaient aux postes. Tout cela change cependant lorsqu'on abandonne le commerce des fourrures pour promouvoir la colonisation. Sous le nouveau régime, on n'a aucun besoin des Indiens comme main-d'œuvre; ce qu'on veut, ce sont leurs terres. À mesure que la colonisation empiète sur ces terres, la société et l'économie indiennes se transforment. La chasse et la pêche constituent toujours la base de leur économie, mais les Indiens sont prêts à prendre d'autres occupations. Certains deviennent ouvriers agricoles. D'autres prennent des emplois saisonniers dans les camps de bûcherons et les scieries, dans la construction des routes et des chemins de fer, sur les bateaux de pêche et dans les conserveries de poisson. Ils ne peuvent cependant s'adapter aux nouvelles circonstances que dans une mesure restreinte: sortis de leurs réserves, ils doivent faire face à bien des formes de préjugés qui rendent l'adaptation difficile et l'assimilation impossible.

D'autres raisons expliquent aussi l'instabilité de la société indienne. Les Indiens sont sans défense devant les maladies apportées par les Européens. La variole et la tuberculose font de nombreuses victimes. L'alcool devient une manifestation de la désintégration sociale et accélère la décadence. En 1900, la population indienne de la côte nord-ouest est réduite à 10 000 personnes, dont un grand nombre est affaibli par la maladie, alors qu'elle avait atteint 50 000 cinquante ans plus tôt. De cet effroyable déclin de la population indienne, on tire la conclusion largement répandue chez les Blancs que les Indiens forment un peuple condamné par l'histoire à une extinction prochaine. D'année en année, le besoin de résoudre la question du titre aborigène se fait de moins en moins pressant.

Les Indiens ne sont pas tout à fait exclus de certains emplois rémunérés; leurs activités de chasse et de pêche ne sont pas entièrement prohibées, mais le chômage et le sous-emploi parmi eux, leur dépendance à l'égard des réserves et leur destitution économique proviennent de cette période de leur histoire. Ce qui se révélera peut-être plus préjudiciable encore est le constant dénigrement de leur mode de vie par la société des Blancs; tout y passe, de l'abolition du potlatch jusqu'au refus de leur permettre de voter. (Comme les Chinois et les Japonais, les Indiens se voient refuser le droit de vote par la Colombie britannique en 1895 et ne le recouvreront qu'en 1949. Il est ahurissant de constater que les Indiens du Canada n'obtinrent enfin le droit de voter aux élections fédérales qu'en 1960, alors que John Diefenbaker était au pouvoir.) De la période des missionnaires et de la traite des fourrures, en passant par celles de la colonisation et de l'expansion jusqu'à notre époque de prolifération des institutions gouvernementales, la présence des

Blancs a toujours dominé et domine encore la société indienne. Il existe un lien intrinsèque entre cette domination et l'ensemble des désordres sociaux et des difficultés économiques qui affligent aujourd'hui les collectivités autochtones.

Répandues il y a un siècle en Colombie britannique, certaines attitudes persistent encore aujourd'hui. La politique adoptée par le passé était conçue pour supprimer les langues, la culture et l'économie indiennes. On croyait au XIX^e^ siècle que l'économie et même la société des Indiens étaient moribondes, que la culture indienne était au mieux un rappel coloré du passé; de nombreux citoyens pensent encore qu'il ne reste aujourd'hui de cette économie, de cette société, de cette culture que les vestiges pathétiques d'une époque révolue.

En dépit des coups qui leur sont portés, les Indiens de la côte nord-ouest continuèrent néanmoins de se raccrocher à leurs croyances et à l'idée qu'ils se faisaient d'eux-mêmes. Ils restent déterminés à défendre leurs droits ancestraux. En 1887, le gouvernement provincial crée une commission royale pour enquêter sur les conditions des Indiens de la côte nord-ouest. Lorsque les commissaires visitent la vallée de la Nass, les chefs nishgas soulèvent la question des droits ancestraux. L'un d'eux, David Mackay, résume le point de vue des Indiens en ces termes:

> Voilà ce que nous n'aimons pas à propos du gouvernement; il dit «Nous vous donnerons des terres de telle superficie.» Comment peuvent-ils nous les donner puisqu'elles nous appartiennent? Nous ne pouvons pas le comprendre. Ils ne les ont jamais achetées de nous ou de nos ancêtres. Ils n'ont jamais combattu et conquis notre peuple et pris les terres de cette façon, et malgré tout, ils disent maintenant qu'ils nous donneront des terres de telle superficie, nos propres terres. Ces chefs ne parlent pas à l'aveuglette, ils savent que les terres leur appartiennent; nos ancêtres ont possédé les terres de toute cette région depuis des générations; les chefs avaient leurs propres terrains de chasse, leurs pêches de saumon, et leurs cueillettes de baies; il en a toujours été ainsi. Ce n'est pas uniquement au cours des quatre ou cinq dernières années que nous connaissons ces terres; nous les connaissons depuis toujours et elles nous ont toujours appartenu; ce n'est là rien de nouveau, elles nous appartiennent depuis plusieurs générations. Si nous ne les connaissions que depuis

> vingt ans et que nous les réclamions, cela n'aurait aucun sens, mais elles nous appartiennent depuis des milliers d'années.

Les Blancs n'en continuent pas moins d'empiéter sur les terres des Indiens. Le Canadien Pacifique maintenant achevé amène une ruée de nouveaux immigrants vers l'Ouest. Jusque-là, on ne pouvait aisément accéder à la Colombie britannique que par la mer; à présent, le chemin de fer relie l'Est et l'Ouest. Au tournant du siècle, la population blanche de la province a déjà beaucoup augmenté. On assiste à l'expansion des industries primaires et des réseaux routiers et ferroviaires, expansion qui restreint encore plus les territoires de chasse et de pêche des Indiens. Dès 1895, le ministère fédéral des pêcheries limite la pêche de subsistance, c'est-à-dire le droit des Indiens à pêcher pour nourrir leur famille; en 1915, les activités de chasse et de piégeage des Indiens sont assujetties à des règlements provinciaux.

Bien sûr, les Indiens ont toujours leurs réserves. Mais après le début du siècle, on s'en prend même à celles-ci. Depuis 1874, les autorités fédérales et provinciales établissaient conjointement de nouvelles réserves, mais en 1908, la province refuse de le faire. Elle insiste, au contraire, pour que l'étendue des réserves existantes soit réduite et pour que les terres appartenant aux Indiens soient mises à la disposition de l'agriculture et du commerce.

Les Indiens ne cessent pas pour autant de revendiquer la reconnaissance du titre aborigène. En 1906 et 1909, des délégations de chefs indiens de Colombie britannique se rendent à Londres pour présenter leurs revendications au roi. Eût-il été disposé à le faire, le gouvernement impérial n'aurait pas eu le pouvoir d'intervenir. De toute façon, la province entend maintenir sa position. En 1909, le premier ministre de Colombie britannique, Richard McBride, soutient que «céder aux exigences des Indiens serait évidemment de la folie. Il est trop tard pour se demander s'il est équitable de déposséder les Peaux-Rouges d'Amérique». McBride prétend que la question du titre ancestral n'aurait jamais été soulevée n'eût été les «conseils pernicieux fournis par des Blancs sans scrupule». Voilà un thème repris tant et plus dans nos rapports avec les peuples aborigènes. Nombre de Canadiens croient que les Autochtones n'auraient jamais pensé à affirmer leur droit au territoire si ce n'avait été de l'influence de Blancs subversifs. Par exemple, des historiens ont soutenu que les Métis n'auraient pas réclamé le titre ancestral en 1816 si les *Nor'Westers* ne les y avaient incités. De même, dans les années 1970, les Dénés auraient été persuadés par des Blancs radicaux d'exiger le règlement de leurs revendications territoriales avant la construction du pipeline dans la vallée du Mackenzie; on prétend que laissés à eux-mêmes, ils n'auraient jamais soutenu une telle position.

En 1910, le premier ministre Laurier rencontre des représentants des Indiens à Prince Rupert. «La seule façon, leur dit-il, de régler cette question que vous débattez depuis des années est d'obtenir une décision (du Conseil privé), et je vais faire des démarches pour vous aider.» Le gouvernement fédéral prépare alors une liste de questions (à laquelle les Indiens souscrivent) à soumettre au Conseil privé. McBride, cependant, rejette l'idée. Il ne consentira jamais, affirme-t-il, à ce que la question du titre ancestral soit adjugée.

Le 26 avril 1911, à Prince Rupert, une délégation de chefs indiens de la côte nord-ouest rencontre de nouveau Laurier, qui leur dit:

> Il nous faut maintenant nous demander si nous pouvons prendre des procédures contre le gouvernement de la Colombie britannique. Il est de notre devoir, croyons-nous, d'enquêter sur cette affaire. Le gouvernement de la Colombie britannique peut avoir tort ou raison lorsqu'il affirme que les Indiens n'ont aucun droit. Les tribunaux existent justement pour trancher — lorsqu'un homme affirme qu'il possède un droit et qu'un autre le nie. Cependant, nous ne savons pas si nous pouvons poursuivre un gouvernement. Si nous trouvons un moyen, je peux dire que nous le ferons certainement... Les Indiens continueront de croire qu'ils sont victimes d'une injustice tant que les tribunaux n'auront pas décidé s'ils possèdent ce droit ou non.

Quoi qu'il en soit, Laurier est défait en 1911. Pendant les cinquante années suivantes, ses successeurs, qu'ils soient conservateurs ou libéraux, refuseront d'examiner la question des droits ancestraux en Colombie britannique et d'intercéder en faveur des Indiens auprès des politiciens intransigeants de la province. Ce n'est qu'en 1969 que les Indiens forceront finalement le gouvernement de la Colombie britannique à faire adjuger la question du titre ancestral.

Lorsque McBride continue de réclamer la réduction des réserves de la province, le gouvernement fédéral nomme J.A.J.

McKenna, de Winnipeg, comme négociateur dans cette affaire. Les discussions qui suivent mènent à l'accord McKenna-McBride, lequel stipule que les deux gouvernements conviennent d'établir une commission mixte qui procédera à l'allocation finale des terres aux Indiens de Colombie britannique. Le projet initial d'entente inclut la question du titre ancestral, mais McBride refuse catégoriquement de traiter le sujet. McKenna convient de laisser tomber ce point et d'enquêter uniquement sur celui des réserves.

De 1912 à 1916, la commission McKenna-McBride parcourt la province pour recueillir des témoignages. En 1915, ses membres se rendent dans la vallée de la Nass; Gideon Minesque prend la parole devant les commissaires au nom des Nishgas:

> Nous n'avons aucun ressentiment, mais nous attendons uniquement que cette question soit réglée et cela, depuis les cinq dernières années — nous avons vécu ici de temps immémorial — d'après les légendes, ces terres nous ont été transmises par nos ancêtres, et c'est ce qui nous blesse énormément, parce que les Blancs sont venus et nous ont enlevé ces terres. Je suis moi-même un vieil homme, et tout le temps que j'ai vécu, mon peuple m'a parlé de la crue des eaux, il ne m'a pas dit que je devais vivre ici, sur ces terres, quelque temps seulement. On nous a dit que certains Blancs, cela doit s'être passé à Ottawa, un Blanc a dit qu'ils doivent rêver lorsqu'ils disent que ces terres sur lesquelles ils vivent leur appartiennent. Ce n'est pas un rêve — nous sommes certains que ces terres nous appartiennent. Jusqu'à maintenant, le gouvernement n'a conclu aucun traité, pas même avec nos grands-parents ou nos arrière-grands-parents.

Pour Gideon Minesque, les faits sont clairs. Les Nishgas sont les premiers habitants de la vallée, qu'ils occupent de temps immémoriaux. Ils ne doutent pas un seul instant que la terre leur appartienne. «Ce n'est pas un rêve — nous sommes certains...» Gideon Minesque aborde ici la question plus vaste du titre indien. La Commission s'en tient cependant à l'allocation des réserves. Elle confirme une partie des réserves existantes et ajoute 87 000 acres de nouvelles terres à réserver. Mais elle retire aussi des réserves existantes quelque 47 000 acres de terres détenues par les Indiens. Celles-ci ont une valeur beaucoup plus considérable que les terres accordées en remplacement.

En 1916, la Commission publie son rapport en quatre volumes. Le gouvernement fédéral et celui de la Colombie britannique croient tous deux que la question des terres indiennes est enfin réglée, ceci même si le rapport ne mentionne pas le titre ancestral. La Commission n'a pas non plus traité des droits des Indiens concernant la chasse, la pêche, le bois de coupe et les eaux. Bref, elle a simplement réussi à retirer des réserves les bonnes terres convoitées par les Blancs et à les remplacer par de mauvaises.

Les Nishgas avaient formé en 1913 le *Nishga Land Committee*, et envoyé une pétition à Ottawa demandant le règlement de leurs revendications. Ils gagnent bientôt des alliées. En 1916, d'autres tribus de la côte et de l'intérieur viennent se joindre à eux pour appuyer leur demande visant l'adjudication du titre ancestral. Les tribus se regroupent et forment les Tribus alliées de Colombie britannique. Ce nouveau regroupement rejette le rapport de la commission McKenna-McBride et, pendant une décennie, convoque des réunions, mène des campagnes de financement et envoie à Ottawa des pétitions pressant le gouvernement de soumettre la question au Conseil privé.

Ottawa refuse d'entreprendre une telle démarche, mais en 1926, le gouvernement central demande à un Comité spécial mixte du Sénat et de la Chambre des communes d'examiner la question. Les Tribus alliées voient d'abord un succès notable dans la création de ce comité; elles déchantent cependant lorsque les membres du comité se rencontrent à la hâte avant la fin de la session parlementaire, se montrent discourtois avec les porte-parole des Indiens et traitent leurs revendications comme des banalités. Les recommandations du comité rejettent la notion que les Indiens aient été victimes d'une injustice et nient leurs revendications à cet égard. Selon le comité, les Indiens de Colombie britannique ont été traités avec au moins autant de générosité que ceux d'Ontario et des Prairies avec lesquels on avait signé des traités. Le comité recommande de remplacer le paiement d'une indemnisation en fonction d'un traité par une subvention annuelle de 100 000 $, en sus des coûts habituellement assumés par le fédéral pour administrer les affaires indiennes de la province; la subvention sera administrée au profit des Indiens par le bureau provincial des Affaires indiennes. Ainsi, les Indiens ne sont pas considérés comme un peuple dont les droits méritent qu'on les examine en toute justice et en tout honneur; on les traite plutôt comme des mendiants.

Les idées de Télesphore Fournier, de lord Dufferin et de

Wilfrid Laurier semblent avoir été reléguées aux oubliettes. Le titre aborigène, que les autorités fédérales ont reconnu au milieu du XIXe siècle, ce titre que les Indiens veulent maintenant voir reconnu par la province est officiellement considéré comme chose du passé. Déterminé à ne plus jamais entendre parler de la question, le Parlement inclura à la Loi sur les Indiens de 1927 une disposition stipulant que chercher à recueillir des fonds en vue de poursuivre des revendications du titre ancestral est une infraction punissable par la loi.

Les Tribus alliées de Colombie britannique se dispersent. Même si la question des terres indiennes n'est plus une affaire publique, les Indiens ne peuvent pas la considérer comme réglée. Dans les années 1950, elle refait surface. En 1959, Peter Kelly, un leader des Haidas qui avait parlé en 1927 devant le comité mixte, soutient devant un autre comité parlementaire que le titre ancestral doit être adjugé par la Cour suprême du Canada:

> Mais, messieurs, aussi longtemps qu'on ne s'occupera pas de la question du titre, tous les Indiens de la Colombie britannique vont penser qu'ils se sont fait rouler et ils ne seront jamais satisfaits. Je veux dire au comité, avec tout le sérieux possible, que vous rendrez un grand service au pays si vous pouvez voir à ce que le problème en question soit étudié. Disons que c'est la Cour suprême du Canada qui va s'en occuper. C'est le plus que nous puissions faire à l'heure actuelle. Nous avions coutume d'aller au Conseil privé, mais ce n'est plus possible. Je désire répéter que si le problème est abordé, le gouvernement fera preuve de bonne foi et que les Indiens de la Colombie britannique seront convaincus que le gouvernement d'aujourd'hui a à cœur de leur donner justice. Si nous perdons notre cause, le problème sera réglé une fois pour toutes. Si nous gagnons, il vous faudra traiter avec nous.

En 1967, les Nishgas engagent des poursuites contre la province devant la Cour suprême de Colombie britannique. Leur revendication est toute simple. Le titre indien, prétendent-ils, n'a jamais été juridiquement éteint. En 1911, le gouvernement Laurier n'avait pas réussi à trouver le moyen d'engager des procédures contre la province parce que la loi disait que personne ne pouvait poursuivre la province pour recouvrer un intérêt aux terres. Pour y arriver, il fallait obtenir le consentement du gouvernement provincial qui, de toute évidence, n'allait jamais l'accorder. Les Nishgas demandent donc simplement à la cour de déclarer que leur titre ancestral n'a jamais été juridiquement éteint; ils n'exigent pas un arrêt rétablissant leur intérêt aux terres. Distinction subtile, mais vitale pour obtenir une décision favorable. Peter Kelly avait dit: «Si nous gagnons, vous devrez traiter avec nous.»

En avril 1969, l'affaire des Indiens nishgas s'ouvre à la Cour suprême de Colombie britannique devant le juge J.G. Gould. Frank Calder, président du Conseil de la tribu des Nishgas témoignera ainsi:

> ... De temps immémorial, les Nishgas ont utilisé la Nass et tous ses affluents à l'intérieur des limites ainsi définies, les terres du Observatory Inlet, celles du canal Portland, et une partie de Portland Inlet. Nous chassons encore sur ces terres et nous pêchons dans les cours d'eau, ruisseaux et rivières, comme dans le passé, nous campons dans ces régions et nous nous y rendons périodiquement, suivant la saison, en suivant les saisons de chasse et de pêche, nous entretenons encore ces lieux, et, à notre connaissance, ils ont toujours été là.
>
> Nous parcourons encore ces territoires, nous y campons encore chaque fois que cela est requis selon notre mode de vie, et nous utilisons les terres comme dans le passé, nous enterrons nos morts dans le territoire délimité et nous y exerçons encore le privilège des hommes libres.

L'avocat de la Colombie britannique soutient que le titre aborigène est un concept inconnu du droit et que, même s'il a existé, il a été éteint par l'ancienne colonie de Colombie britannique avant son admission dans la Confédération en 1871. (Après l'entrée de la Colombie britannique dans la Confédération, seul le gouvernement fédéral pouvait éteindre le titre indien. On a admis que le gouvernement fédéral n'avait pris aucune procédure en justice pour éteindre le droit ancestral en Colombie britannique.)

Calder et les autres membres du Conseil de la tribu des Nishgas, représentant chacun des quatre villages nishgas, sont entendus comme témoins. Le témoignage de Calder est représentatif; voici ce qu'il dit:

> Q. Êtes-vous sur la liste de bande?
>
> R. Oui.
>
> Q. Pouvez-vous dire à Sa Seigneurie où vous êtes né?

R. Je suis né à la baie Nass, près de l'embouchure de la Nass.

Q. Où avez-vous été élevé?
R. J'ai été élevé à la baie Nass, et surtout à Greenville.

Q. Vos parents étaient-ils membres de la bande des Indiens de Greenville?
R. Oui, ils le sont.

Q. Si l'on remonte à vos ascendants, pouvez-vous nous dire si vos ancêtres vivaient sur la Nass?
R. Oui, ils vivaient à cet endroit.

Q. Êtes-vous membre de la tribu des Nishgas?
R. Oui, je le suis.

Q. De quels Indiens se compose la tribu des Nishgas?
R. Des Indiens nishgas qui habitent les quatre anses de la Nass.

Q. Quels sont les noms des quatre anses?
R. Kincolith.

Q. Kincolith?
R. C'est exact, Greenville, Canyon City et (New) Aiyansh.

Q. Pouvez-vous dire à Sa Seigneurie, monsieur, si tous les Indiens qui habitent les quatre agglomérations situées sur la Nass sont membres de la tribu des Nishgas?
R. Oui, ils le sont.

Q. Voulez-vous dire non seulement les adultes, de sexe masculin ou féminin, mais également les enfants?
R. Oui.

Q. Quelle langue les membres de la tribu des Nishgas parlent-ils?
R. Ils parlent le nishga, connu à l'heure actuelle sous le nom de langue nishga.

Q. Cette langue s'apparente-t-elle à quelque autre langue de la côte nord du Pacifique?
R. Ce n'est pas tout à fait — les deux tribus voisines, nous nous comprenons plus ou moins, mais le nishga lui-même se parle sur la Nass, et aucune autre tribu voisine ne parle cette langue.

Q. Quels sont les noms des deux tribus voisines qui comprennent un peu votre langue?
R. Gitskan et Isimshian.

Q. Considérez-vous que vous faites partie de la tribu des Nishgas?

R. Oui.

Q. Savez-vous si les Indiens qui sont membres des quatre bandes indiennes de la Nass considèrent qu'ils font partie de la tribu des Nishgas?

R. Oui, ils se considèrent tels.

Q. Indépendamment de leur langue, ont-ils autre chose en commun?

R. À part la langue, ils ont exactement le même mode de vie.

(...)

Q. Et maintenant, monsieur Calder, je vais vous montrer... un plan (...) Le territoire indiqué sur le plan constitue-t-il l'ancien territoire des Nishgas?

R. Oui.

(...)

Q. Les Nishgas ont-ils déjà signé quelque document ou traité abandonnant leur titre aborigène sur le territoire indiqué sur le plan...?

R. Les Nishgas n'ont signé aucun traité ni aucun document indiquant que leur titre est éteint.

Anthropologue de l'Université de Colombie britannique et intellectuel reconnu dans la province comme le plus grand spécialiste sur la notion du titre ancestral chez les Indiens de la côte nord-ouest, le professeur Wilson Duff présente un témoignage qui relie le passé au présent. Il a préparé pour la Cour un plan montrant l'étendue du territoire tribal des Nishgas. Voici son témoignage:

Q. Professeur, avez-vous de fait dressé, pour le bénéfice des avocats, le plan versé comme pièce 2 en la présente espèce?

R. Oui.

Q. Connaissez-vous l'histoire anthropologique des peuples indiens qui habitaient la région délimitée sur le plan et les régions voisines?

R. Oui.

Q. Qui a habité la région délimitée sur le plan de temps immémorial?

R. Les Nishgas.

Q. Pouvez-vous dire à la Cour quelle position ont prise les Indiens des régions adjacentes à celle qui est délimitée sur le plan, relativement à l'occupation de cette région par la tribu des Nishgas?

R. Toutes les tribus voisines savaient que les Nishgas formaient le groupe homogène d'Indiens occupant la région délimitée sur le plan. Ils les connaissaient collectivement sous le nom de Nishgas. Ils savaient qu'ils parlaient leur propre dialecte, qu'ils occupaient ce territoire et qu'ils en étaient les propriétaires et ils respectaient les limites tribales du territoire.

Le professeur Duff décrit la culture des Indiens de la côte nord-ouest et la notion qu'ils entretiennent du titre indien. On lit certains passages de son ouvrage intitulé *Indian History of British Columbia* pour démontrer ces points.

Q. Dans votre ouvrage, versé comme pièce, vous dites page 8:

«À l'époque du contact, les Indiens de cette région faisaient partie des peuples les plus typiques du monde. Un bon tiers de la population aborigène du Canada vivait ici. Il y avait une concentration plus importante le long de la côte et des principales rivières de l'Ouest; dans ces régions, leurs cultures ont évolué à un degré supérieur, à plusieurs égards, à celui de toute autre partie du continent, au nord du Mexique. Ici également, on retrouvait la diversité linguistique la plus importante du pays, deux douzaines de langues étaient parlées, elles appartenaient à sept des onze familles de langues parlées au Canada. À certains égards, les tribus de la côte différaient de tous les autres Indiens américains. Il est vrai que leurs langues faisaient partie des familles de langues américaines; physiquement, il s'agissait d'Indiens américains, malgré certains traits précis de similitude avec les peuples de l'Asie du nord-est. Toutefois, leurs cultures avaient une teinte asiatique prononcée, preuve d'une relation fondamentale et d'un contact prolongé avec les peuples vivant le long des côtes de l'océan Pacifique. Leurs cultures se distinguent surtout par une richesse et une originalité locales, produit d'un peuple vigoureux et inventif habitant un environnement riche.»

Cet alinéa s'appliquerait-il au peuple habitant la région délimitée sur le plan, pièce 2?

R. Oui.

Q. L'alinéa suivant se lit comme suit:

«Il n'est pas exact de dire que les Indiens n'étaient pas propriétaires des terres mais y erraient en nomades tout en les utilisant. Les systèmes de propriété et d'utilisation qu'ils imposaient sur les terres et cours d'eau étaient différents de ceux qui sont connus par nos systèmes de droit, mais ils étaient néanmoins clairement définis et mutuellement respectés. Même s'ils n'ont pas subdivisé les terres et ne les ont pas cultivées, ils reconnaissaient la propriété des parcelles utilisées comme emplacement de village, endroits de pêche, de cueillette de petits fruits et de racines, et à d'autres fins semblables. Même s'ils n'ont pas abattu les forêts, ils ont établi la propriété des parcelles utilisées pour la chasse, (le piégeage) et la cueillette. Même s'ils n'ont creusé aucun puits de mine dans les montagnes, ils étaient propriétaires des pics et vallées aux fins de la chasse aux chèvres de montagne et de l'obtention de matières premières. À l'exception de régions arides et inaccessibles non encore utilisées, chaque partie de la province se trouvait auparavant dans les limites du territoire appartenant à l'une ou l'autre des tribus indiennes et reconnu comme tel.»

Cet alinéa s'applique-t-il au peuple habitant la région délimitée sur le plan, pièce 2?

R. Oui.

Q. S'applique-t-il à la tribu des Nishgas?

R. Oui.

(...)

Q. Jusqu'à quel point l'utilisation et l'exploitation des ressources des territoires des Nishgas s'est-elle propagée, géographiquement parlant? S'est-elle uniquement propagée sur une partie restreinte du territoire ou partout sur celui-ci?

R. Dans une certaine mesure, elle s'est propagée dans l'ensemble du territoire, compte non tenu des régions arides et inaccessibles, que personne n'utilisait ou ne

> réclamait. Mais il était reconnu que la propriété de l'ensemble d'un bassin de drainage délimité par les pics montagneux allait à l'un ou à l'autre groupe des Nishgas et ces limites, cette propriété étaient respectées par les autres.

La défense de la province s'appuie sur une série d'ordonnances adoptées avant la Confédération par les colonies de l'île de Vancouver et de Colombie britannique. Ces ordonnances prévoient des octrois de la Couronne et d'autres formes de tenure. La province allègue que l'exercice du pouvoir législatif a agi de façon à éteindre, sans fournir d'indemnité, tout intérêt des Indiens aux terres de la province. Après tout, comment prétendre que le titre indien existe toujours alors que les gouvernements d'avant la Confédération ont assumé le pouvoir de disposer des terres mêmes faisant l'objet des revendications indiennes?

En première instance, le juge Gould accepte cet argument et rejette la revendication des Nishgas. Il soutient que, s'il a jamais existé, le titre ancestral a été éteint par les ordonnances des anciens gouvernements coloniaux de l'île de Vancouver et de Colombie britannique.

Les Nishgas portent l'affaire devant la Cour d'appel de Colombie britannique. Ils y essuient un autre revers. Le juge Gould n'avait pas déterminé l'existence du titre ancestral; il s'était contenté de décider que si ce titre avait jamais existé, il avait été éteint avant que la colonie ne soit admise dans la Confédération. Il laissait aux instances supérieures le soin d'établir si le droit canadien reconnaissait le titre ancestral. La Cour d'appel de Colombie britannique était prête à traiter de cette question. Les juges de cette instance soutiendront que la loi n'a jamais reconnu la notion du titre ancestral; les gouvernements, disent-ils, peuvent adopter la politique de traiter avec les Indiens comme s'ils possédaient un intérêt, mais en réalité, un tel intérêt — un titre indien — n'existe pas ni n'a jamais existé. Ainsi, les Nishgas n'ont jamais possédé de titre ancestral. Le tribunal ajoute, comme l'a soutenu le juge Gould, que si les Nishgas ont déjà possédé un tel titre, celui-ci a été éteint avant la Confédération. Le juge en chef H.W. Davey caractérise l'attitude de la Cour. Observant les Nishgas à travers le prisme déformant du préjugé ethnologique, il refuse de croire qu'ils entretenaient leur propre notion sur la propriété territoriale et reste convaincu que «au moment de la colonisation, ils formaient sans aucun doute un peuple très primitif, connaissant peu les institutions de la société civilisée, et aucune de nos notions de propriété privée.»

Ce n'était pas chose facile que de convaincre les avocats et les juges que les peuples autochtones du Canada ont certains droits basés sur le fait indiscutable qu'ils occupaient de vastes portions, sinon l'ensemble du continent avant sa découverte, puis sa colonisation par les Européens. Ces peuples autochtones possédaient en propre une culture, des institutions sociales, des lois. Mais de cela, les juges et avocats demeurent ignorants. Le juge en chef Davey fut l'un des meilleurs juges de Colombie britannique; c'était un homme patient, cultivé et droit. Pourtant, il ne pouvait comprendre que les peuples autochtones entretenaient des notions complexes sur les relations juridiques et les droits. Il ne pouvait accepter qu'un peuple sans langue écrite puisse néanmoins posséder un système juridique élaboré. Et pour ce qui concerne son titre ancestral, comment la Cour pouvait-elle le reconnaître? Mal défini, il ne s'inscrivait pas dans un système d'actes de propriété privée, mais renvoyait plutôt à une propriété détenue collectivement par la tribu.

L'incompréhension dont fait preuve le juge en chef Davey face à la vraie nature de la culture et des revendications aborigènes est largement répandue. Il en résulte une attitude qui exaspère les peuples autochtones, car elle est toujours marquée de condescendance, peu importe qu'elle se manifeste par une tendance à vouloir préserver la culture ou à vouloir la détruire. Cette attitude suppose que la culture autochtone ne peut être viable dans le contexte contemporain, qu'elle ne peut avoir de place dans la société urbaine et industrielle. Voilà bien le nœud de la question. Les peuples autochtones maintiennent que leur culture demeure la force vitale de leur vie, qu'elle nourrit l'opinion qu'ils se font d'eux-mêmes, du monde environnant et de la société dominante des Blancs. Nous sommes trop prompts à penser que la culture autochtone est immuable, à percevoir les peuples aborigènes comme des prisonniers de leur passé. Une telle présomption peut fort bien devenir réalité: si on refuse de donner à ces peuples les moyens de vivre le présent selon leurs propres conditions, leur culture risque en effet de devenir statique. Qu'on ne s'y trompe pas: les Autochtones ne sont pas prisonniers de leur passé; c'est nous qui les excluons du présent.

La culture autochtone ne se limite pas à l'artisanat et la sculpture, à la danse et l'alcool. Elle comporte des traditions comme la prise de décisions par consensus, le respect de la sagesse des Anciens, le concept de la famille élargie, le respect de l'environnement, l'empressement à partager. Bien que soumises à d'incessantes contraintes, ces valeurs ont persisté d'une façon ou d'une autre jusqu'à nos jours.

Ainsi la culture indienne n'est-elle pas moribonde. Le titre ancestral se fonde sur les idées que partagent les Indiens quant à leur rapport avec la terre. Mais les Nishgas ne purent persuader la Cour d'appel de la Colombie britannique qu'ils avaient détenu, au cours de leur longue histoire, un titre à la vallée de la Nass, ni qu'ils pouvaient revendiquer ce titre à présent. Ni les Nishgas, ni aucun autre peuple aborigène du Canada ne purent persuader le gouvernement fédéral de reconnaître le titre ancestral. La Déclaration du gouvernement du Canada sur la politique indienne de 1969 stipulait:

> Les revendications territoriales des Autochtones... sont si générales et si mal définies qu'on ne peut les envisager de façon réaliste comme des droits précis pouvant remédier au problème, sauf par le moyen de programmes et d'une politique qui mettront un terme à l'injustice dont sont victimes les Indiens en tant que membres de la collectivité canadienne.

Dans un discours prononcé sur le sujet à Vancouver le 8 août 1969, le premier ministre Trudeau dira: «Notre réponse est non. Nous ne pouvons reconnaître les droits ancestraux parce qu'on ne peut construire une société sur 'ce qui aurait pu être'.» Les tribunaux, donc, n'allaient être d'aucun secours, et le gouvernement fédéral n'allait pas reconnaître les droits des Nishgas.

Cependant, la conviction des peuples autochtones que leur avenir repose sur l'affirmation de leur identité collective et sur la défense de leurs intérêts communs s'est révélée plus forte que quiconque l'aurait imaginé. La politique gouvernementale fut renversée parce que les peuples aborigènes étaient déterminés à la rejeter. Et l'appel des Nishgas en Cour suprême du Canada fut l'un des principaux instruments de ce renversement.

Trudeau n'avait-il pas raison? Les peuples autochtones doivent-ils être traités comme toute autre minorité? Pourquoi leur réserver une place privilégiée dans la vie canadienne? La raison est toute simple: refuser de reconnaître le statut particulier des Autochtones revient à répudier l'histoire constitutionnelle du Canada. Dans l'Acte d'Amérique du Nord britannique, les Pères de la Confédération ont prévu que le Parlement a compétence exclusive sur les peuples autochtones du Canada. Pourquoi leur ont-ils consacré cette attention toute spéciale? Il n'existe pas de disposition semblable au sujet des Ukrainiens, des Suédois, des Italiens ni d'aucun autre groupe ethnique. Les Indiens, les Inuit et les Métis n'ont pas immigré au Canada comme le font des individus ou des familles s'attendant à l'assimilation. Les immigrants choisissent de venir s'installer ici et de se soumettre aux lois et aux institutions canadiennes; ce sont là des choix individuels. Les Indiens, les Inuit et les Métis étaient déjà ici; on les a forcés à se soumettre aux lois et aux institutions, anglophones ou francophones, de la société dominante des Blancs. Pourtant, ils n'ont jamais renoncé à leur droit d'être traités en peuples distincts.

Pour réaffirmer cette ancienne vérité voulant que les peuples autochtones soient les peuples aborigènes du Canada et qu'ils possèdent, à ce titre, des droits ancestraux, les Nishgas en appellent donc à la Cour suprême du Canada. Ils pressent le gouvernement fédéral d'intervenir en leur nom devant la Cour suprême. L'occasion, que l'on recherchait depuis l'époque de Laurier, se présente enfin de poursuivre la province de Colombie britannique devant la Cour suprême du Canada et de résoudre la question du titre indien. Bien que personnellement sympathique à la cause des Nishgas, Jean Chrétien, alors ministre des Affaires indiennes et du Nord canadien, refuse d'intervenir parce qu'il se sent lié par la politique fédérale énoncée en 1969 et qui nie la reconnaissance des droits ancestraux.

Les chefs des quatre villages de la vallée de la Nass, accompagnés des Anciens du village portant le ceinturon traditionnel, se rendent à Ottawa en novembre 1971. Sept juges de la Cour suprême entendent leur cause. Il faut cinq jours pour entendre la preuve. Les juges réserveront leur décision pendant quatorze mois. Lorsque la Cour rend son jugement, en février 1973, il semble bien que les Nishgas ont perdu, à quatre contre trois. Est-ce le mot de la fin? Cependant, l'examen attentif du raisonnement des sept juges ayant entendu l'appel révèle bientôt que même si, en principe, les Nishgas ont perdu leur cause, ils ont remporté une victoire morale. D'habitude, les victoires morales restent sans valeur, mais celle-ci contribuera largement à modifier la politique indienne du gouvernement fédéral.

Parlant au nom de trois juges, M. le juge Wilfred Judson conclut qu'avant l'arrivée des Blancs, les Nishgas détenaient un titre ancestral, reconnu en droit anglais. Mais, ajoute-t-il, ce titre fut éteint par des lois mises en vigueur avant la Confédération dans la colonie de la Colombie britannique. Le juge Emmett Hall, rendant aussi jugement au nom de trois juges, conclut que les Nishgas possédaient un titre ancestral avant l'arrivée des Européens, que ce titre n'a jamais été juridiquement éteint et qu'il peut être encore invoqué aujourd'hui. À ce chapitre, la cour est également divisée.

Le septième juge, Louis-Philippe Pigeon, n'exprime pas son opinion sur la question principale. Il rend un jugement contre les Nishgas parce qu'ils ont assigné la province de la Colombie britannique plutôt que de procéder par pétition de droit. Ils ne pouvaient cependant pas employer cette procédure puisqu'elle exigeait le consentement de la province à émettre une telle pétition contre elle-même. Le vote du juge Pigeon signifie que les Nishgas ont perdu leur cause à quatre contre trois.

Voici donc le point crucial. Les six juges qui envisagent la question principale admettent que le droit anglais en vigueur en Colombie britannique au début de la colonisation a reconnu le titre indien aux terres. C'est ainsi que, pour la première fois, la plus haute instance judiciaire du Canada confirme la notion du titre aborigène. En décrivant la nature du titre indien, M. le juge Judson s'appuie sur un passage du livre du professeur Duff cité plus haut. Il conclut ainsi:

> ... Mais il reste que lorsque les colons sont arrivés, les Indiens étaient déjà là, ils étaient organisés en sociétés et occupaient les terres comme leurs ancêtres l'avaient fait depuis des siècles. C'est ce que signifie le titre indien (...) Ils affirment dans la présente action qu'ils avaient le droit de continuer à vivre sur leurs terres comme l'avaient fait leurs ancêtres et que ce droit n'a jamais été juridiquement éteint.

Le juge Judson poursuit en disant que l'ancienne colonie de Colombie britannique a effectivement éteint le titre aborigène des Indiens nishgas. Mais il ne met pas en doute l'existence de ce titre.

Parlant au nom des trois juges qui étaient prêts à confirmer le droit des Nishgas, le juge Hall presse la cour d'adopter un point de vue contemporain plutôt que de se laisser influencer par des notions erronées et passées sur les Indiens et leur culture. Dans le jugement de Emmett Hall, on retrouve cet humanisme — le prolongement du cœur et de l'esprit — qui lui a permis d'examiner l'idée des droits aborigènes du point de vue même des Indiens. Cela exige de posséder quelque notion de la place qu'occupe l'histoire indienne dans notre histoire. D'après lui, lorsque le juge en chef Davey a dit qu'au moment de la colonisation, les Nishgas «formaient sans aucun doute un peuple très primitif, connaissant peu les institutions d'une société civilisée, et aucune de nos notions de propriété privée», il a évalué la culture indienne de 1858 à partir des normes que les Européens appliquaient aux Indiens d'Amérique du Nord deux siècles ou plus auparavant. Le juge Hall rejette cette approche:

> Il faut aborder la question de l'appréciation et de l'interprétation des documents historiques et des textes législatifs versés au dossier en se fondant sur les recherches et connaissances actuelles sans tenir compte des anciens concepts formulés à une époque où la compréhension des coutumes et de la culture des aborigènes de notre pays était rudimentaire et incomplète et où l'on pensait qu'ils étaient sans cohésion, lois ou culture et constituaient de fait une espèce inférieure. Cette idée que l'on se faisait des premiers habitants de l'Amérique a amené le Juge en chef Marshall à dire, dans le jugement par ailleurs éclairé qu'il a rendu dans l'affaire *Johnson c. McIntosh*, jugement qui a fait autorité de façon éminente en matière de droits indiens: «Mais les tribus indiennes habitant ce pays étaient composées de féroces sauvages dont l'occupation consistait à faire la guerre...» Nous savons maintenant que cette appréciation n'était pas fondée. Les Indiens ont de fait parfois participé à certaines guerres tribales, mais ce n'était pas là leur vocation et l'on peut dire que leur préoccupations guerrière était peu importante en comparaison des guerres religieuses et dynastiques qui ont ravagé l'Europe «civilisée» des 16e et 17e siècles.

Le juge Hall conclut que les Nishgas entretenaient leur propre notion du titre ancestral bien avant l'arrivée de l'homme blanc et qu'ils ont toujours le droit d'affirmer ce titre aujourd'hui. Il ajoute:

> Des témoignages ci-dessus rapportés, il ressort que de fait, les Nishgas forment et ont formé, de temps immémorial, une entité culturelle distincte possédant des notions aborigènes de propriété, propres à leur culture, et pouvant être énoncées en termes de common law, étant donné que, pour reprendre les paroles du (professeur) Duff: «leurs cultures ont évolué à un degré supérieur à plusieurs

égards, à celui de toute autre partie du continent au nord du Mexique».

Emmett Hall a beaucoup contribué à la vie canadienne, mais rien dans sa carrière n'égale en importance ce jugement, fort et émouvant, dans l'affaire des Nishgas. Le droit reste le droit — le titre aborigène peut encore être affirmé de nos jours, et qu'importe si la province se retrouve aux prises avec un imbroglio juridique.

Rendu quatorze mois après l'audition de la cause, le jugement de la Cour suprême n'en arrive pas moins à un moment opportun. Aux élections de 1972, les libéraux ont été réélus mais forment un gouvernement minoritaire. Ils ne peuvent conserver le pouvoir qu'avec le bon vouloir des partis d'opposition. La décision dans l'affaire Nishgas projette la question du titre ancestral dans l'arène politique. Au Parlement, conservateurs et néo-démocrates insistent pour que le gouvernement fédéral reconnaisse son obligation de régler les revendications autochtones. Le Comité permanent des Affaires indiennes et du développement du Nord canadien adopte une résolution exigeant le règlement des revendications autochtones dans les régions où le titre ancestral n'a pas été éteint par traité. Le 8 août 1973, Jean Chrétien annonce que le gouvernement fédéral compte régler les revendications territoriales des Autochtones dans toutes les parties du Canada qui n'ont pas fait l'objet de traités. On estime aujourd'hui que le jugement de Emmett Hall a servi de base à l'affirmation des revendications territoriales des Autochtones dans tout le Canada.

Naturellement, ce profond changement dans la politique fédérale en matière autochtone n'est pas le résultat de la seule action des Nishgas. La *National Indian Brotherhood* ainsi que de nombreuses organisations autochtones des territoires et des provinces ont travaillé sans arrêt à cette fin; dans ce long processus, l'affaire des Nishgas est néanmoins un développement crucial.

Le mouvement des revendications territoriales a poussé les peuples autochtones à revendiquer aussi l'autonomie. Après des décennies de pauvre rendement dans nos écoles, après des années passées en marge d'une économie qui n'avait pas besoin d'eux comme consommateurs et qui leur refusait trop souvent des emplois, les Autochtones décident de substituer l'autonomie à la dépendance forcée.

À l'instar des autres nations aborigènes, les Nishgas entrent à nouveau dans l'histoire canadienne. Il ne s'agit pas de revenants dont la présence autrefois a laissé une marque trop superficielle pour capter l'attention des politiciens d'aujourd'hui. Pendant plus de deux siècles, l'histoire du Canada fut celle du contact d'abord entre les Français et les Indigènes, puis entre les Anglais et les Indigènes. Les peuples autochtones n'ont été relégués dans les coulisses que depuis 150 ans. Ils reviennent maintenant réclamer un rôle de premier plan.

Et qu'en est-il des provinces? Le gouvernement fédéral a consenti à régler les revendications autochtones, mais à moins d'être liées par une obligation constitutionnelle, les provinces continueront sans doute de nier, comme par le passé, l'existence des droits ancestraux ou quelque obligation à négocier le règlement des revendications aborigènes.

Le 15 décembre 1980, les Nishgas se sont présentés devant le Comité spécial mixte du Sénat et de la Chambre des communes sur la Constitution. Soixante-cinq ans après que Gideon Minesque a dit à la commission McKenna-McBride que la revendication par les Nishgas de la vallée de la Nass n'était pas un rêve mais une certitude, le président du conseil de la tribu des Nishgas, James Gosnell, dit au Comité:

> L'histoire de notre peuple depuis ses premiers contacts avec l'homme blanc est celle de ses luttes pour la reconnaissance de ses droits territoriaux aborigènes. Nous sommes déterminés à poursuivre ce combat jusqu'a ce que la nation canadienne, son Parlement, ses tribunaux et son peuple se résolvent à faire droit à nos revendications territoriales.

Le 29 janvier 1981, le Comité mixte convient de recommander une modification à la nouvelle Constitution:

> La présente Charte confirme les droits, ancestraux ou issus de traités, des peuples autochtones du Canada.

Le 5 novembre 1981, le premier ministre du Canada et les premiers ministres des provinces s'entendent pour rayer cette disposition. Quelques jours plus tard, l'opinion publique crie au scandale, et les premiers ministres se voient forcés de rétablir la disposition, ce qu'ils font à contrecœur et en y rattachant une condition. Désormais, les droits reconnus et confirmés seront les droits «existants», ancestraux ou issus de traités. Or, aucune des autres mesures prévues par la Constitution et par la Charte ne comporte une telle restriction. Néanmoins, la reconnaissance expresse des droits ancestraux ou issus de traités aura son utilité. Ces mots sont maintenant inscrits dans la Constitution; ils lieront non seulement le gouvernement fédéral, mais aussi les provinces, et fourniront peut-être le moyen d'obliger celles-ci à négocier.

Dans le passé, nous cherchions à modeler les peuples autochtones à notre propre image. Nous n'avons cependant pas réussi à les assimiler. Les Indiens, les Métis et les Inuit sont bien en vie, déterminés à demeurer eux-mêmes. Autrefois, ils s'opposaient à l'assimilation passivement, voire furtivement. Aujourd'hui, ils s'y opposent clairement, indubitablement; voilà un fait de la vie nationale qu'on ne peut méconnaître. De plus, une disposition constitutionnelle existe désormais, qui fournira aux Autochtones le moyen de faire respecter leur droit à une place distincte dans la vie canadienne.

Mais comment cela se traduira-t-il en termes pratiques? Quelles sont les mesures essentielles à la définition de cette place distincte? Comment les Autochtones pourront-ils, selon leur souhait, soit défendre leur économie traditionnelle, soit trouver une place dans l'économie urbaine de la société dominante? Comment arriveront-ils à défendre leur langue, leur art, leur histoire? Et de quelle façon pourront-ils défendre leur droit à un avenir qui soit bien à eux? Ces questions gisent au cœur des revendications autochtones.

Personne ne peut prédire comment les choses tourneront. Les provinces seront-elles récalcitrantes? Les tribunaux sauront-ils affronter les questions «de mythe, de légende, d'histoire et de droit» que posent les revendications autochtones? Les politiciens s'efforceront-ils de limiter la portée de tout règlement de façon à laisser sans réponse la question même de la structure des rapports entre les nations aborigènes et la société dominante — question à laquelle il faudra inévitablement répondre un jour ou l'autre?

Qu'elles soient fondées sur les droits ancestraux ou issus de traités, les revendications autochtones se rattachent d'abord, mais pas uniquement, au territoire. Elles s'étendent aux ressources renouvelables et épuisables, à l'éducation, à la santé, aux services sociaux, à l'ordre public et surtout, à cette clef de voûte que constitueront les futures institutions politiques, selon la forme et la composition qu'on leur donnera. Dans bien des cas, les propositions avancées par les peuples autochtones ont une portée considérable.

On ne doit cependant pas les considérer comme une menace à nos institutions, mais bien comme l'occasion de confirmer nos engagements en regard des droits des minorités indigènes. Tout compte fait, les droits aborigènes renvoient aux droits de la personne. Il ne faut pas faire l'erreur de sous-estimer l'engagement pris par des hommes et des femmes envers ceux qui partagent leur identité et leur passé, car c'est là un engagement plus puissant que n'importe quelle idéologie.

Le règlement de leurs revendications doit offrir aux Autochtones tout un éventail de perspectives d'avenir. Dans certains cas, on doit accorder priorité aux activités locales d'exploitation des ressources renouvelables — non pas que ces activités soient universellement souhaitables, mais parce qu'elles sont pratiquées sur une échelle convenant à de nombreuses collectivités autochtones. Reliées à des valeurs traditionnelles, de telles activités peuvent être entreprises, gérées et dirigées à l'échelon local. L'expansion ne se définit pas exclusivement en terme de méga-projets à la technologie coûteuse. Par ailleurs, rien n'empêche que les Autochtones accèdent aussi à l'économie de la société dominante dont la technologie de pointe forme l'élément essentiel. Le règlement des revendications autochtones doit permettre aux peuples aborigènes de prospérer, à leur culture de se développer, par tous les moyens qu'on leur a refusés dans le passé. Peu importe que les Autochtones deviennent chasseurs, piégeurs, pêcheurs, avocats, bûcherons, médecins, infirmiers, enseignants, travailleurs dans l'industrie pétrolière ou gazière, dans les scieries ou dans le commerce. Ce qui importe, c'est que le tissu collectif de la vie autochtone en sera affirmé et renforcé. Le sens de son identité, le bien-être même de chaque Autochtone en dépend.

Les Autochtones ne cherchent pas à recréer un monde disparu. Ils veulent cependant trouver une place dans le monde que nous leur avons imposé. Nous avons conçu les traités, les réserves, la Loi sur les Indiens pour mieux administrer les peuples aborigènes à notre convenance. Ils veulent maintenant établir les institutions à leur manière; ils sont impatients de voir leur culture croître et adopter l'orientation qu'ils auront choisie. Ils ne souhaitent pas qu'on s'attendrisse sur leur sort; ni que leur culture, leurs collectivités et leur économie soient figées dans la cire pour le plaisir et l'édification d'autrui. Ils n'entendent pas retourner vivre sous la tente ou dans l'igloo. Comme nous, ils vivent au vingtième siècle, dans un monde où le progrès se définit par l'industrie et la technologie. Mais le fait que les peuples autochtones se servent de la technologie de la société dominante ne signifie pas qu'ils doivent ne fréquenter que des écoles anglophones ou francophones, n'apprendre que notre histoire, n'être gouvernés que par nos institutions.

Il faudra du temps aux Autochtones pour préciser leurs revendications, car celles-ci ne se limitent pas aux terres et aux ressources. Les nations aborigènes veulent obtenir un certain degré d'autonomie politique, et elles estiment que leurs revendications leur permettront d'atteindre ce but. Elles ont déjà entrepris de définir leurs droits en matière d'éducation, de santé et de services sociaux — droits qui importent autant aux Autochtones urbains que ruraux. Par exemple, les peuples aborigènes se plaignent qu'on parle à leurs enfants des rois et des reines d'Angleterre ou de ces braves colons qui ont établi la colonie de la Nouvelle-France sur les rives du Saint-Laurent. «Tout cela, disent-ils, c'est votre histoire, pas la nôtre.» Ils revendiquent des écoles où les enfants apprendront l'histoire, les langues, la tradition et les droits des Autochtones. Naturellement, ils veulent aussi que leurs enfants apprennent l'anglais ou le français, selon le cas, afin de comprendre l'histoire de nos antécédents européens et de l'expansion du Nouveau Monde; ils souhaitent que leurs enfants étudient les mathématiques, les sciences naturelles et tout ce que l'on doit savoir pour fonctionner dans la société dominante. Ces enfants doivent néanmoins pouvoir fréquenter des écoles où ils apprendront à la fois à se connaître et à nous connaître. Les Nishgas possèdent maintenant leur propre commission scolaire; c'est l'une des premières au Canada à servir une population où prédominent les Autochtones. En juin 1979, dix ans après le procès de leurs revendications territoriales devant la Cour suprême de Colombie britannique, l'école secondaire des Nishgas décerna ses premiers diplômes.

Si nous tentons, par le biais du règlement de leurs revendications, d'obliger les Autochtones à s'adapter à des moules de notre confection, tout le processus se soldera par un échec. Les organigrammes de la bureaucratie ne seront d'aucun secours; les programmes et la politique des gouvernements ne réussiront que s'ils tiennent compte de la détermination des Autochtones à demeurer eux-mêmes — Indiens, Inuit ou Métis. Voilà pourquoi les peuples aborigènes doivent posséder des institutions sociales, économiques et politiques distinctes. Ils doivent, en même temps, avoir accès aux institutions sociales, économiques et politiques de la société dominante. Dans l'élaboration de ces arrangements, il importe de bien comprendre ce dont on parle. Il ne s'agit pas de reproduire l'apartheid. Sous ce régime, les Noirs ont été confinés aux *bantustans*; ils ne peuvent ni vivre, ni voter, ni travailler en Afrique du Sud, sinon par tolérance. Ce que réclament les peuples autochtones du Canada, c'est le droit à leurs propres institutions, dans la mesure requise pour protéger leur culture et leur identité collective, en même temps que l'accès aux institutions de la société dominante. Notre politique ne sera celle de l'apartheid que si on leur refuse cet accès à nos institutions.

L'article 37 de la Constitution prévoit la tenue de conférences constitutionnelles, convoquées par le premier ministre du Canada, entre lui-même, les premiers ministres des provinces et les représentants des peuples autochtones du Canada. Cette disposition fournit désormais le moyen de clarifier les buts des peuples autochtones.

Le Canada s'est engagé à régler équitablement les revendications autochtones. Cela s'est produit parce que nos institutions fournissaient les moyens de réparer un tort et parce que notre tradition de tolérance exigeait réparation. Bien sûr, ce n'est qu'un début. Mais il offre au Canada l'occasion de contribuer à faire avancer les droits des peuples aborigènes du monde entier. Pierre Trudeau a dit:

> Le Canada pourrait devenir le siège envié d'une forme de fédéralisme qui appartient au monde de demain... Il pourrait servir d'exemple à tous ces nouveaux États asiatiques ou africains qui doivent découvrir comment gouverner leur population polyethnique en respectant la justice et la liberté... Le fédéralisme canadien est une expérience d'une grande importance; il pourrait devenir le brillant prototype servant de modèle à la civilisation de demain.

Affirmer que nos institutions puissent servir de modèle aux nouvelles nations d'Asie et d'Afrique est très bien. Mais pourquoi ne pas mentionner notre propre hémisphère? Il y a, en Amérique du Nord et du Sud, 50 millions d'Autochtones presque tous dépossédés, pauvres et impuissants. Autrefois, ils ont refusé de mourir; aujourd'hui, ils refusent de s'assimiler. Ils insistent pour que nous nous attaquions à une tâche qui nous attend depuis cinq cents ans, depuis l'arrivée de Colomb dans le Nouveau Monde. Comment pouvons-nous mettre au point une relation harmonieuse entre les sociétés dominantes établies par les Européens et les peuples aborigènes d'Amérique du Nord et du Sud? Au Canada, cela pourrait être accompli par le règlement équitable des revendications autochtones, un règlement qui importerait aux hommes et aux femmes de nombreux autres pays et deviendrait alors un véritable «prototype pour la civilisation de demain».

# *Conclusion: vers le régime de la tolérance*

# *Conclusion: vers le régime de la tolérance*

J'ai évoqué dans ces pages l'histoire de minorités et de dissidents. Il ne faut pourtant pas oublier que leur histoire nous concerne tous. D'une façon ou d'une autre, nous sommes tous conscients des limitations imposées à nos droits; mêmes superficielles, celles-ci peuvent nous paraître une contrainte. Mais qui dira s'il s'agit de limitations accessoires ou essentielles? Quand donc une restriction accessoire frappe-t-elle au cœur même de notre société démocratique? En matière de libertés civiles, toute atteinte est un coup au cœur. Comme l'a dit F.R. Scott: «Les droits d'un citoyen ne sauraient être plus étendus que ceux du groupe le moins protégé.»

Les confrontations entre, d'une part, les institutions étatiques et, d'autre part, les minorités et les dissidents révèlent la vraie nature de la démocratie canadienne. Elles ont montré la nécessité d'établir des garanties — plus solides que celles du passé — pour protéger les minorités et les droits des dissidents. La nouvelle Constitution et la Charte des droits et libertés offrent ces garanties. Mais aucune constitution ne peut résoudre de façon absolue les grandes questions de droits de la personne et de libertés fondamentales soulevées dans ces pages. Ceux qui ont soif de certitude seront déçus car, en un certain sens, ces questions ne sont jamais résolues; elles continueront de provoquer enquêtes, débats et controverses. À coup sûr, la compétence de nos institutions sera remise en question pour des motifs que l'on n'a pas encore envisagés; la contestation s'élèvera, parfois en termes menaçants ou consternants, au nom de causes à peine entrevues; on réclamera à grands cris des restrictions à l'application régulière de la loi; de nouvelles minorités revendiqueront leur dû; au pays comme à l'étranger, des conflits surgiront qui donneront lieu à de nouveaux appels à la répression des minorités pour motifs de différences raciales, religieuses, linguistiques ou culturelles. Il nous faudra alors nous rappeler que notre foi au libre échange des idées et notre volonté d'agir selon cette conviction représentent les fondements de notre force et de notre stabilité. La Constitution et la Charte viendront étayer ces fondements.

Je crois profondément en l'utilité des institutions démocratiques. Le gouvernement responsable, l'application régulière de la loi, le jugement par jury, la libre syndicalisation — voilà autant de moyens de diffuser le pouvoir économique et politique. Il me semble que toutes ces institutions seront renforcées par la Constitution et la Charte, qui offrent aux citoyens assaillis un nouveau champ constitutionnel où plaider et combattre, ainsi que le moyen d'obtenir l'aide de leurs concitoyens.

En soi, le débat constitutionnel a eu son utilité. Réfléchir sur la force et les faiblesses des institutions qui nous gouvernent est important, mais il importe encore plus de réfléchir sur ce qu'est le Canada. Pourquoi croyons-nous au Canada? Quels sont les faits saillants de notre histoire? Pourquoi ce pays vaut-il encore la peine d'être préservé? Nous voici dans la 115e année de la Confédération: vingt-quatre millions de Canadiens dispersés sur la toile de fond d'un paysage enneigé. Le Canada a survécu: pourquoi?

Certains pensent que l'utilisation de ses ressources naturelles représente l'accomplissement majeur du Canada. L'établissement des pêcheries, la traite des fourrures, le développement du commerce des céréales, l'érection d'un empire dans l'industrie forestière, et, à présent, l'exploitation, dans les régions lointaines, du pétrole, du gaz et des mines, voilà pour beaucoup le haut fait du Canada: la conquête du froid et de notre environnement terrestre et marin. Cette œuvre conjointe, dit-on, est le lien qui nous unit tous.

Serait-ce tout? Le Canada n'a-t-il pas apporté sa contribution intellectuelle à l'ordre juridique et politique? Une contribution émanant de la rencontre des Anglais et des Français d'Amérique du Nord, mais demeurant caractérisée par ce qu'elle a d'essentiellement canadien?

Nous sommes deux sociétés distinctes — deux peuples si vous voulez. On aurait tort de prétendre le contraire. Il reste que ces peuples sont mêlés l'un à l'autre, qu'ils ont choisi de faire route commune. Il y a parmi nous plus d'un million d'Autochtones revendiquant un certain degré d'autonomie. Il y a aussi des millions de Néo-Canadiens, immigrants de toutes ethnies, de toutes races, de toutes convictions religieuses et politiques. Ainsi la diversité est-elle en quelque sorte l'essence du fait canadien. La Constitution et la Charte reflètent cette diversité.

Certains ont prétendu que nous allions nous retrouver avec un salmigondis constitutionnel: ici, la protection des langues; là, des garanties aux peuples autochtones; ailleurs, l'affirmation du multiculturalisme. Quant à moi, j'y vois l'aboutissement logique de notre histoire, l'expression des forces vives de la nation. Nos deux langues, l'anglais et le français, témoignent des deux grandes civilisations européennes qui ont établi la Cité canadienne. Dans certaines provinces, ces deux langues sont officielles; pour toutes les provinces et tous les territoires, le droit à l'instruction dans la langue de la minorité est enchâssé dans la Constitution. Les peuples autochtones, qui ont précédé les Anglais et les Français au Canada, sont assurés d'une place distincte; leurs droits sont reconnus. Cependant, la désignation de deux langues officielles, l'enchâssement du droit à l'instruction dans la langue des minorités, la reconnaissance d'une place distincte pour les Autochtones, rien de cela ne doit empêcher les immigrants de se servir de leur propre langue et de perpétuer leurs coutumes si tel est leur choix personnel. Il est prévu que toute interprétation de la Charte doit concorder avec l'objectif de promouvoir le maintien et la valorisation du patrimoine multiculturel des Canadiens. De plus, la Charte stipule que la loi s'applique également à tous les Canadiens et que tous ont droit à la même protection de la loi, indépendamment des discriminations fondées sur la race, l'origine nationale ou ethnique, la couleur et la religion.

Peut-être le Canada trouvera-t-il les moyens qui permettront la cohabitation d'hommes et de femmes de races, de religions, de langues et de cultures différentes. Il s'est révélé impossible d'atteindre l'idéal de l'État-nation proposé par Woodrow Wilson. Même la France et la Grande-Bretagne sont maintenant aux prises avec les questions que soulève la présence des minorités. De même, si le Québec accédait à l'indépendance, il devrait aussitôt faire face aux questions qui préoccupent actuellement les Canadiens: les droits d'une importante minorité linguistique, les revendications des peuples autochtones et la place de nombreux groupes ethniques ou raciaux.

Un peuple fort nourrit la diversité et tolère la dissidence. La présence canadienne-française ne survivra peut-être pas dans les bastions anglophones, mais le Canada sera diminué s'il nie aux minorités francophones l'occasion non seulement de survivre mais de s'épanouir. On peut étouffer les voix de la dissidence au

Canada, mais le peuple qui s'emploiera à le faire sera un peuple craintif et irrésolu. Nous pouvons rejeter les revendications des Autochtones, mais ce faisant, nous renierons les vraies origines de notre peuple.

La Constitution et la Charte ne sont pas parfaites. Elles émanent d'un consensus atteint, en novembre 1981, par Ottawa et les gouvernements des neuf provinces anglophones; le Québec en a été exclu. Sous la direction du premier ministre René Lévesque, le gouvernement québécois — dédié à l'indépendance — aurait-il donné son accord à toute nouvelle Constitution ou Charte? On n'en sait rien, mais cela n'excuse pas les Canadiens anglophones de ne pas avoir insisté pour obtenir une Constitution et une Charte qui soient équitables pour le Québec.

On parle souvent des deux peuples fondateurs. Mais acceptons-nous vraiment cette idée? Reconnaissons-nous le principe de la dualité canadienne? Pour que ce principe prenne tout son sens, il faut garantir aux minorités francophones et anglophones le droit à des écoles où leurs enfants puissent recevoir l'instruction dans la langue des parents. Les Canadiens qui se déplacent de province en province devraient avoir le droit, lorsque le nombre le justifie, d'envoyer leurs enfants dans des écoles où l'instruction est donnée dans leur langue maternelle. Ces droits sont désormais enchâssés dans la Charte.

Néanmoins le Québec doit aussi disposer d'un droit de veto quant aux futures modifications de la Constitution, et ceci, pour une raison bien simple. L'anglais prédomine et sera toujours prédominant au Parlement du Canada. Ce dernier jouit d'un droit de veto en ce sens qu'aucune modification ne peut être adoptée sans son consentement. Par contre, le français prédomine et sera toujours prédominant à l'Assemblée nationale du Québec. C'est là le seul gouvernement à majorité francophone en Amérique du Nord. Du fait qu'il représente le cœur du Canada français, le Québec devrait aussi jouir du droit de veto. C'est essentiel si nous acceptons le principe de la dualité. La Constitution présentée en novembre 1981 par M. Trudeau aux premiers ministres des provinces prévoyait un droit de veto pour le Québec. En fait, elle accordait ce droit sur une base régionale, permettant ainsi au Québec d'opposer son veto, mais pas sur la base d'un statut particulier. Toutefois, la procédure de modification finalement retenue par les premiers ministres prévoit qu'aucune province ne doit jouir d'un droit de veto. Plutôt, on adoptera toute modification appuyée par sept provinces représentant cinquante pour cent de la population canadienne.

On réaffirme ainsi cette notion stérile qu'est l'égalité constitutionnelle des provinces. À mon avis, c'est là un échec de la politique canadienne, car le Québec n'est pas une province comme les autres. Accorder un droit de veto au Québec est un moyen de protéger non pas simplement les droits des provinces, mais bien ceux des *minorités*. Si le Québec ne possède pas ce droit, rien ne permet aux Canadiens français d'empêcher l'adoption de modifications constitutionnelles calculées pour diminuer leurs droits, que ce soit au Québec ou dans les autres provinces.

La question des droits autochtones va encore plus loin car la société dominante, qu'elle soit de langue et de culture anglaises ou françaises, empiète de tous côtés sur les droits de ces peuples. L'entente conclue en janvier 1981 par tous les partis à la Chambre prévoyait l'enchâssement des droits ancestraux et issus de traités; elle fut rejetée par les premiers ministres en novembre 1981. Personne ne s'attendait à ce qu'une constitution écrite par les provinces affirme les droits ancestraux et issus de traités. En Colombie britannique, par exemple, tous les gouvernements depuis la Confédération ont refusé de reconnaître ces droits.

Les peuples autochtones ont toujours considéré le gouvernement fédéral comme le défenseur de leurs intérêts. Lorsque celui-ci s'est joint aux provinces pour rejeter les droits aborigènes, non seulement les Autochtones, mais la plupart des Canadiens ont été scandalisés. Si la Charte et la Constitution allaient confirmer les droits des deux peuples fondateurs, comment pouvaient-elles omettre de reconnaître une place distincte aux peuples autochtones? On a prétendu que les droits aborigènes n'étaient pas définis. Il est vrai que la portée et l'étendue de ces droits restent à être négociées entre les peuples autochtones et nos gouvernements; dans certains cas, les tribunaux devront peut-être les déterminer. Malgré cela, le refus de reconnaître dans la Constitution que les peuples autochtones possèdent de tels droits — peu importe leur portée et leur étendue — aurait fait la honte de tous les Canadiens. En fait, le premier ministre du Canada et les premiers ministres des provinces ont rétabli les droits aborigènes dans la Constitution; ils y ont cependant apposé une condition en limitant les droits ancestraux et issus de traités aux droits «existants». Notons-le, aucune autre mesure constitutionnelle ne comporte une telle limitation.

Le droit de veto du Québec et la reconnaissance des droits autochtones, voilà bien des questions de justice fondamentale. Elles sont le fondement de la notion canadienne de démocratie pluraliste. Si nous ne réussissons pas à reconnaître les droits des peuples fondateurs et ceux des peuples aborigènes du Canada, nous mettons en danger les droits de toutes nos minorités culturelles et ethniques.

Quels changements la Constitution opérera-t-elle dans le partage des pouvoirs entre le gouvernement central et celui des provinces? Le gouvernement fédéral demeurera notre gouvernement national. Qu'en est-il des provinces? Elles ont aujourd'hui beaucoup de pouvoir. Certaines d'entre elles possèdent des revenus et des ressources énormes, et la Constitution ne changera rien à cela. En fait, elle augmentera leur pouvoir en regard du revenu et des ressources, une mesure qui avantagera les provinces riches en ressources. Par ailleurs, la péréquation — principe suivant lequel les provinces moins bien dotées sont soutenues par le partage des revenus générés dans les provinces riches — est enchâssée dans la Constitution. Chaque province dispose donc des outils juridiques requis pour l'exécution de la volonté politique de sa population; cela ne fait pour moi aucun doute.

Néanmoins, la Constitution imposera certaines limitations aux pouvoirs des provinces, comme à ceux du gouvernement fédéral, pour ce qui concerne par exemple les droits linguistiques et les libertés fondamentales. C'est ici que convergent les vues des opposants à la Charte, au Québec et dans provinces de l'Ouest. Ils rejettent l'idée d'enchâsser les droits linguistiques; ils soutiennent aussi que les provinces sont à bon droit les gardiennes des libertés fondamentales. Les implications de cette position me paraissent élémentaires. Si nous ne pouvons nous entendre sur l'enchâssement des droits des Francophones des provinces anglaises et de ceux des Anglophones du Québec, il me semble alors n'y avoir aucune communauté de vues sur les valeurs qui devraient soutenir le fédéralisme canadien. Il en va de même des libertés fondamentales. Si chaque Canadien ne peut jouir de la liberté de conscience, de parole, de religion, d'association et de réunion en tant qu'attributs indispensables du citoyen, si le contrat social entre les citoyens et l'État fédéral auquel ils doivent allégeance ne comporte pas de dispositions expresses pour la sauvegarde, dans tout le Canada, des libertés fondamentales, des libertés également applicables à tous les citoyens dans toutes les provinces, pourquoi alors rester ensemble?

Quel lien, quelles valeurs communes nous retiennent donc ensemble?

De toute évidence, l'enchâssement des droits des minorités limitera les pouvoirs du Parlement et des provinces. C'est là toute la question. Ces droits sont ceux des *minorités*; ils ne devraient jamais être assujettis à la volonté de la majorité. Le recours à la Loi sur les mesures de guerre pendant les deux guerres mondiales pour réprimer la dissidence politique et religieuse; le recours à cette loi en temps de paix pour bannir les Canadiens d'origine japonaise en 1946, et pour restreindre l'application régulière de la loi en 1970; l'extension des pouvoirs policiers pour harceler des Canadiens et en espionner des milliers — voilà qui illustre les abus du pouvoir législatif du fédéral en regard des droits de la personne et des libertés fondamentales. Qu'on me comprenne bien: j'en suis convaincu, défendre les droits provinciaux et préserver la diversité (ou permettre la dissidence) sont notions qui ne se recouvrent pas. Nous avons trop souvent vu une province ou une autre réclamer avec insistance que les citoyens se conforment à une quelconque orthodoxie. Dans les années 1890, c'est le Manitoba qui déposséda les Canadiens français de leurs écoles. En 1912, c'est l'Ontario qui adopta le Règlement 17 pour limiter l'emploi du français dans les écoles séparées franco-ontariennes. Vers la fin des années 1930, c'est l'Alberta qui adopta une loi limitant la liberté de presse. Dans les années 1940, lorsque les Canadiens d'origine japonaise furent d'abord expulsés de leurs foyers sur la côte du Pacifique, puis internés, la Colombie britannique, loin de tenter de protéger ses citoyens, mena l'attaque contre eux. C'est l'Alberta qui adopta une loi visant à restreindre la vente de terres aux huttérites en 1944 (notons toutefois que la province abrogea cette loi en 1972). En 1969, lorsque le gouvernement fédéral se proposait de couper le lien constitutionnel entre Ottawa et les peuples autochtones, il découvrit que ces derniers ne souhaitaient nullement être assujettis à la compétence exclusive des provinces. Ainsi les peuples autochtones du Nord s'opposèrent-ils à ce que le Yukon et les Territoires du Nord-Ouest obtiennent le statut de province. En 1970, lorsque le gouvernement fédéral invoqua la Loi sur les mesures de guerre, ce furent les autorités provinciales du Québec qui s'empressèrent de mettre sous les verrous des centaines de citoyens québécois sous prétexte de dissidence politique. Dans la décennie suivante, c'est encore le Québec qui tenta de nier aux Canadiens anglophones migrant dans la province le droit de faire instruire leurs enfants dans leur langue.

Nombreux sont ceux qui soutiennent que l'enchâssement des droits de la personne et des libertés fondamentales place celles-ci hors de l'atteinte du Parlement et des provinces et, ce faisant, diminuera les pouvoirs des représentants élus mais augmentera ceux des tribunaux. Bien entendu, exception faite de la clause dérogatoire, c'est précisément ce qui se produira. Dans un État fédéral, les tribunaux interprètent les dispositions de la Constitution qui établissent le partage du pouvoir législatif. Pourquoi ne devraient-ils pas assumer aussi la tâche d'interpréter la nature et la portée des droits qui appartiennent à l'ensemble du peuple et qui demeurent hors de l'atteinte de l'autorité législative? Les juges ne sont peut-être pas toujours plus sages que les hommes politiques, mais ils devraient être mieux en mesure de tenir bon contre les vents de colère qui soufflent dans les rues.

Les Canadiens sont les héritiers de deux grandes civilisations européennes. L'Angleterre nous a légué les institutions parlementaires et la règle de droit. La France nous a transmis les idéaux égalitaires et notre conception des droits de la personne. Ne pouvons-nous pas asseoir sur ces fondations un régime de liberté qui protège les droits des dissidents et la place des minorités?

Ces années à récrire la Constitution devraient nous permettre de nous mieux connaître, de découvrir qui nous sommes et pourrions devenir, de voir clairement la richesse de la diversité et de la dissidence. Voici le sens de l'aventure canadienne: des peuples différents doivent vivre et travailler ensemble, doivent apprendre à considérer la diversité non pas avec suspicion mais plutôt comme un motif de réjouissance — en somme, réaliser dans la vie de la nation le régime de la tolérance cher à Laurier.

# *Notes*

J'ai passé une bonne partie de ma vie professionnelle à examiner la question de la dissidence et des droits de la personne. Lorsque j'entrepris d'écrire sur le sujet, dans le contexte historique, culturel et juridique du Canada, j'ai eu la chance de pouvoir puiser aux sources que constituent les travaux des historiens canadiens. En plus de consulter les grands auteurs tels Arthur Lower, Donald Creighton et Harold Innis, je me suis aussi référé à la génération d'historiens contemporains dont les recherches approfondies nous apprennent beaucoup sur chaque aspect de l'aventure canadienne.

La plupart de ces historiens ont parcouru les grandes avenues de l'histoire canadienne. Il nous ont appris qui nous étions et comment nous avions acquis notre identité. Mon propre voyage m'a mené de Port-Royal à la vallée de la Nass; figurent dans mon récit des gens que nous avions oubliés, y sont abordées des questions dont nous nous étions désintéressés. Bien sûr, le compte n'y est pas. Je ne traite pas des fermiers anglophones protestants qui, au tournant du siècle, ont été expulsés des Cantons de l'Est, au Québec. Je ne parle pas non plus de la mise en vigueur par Robert Borden de la Loi des élections en temps de guerre (1917); fondée sur la discrimination ethnique, cette loi privait du droit de vote les immigrants d'Europe centrale et de l'Est naturalisés au Canada. J'ai consacré un chapitre aux Témoins de Jéhovah, mais pas aux mennonites, aux huttérites et aux Doukhobors. Je n'ai pas discuté de la loi adoptée en Alberta à la fin des années 1930 pour limiter la liberté de presse, ni de la lutte qu'a menée Thérèse Casgrain pour le droit de vote des femmes au Québec. Si j'avais essayé de tout dire, mon ouvrage aurait été beaucoup plus volumineux.

Le lecteur qui s'intéresse aux droits de la personne et aux libertés fondamentales au Canada découvre bientôt que F.R. Scott et Pierre Trudeau ont exploré en long et en large ce territoire. Je me suis permis de citer leurs écrits, car la profondeur de leurs réflexions sur les droits de la personne et les conflits entre cultures reste inégalée. La vie et l'œuvre de Scott furent commémorées quelque temps après sa mort. Son ouvrage *Essays on the Constitution: Aspects of Canadian Law and Politics* (University of Toronto Press, 1977) témoigne remarquablement de la vision qu'il a toujours entretenue d'un Canada illustrant la tolérance et la justice sociale. Avant son entrée en politique, Pierre Trudeau a beaucoup écrit sur les rapports entre les deux peuples fondateurs du Canada et, plus précisément, sur la politique linguistique et les libertés civiles. Nombre de ses essais ont été regroupés dans *Le fédéralisme et la société canadienne-française* (Montréal, Éditions HMH, 1967); c'est dans cet ouvrage que Trudeau met au point sa conception du Canada, qui le guidera tout au long de sa carrière politique.

Je n'ai pas voulu donner une signification univoque à des mots tels que «nation», «société» et «peuple». Je crois que dans chaque cas le sens que je leur attribue est clair.

L'ouvrage d'André Siegfried qui traite des rapports entre Anglais et Français s'intitule *Le Canada. Les deux races. Problèmes politiques contemporains* (Paris, Colin, 1907). En 1907, l'emploi du mot «race» était courant. Aujourd'hui, la question devrait être discutée en termes de langue et de culture. Dans les chapitres II et VIII, j'ai employé l'expression «les Blancs» pour parler de la société et de la culture dominantes au Canada, qui, si elles ne sont pas toujours «blanches», sont considérées comme telles par les Autochtones. De toute façon, cet usage laisse au mot «ethnique» une signification plus précise (qui se confond à l'occasion avec le mot «race»).

Il serait impossible d'énumérer tous les ouvrages que j'ai consultés pour retracer l'évolution des idées sur les droits de la personne et sur la dissidence au Canada. Loin d'en faire la liste complète, je me contenterai de mentionner ici certains de ceux qui m'ont été particulièrement utiles. Presque toutes les citations proviennent du *Hansard*, d'autres documents officiels ou de manuels connus. Dans le cas de citations moins facilement accessibles, la référence est indiquée dans les notes qui suivent. Les références sont également précisées dans le cas des jugements. La résolution du gouvernement fédéral de rapatrier la Constitution et d'y enchâsser la Charte des droits et des libertés a fait l'objet d'un jugement, rendu le 28 septembre 1981, par la Cour suprême du Canada.

*Chapitre I: L'expulsion et le retour des Acadiens*

Le meilleur précis d'histoire des Acadiens disponible en langue anglaise est celui de la professeure Naomi Griffiths, *The Acadians: Creation of a People* (McGraw-Hill Ryerson Limited, 1973). Les chiffres cités sur la population acadienne proviennent des estimations soigneusement établies par Mme Griffiths. Les estimations sur la population d'Acadie, au moment de l'expulsion, s'échelonnent de 7 000 à 18 000 personnes; elles varient de 6 000 à 10 000 quant au nombre de déportés. Dans *The Acadian Deportation: Deliberate Perfidy or Cruel Necessity* (Copp Clark Ltd, 1969), la professeure Griffiths a rassemblé de nombreux documents sur la déportation, ainsi que les vues de divers auteurs et historiens.

Marcel Trudel rend compte en détail des débuts de la colonisation française en Amérique du Nord dans *Histoire de la Nouvelle-France* (3 vol., Montréal, Fides, 1963). Carl O. Sauer fournit une bonne description de la vie des premiers colons français à Port-Royal dans l'ouvrage *Seventeenth Century North America* (Turtle Island, Berkeley, 1980). L'ouvrage le plus généralement consulté sur l'Acadie est celui de John Bartlett Brebner, *New England's Outpost: Acadia Before the Conquest of Canada* (Meridian Books, The World Publishing Company, 1927). On trouvera un exposé des plus utiles sur l'agriculture en Acadie dans l'ouvrage de géographie historique de R. Cole Harris et John Warkentin, *Canada Before Confederation* (Oxford University Press, 1974).

J'ai tenté d'écrire sur l'Acadie sans m'empêtrer dans l'imbroglio de la rivalité qui opposa Charles d'Aulnay et Charles de la Tour, dans les années 1730 et 1740. C'est un récit fascinant, mais étranger à mon propos. Je suis peut-être injuste envers de la Tour, que l'on a surnommé le père de l'Acadie. Par ailleurs, mon compte rendu de l'histoire acadienne est sans doute le premier à ne pas mentionner l'*Évangéline* de Longfellow.

Le *Rapport de la Commission royale d'enquête sur le bilinguisme et le biculturalisme*, Livre II, «L'Éducation» (Ottawa, Imprimeur de la Reine, 1968) raconte en détail l'histoire des écoles confessionnelles des provinces maritimes. Le jugement de la Cour suprême du Nouveau-Brunswick dans l'affaire *Ex parte Renaud* est reproduit à (1873) 14 N.B.R. 273. Le Conseil privé a approuvé l'arrêt *Ex parte Renaud* dans l'affaire *Maher vs. Town of Portland* (1874) 2 Cart. 486.

La communication du professeur Alfred G. Bailey lue devant le *Humanities Research Council of Canada* est reprise dans A. Rawlyk, réd., *Historical Essays on the Atlantic Provinces* (McClelland and Stewart Limited, coll. «The Carleton Library», 1967). Je pense que les vues du professeur Bailey peuvent représenter l'opinion des Anglais de l'époque.

En vertu de la Charte des droits et libertés, le droit des citoyens à faire instruire leurs enfants dans la langue de la minorité s'exerce seulement là où le nombre des enfants «est suffisant pour justifier à leur endroit la prestation, sur les fonds publics, de l'instruction dans la langue de la minorité». Que cet enseignement soit dispensé dans les écoles de la minorité linguistique plutôt que dans les classes des écoles de la majorité, reposera sur l'interprétation qui sera donnée à l'expression «établissements d'enseignement de la minorité linguistique». Ces questions sont abordées dans le chapitre III.

*Chapitre II: Louis Riel et la nouvelle Nation*

On a écrit sur Louis Riel plus de livres que sur toute autre figure historique canadienne. L'ouvrage classique est la biographie signée par G.F.G. Stanley, *Louis Riel* (Ryerson Press, 1963). Le même auteur traite des deux soulèvements menés par Riel dans *The Birth of Western Canada* (publié en 1936, réimprimé en 1961 par University of Toronto Press). Dans cet ouvrage, Stanley soutient que les rébellions ne doivent pas être considérées comme étant au premier chef un affrontement entre les Anglophones protestants et les Francophones catholiques; il prétend qu'elles sont plutôt la réaction des Métis à l'arrivée au Manitoba et en Saskatchewan de la culture blanche (colonisation, agriculture, commerce et industrie). Comme le fait aussi le professeur W.L. Morton dans *Manitoba: A History* (University of Toronto Press, 1957, 2e édition, 1967), Stanley présente les Métis comme les dupes des *Nor'Westers* pendant la guerre du pemmican. L'essai, intitulé «The Bias of Prairie Politics», dans lequel Morton avance que les Métis furent les précurseurs des mouvements de contestation des Prairies a été publié par Donald Swainson, réd., dans *Historical Essays on the Prairie Provinces* (McClelland and Stewart Limited, coll. «The Carleton Library», 1970).

*The West and the Nation, Essays in Honour of W.L. Morton*, dont Carl Berger et Ramsay Cook ont dirigé la publication (McClelland and Stewart Limited, 1976), comporte d'excellents essais, notamment «The Anglican Church and the Disintegration of Red River Society, 1818-1870» de Frits Pannekoek et «French Québec and the Métis Question, 1869-1885» de Arthur Silver. Dans *Promise of Eden, The Canadian Expansion Movement and the Idea of the West 1856-1900* (University of Toronto Press, 1980), Doug Owram montre comment les Ontariens, qui ne voyaient dans l'Ouest qu'un désert subarctique, en sont venus à le considérer comme une terre propice à la colonisation sur une grande échelle.

Desmond Morton, dans son introduction à *The Queen vs. Louis Riel* (University of Toronto Press, 1974), examine d'un œil favorable la décision de Macdonald de permettre qu'on pende Riel; l'exposé est utile par contraste avec l'opinion la plus répandue. George Woodcock examine la relation entre Riel et Dumont dans *Gabriel Dumont, The Métis Chief and His Lost World* (Hurtig, 1975).

Joe Sawchuck a écrit une excellente plaquette, *The Metis of Manitoba* (Peter Martin Associates, 1978), sur l'émergence de la nouvelle Nation et ses manifestations à notre époque. *Native Rights in Canada* du professeur Peter Cumming et de Neil Mickenberg (2e édition, General Publishing, 1972) contient un très bon exposé sur l'histoire des revendications des Métis et sur la politique du gouvernement fédéral à leur égard. Le même sujet est très bien traité dans un chapitre de *Native People and the Constitution of Canada* de H.W. Daniels (Mutual Press, 1981), le rapport de la Commission de révision constitutionnelle sur les Métis et Indiens non inscrits. Je n'ai pas tenté d'indiquer la forme que pourrait prendre le règlement des revendications des Métis. L'avenir nous le dira. J'ai plutôt essayé d'examiner la question de la reconnaissance, dans la Constitution, des Métis à titre de peuple autochtone.

*Chapitre III: Laurier et les écoles séparées*

L'épigraphe et l'avant-dernière citation du chapitre proviennent toutes deux de *Les héritiers de Lord Durham* (Ottawa, Fédération des Francophones hors Québec, 1977). Dans ce manifeste, les Canadiens français hors Québec exposent leur situation actuelle.

L'ouvrage de O.D. Skelton, *Life and Letters of Sir Wilfrid Laurier* (2 volumes, McClelland and Stewart Limited, coll. «The Carleton Library», 1965) traite abondamment de la carrière de Laurier et de la crise des écoles au Manitoba et en Ontario. John W. Dafoe a bien résumé la carrière de Laurier dans *Laurier, A Study in Canadian Politics* (Thomas Allen & Son Ltd, 1922, réimprimé en 1963 dans la collection «The Carleton Library», McClelland and Stewart Limited). Le *Laurier* de Joseph Schull (traduit par Hélène-J. Gagnon, Montréal, Éditions HMH, 1968) comporte quelques bons chapitres sur la question des écoles. Le lecteur verra aussi à ce sujet le livre du professeur Blair Neatby, *Laurier and a Liberal Québec* (McClelland and Stewart Limited, 1973). L'ouvrage qui au Canada anglais a fait autorité sur la question des

Canadiens français est celui de Mason Wade, *Les Canadiens français de 1760 à nos jours* (traduit par Adrien Venne, Ottawa, Cercle du livre de France, 1963).

Le *Rapport de la Commission royale d'enquête sur le bilinguisme et le biculturalisme*, Livre II, «L'éducation», (Ottawa, Imprimeur de la Reine, 1968) contient un excellent exposé historique de l'éducation en français dans les provinces anglophones. Dans *Civil Liberties in Canada* (Oxford University Press, 1964), le professeur D.A. Schmeiser traite longuement de l'histoire des conflits juridiques reliés à l'enseignement confessionnel au Canada. Voir en particulier le chapitre IV, «Denominational Education».

Par ailleurs, la crise des écoles du Manitoba est traitée dans l'ouvrage de W.L. Morton, *History of Manitoba* (University of Toronto Press, 1966). Elle fait l'objet d'une longue discussion dans *Priests and Politicians, Manitoba Schools and the Election of 1896* de Paul Crunican (University of Toronto Press, 1973). Dans le chapitre IX de cet essai, Crunican a tenté d'évaluer la portée réelle de la participation du clergé à l'élection de 1896. *Manitoba, Schools and Politics* (University of Toronto Press, 1969) est un excellent recueil d'essais réunis par Craig R. Brown sur la crise des écoles au Manitoba, dans l'Ouest et en Ontario. Y figurent des textes de D.G. Creighton, W.L. Morton, Ramsay Cook, Manoly R. Lupul, Marilyn Barber et Margaret Prang.

*Barrett vs. City of Winnipeg* est reproduit dans (1892) 19 S.C.R. 374 (Cour suprême du Canada) et dans (1892) A.C. 445 (Conseil privé). *Brophy vs. Attorney-General of Manitoba* est reproduit dans (1893) 22 S.C.R. 577 (Cour suprême du Canada) et dans (1895) A.C. 202 (Conseil privé). Je n'ai pas traité en profondeur des arguments juridiques complexes sur l'interprétation de l'article 22 de la Loi de 1870 sur le Manitoba qui rendent compte du revirement du Conseil privé dans l'affaire *Brophy vs. A.G. of Man.* Schmeiser l'a fait dans *Civil Liberties in Canada*, pp. 163-164. Les jugements des tribunaux dans l'affaire *Ottawa Separate School Trustees vs. Mackell* sont reproduits dans 32 D.L.R. 245 (Ontario High Court); 24 D.L.R. 475 (Ontario Court of Appeal) 32; (1917) A.C. 62 (Conseil privé); voir aussi *Procureur général du Manitoba c. Forest* (1979) 2 R.C.S. 1032.

*Chapitre IV: Les Canadiens bannis: Mackenzie King et les Canadiens d'origine japonaise*

Le livre de Ken Adachi, *The Enemy That Never Was: A History of the Japanese Canadians* (McClelland and Stewart Limited, 1976) est l'ouvrage le plus complet et le plus consulté sur l'histoire des Canadiens d'origine japonaise. Comme complément à l'ouvrage d'Adachi, on trouvera utile de lire le recueil d'interviews de Barry Broadfoot, *Years of Sorrow, Years of Shame: The Japanese Canadians in World War II* (Doubleday Canada Limited, 1977). Les Canadiens d'origine japonaise ont eux-mêmes donné un récit touchant et très bien illustré de leur expérience, intitulé *The Japanese-Canadians, A Dream of Riches, 1877-1977*, Vancouver, Japanese-Canadians Centennial Committee, 1978.

La première étude produite sur le sujet est celle de F.E. La Violette, *The Canadian Japanese in World War Two* (Toronto, Canadian Institute of International Affairs, 1948). Le professeur W. Peter Ward a analysé avec beaucoup d'érudition la nature, l'origine et la persistance du sentiment anti-asiatique en Colombie britannique dans *White Canada Forever* (McGill-Queen's University Press, 1978). L'essai comporte un exposé détaillé sur les mesures prises contre les Canadiens d'origine japonaise en Colombie britannique. L'auteur a développé le sujet dans «Class and Race in the Social Structure of British Columbia, 1870-1939» (*British Columbia Studies*, n° 45, Spring, 1980). Le professeur H.F. Angus a écrit sur la discrimination à l'endroit des Orientaux en Colombie britannique dans (1931) IX *Canadian Bar Review* 5 et (1942) IX *Canadian Journal of Economics and Political Science* 506. Voir aussi à ce sujet Patricia E. Roy, «The Oriental Menace in British Columbia» dans *Historical Essays on British Columbia*, réd. J. Friesen et H.K. Ralston (McClelland and Stewart Limited, 1976).

Préparé par trois hauts fonctionnaires en décembre 1940, *The Report of the Special Committee on Orientals in British Columbia* signale que le principal danger auquel s'exposent les Canadiens japonais, en particulier ceux qui pourraient s'enrôler, réside dans l'attitude hostile des Blancs à leur égard. Le Comité recommande donc que les Canadiens d'origine japonaise ne soient pas recrutés pour le service militaire. Cela ne justifie cependant ni l'évacuation ni l'internement.

L'histoire des Américains d'origine japonaise est bien résumée dans l'ouvrage de Frank F. Chuman, *The Bamboo People:*

*The Law and Japanese Americans* (Del Mar [California] Publisher's Inc. 1976).

Le jugement de la Cour suprême de Colombie britannique (*en banc*) dans l'affaire *Cunningham vs. Tomey Homma* est reproduit dans (1899-1900) 7 B.C.R. 36, et le jugement du Conseil privé dans la même affaire est rapporté dans (1903) A.C. 151. Le jugement de la Cour suprême du Canada dans *Reference re Deportation of the Japanese Canadians* se trouve dans (1946) S.C.R. 248, et celui du Conseil privé dans (1947) A.C. 87. En traitant du litige, j'ai fait référence à la question de la déportation comme relevant des pouvoirs du gouvernement du Canada sur les citoyens canadiens. À l'époque, les Canadiens étaient en fait sujets britanniques, puisque la Loi sur la citoyenneté canadienne n'a été adoptée qu'en 1950. Mon intention était d'éviter la confusion.

En 1947, une Commission d'enquête sous la direction du juge R.I. Bird de la Cour suprême de Colombie britannique fut chargée d'examiner les revendications des Canadiens japonais concernant les pertes financières qu'ils avaient subies. On découvrit que des propriétés avaient été vendues au-dessous de la valeur du marché et on recommanda des paiements supplémentaires. Les Canadiens d'origine japonaise reçurent donc 1 222 929 $ de plus. Toutefois, nombre d'entre eux découvrirent qu'ils n'étaient pas admissibles à la compensation, tandis que d'autres choisirent de ne pas présenter de réclamations à la Commission en raison de son mandat limité. Aujourd'hui, les Canadiens japonais ne considèrent pas les recommandations de la Commission et la compensation limitée qui en résulta comme un règlement de la question. Ils suggèrent que le gouvernement verse une indemnité aux individus internés pendant la guerre et que le gouvernement subventionne une œuvre consacrée à la protection et à la mise en valeur de leur culture et de leur histoire.

Dans ce chapitre, j'ai fait référence aux difficultés que peuvent créer des lois pour réprimer la propagande haineuse. En 1969, le Canada a modifié le Code criminel afin de proscrire la propagande haineuse, à la suite des recommandations du Comité spécial sur la propagande haineuse, créé en 1966 et présidé par le professeur Maxwell Cohen. Ces modifications prévoient un emprisonnement de cinq ans pour quiconque préconise le génocide contre un groupe identifiable, c'est-à-dire la destruction de tout groupe qui se distingue des autres par la couleur, la race, la religion ou l'origine ethnique. On n'a jamais intenté de poursuites sous ce chef d'accusation. D'autres dispositions proscrivent aussi l'incitation à la haine contre un groupe identifiable, lorsqu'une telle incitation est susceptible d'entraîner la violation de la paix. Commet aussi une infraction quiconque fomente la haine contre un tel groupe. Ces dernières dispositions n'ont donné lieu qu'à une seule poursuite. Le chef d'accusation était d'avoir fomenté la haine contre des Canadiens français du comté d'Essex. Le verdict de culpabilité en première instance fut renversé en appel; voir *R.V. Buzzanga and Durocher* (1979) 49 C. C. C. 2d 369 (C.A. Ont.). L'affaire est étrange et nous éclaire peu sur l'utilité de la loi parce que la propagande en question était diffusée par deux jeunes Canadiens français en vue de promouvoir le militantisme dans leur propre groupe. Il existe aussi des dispositions prévoyant la confiscation de la propagande haineuse mais elles n'ont jamais été invoquées. Certaines provinces ont mis en vigueur ou envisagent d'adopter des lois semblables. La Colombie britannique, par exemple, a légiféré sur le sujet à la suite du rapport fourni au gouvernement provincial par John D. McAlpine, c.r. : *Report Arising out of the Activities of the Ku Klux Klan in British Columbia* (Victoria, Queen's Printer, 1981). Il est encore trop tôt pour tirer des conclusions sur l'efficacité des lois adoptées en Colombie britannique et en Saskatchewan.

*Chapitre V: Le parti communiste et les limites de la dissidence*

L'histoire du parti communiste écrite par le professeur Ivan Avakumovic fait autorité: *The Communist Party in Canada* (McClelland and Stewart Limited, 1975).

Les mémoires de Tim Buck ont été publiés après sa mort sous le titre *Yours in the Struggle: Reminiscences of Tim Buck*, Bill Bleeching et Phyllis Clarke, réd. (NC Press, 1977). Buck a écrit *Canada and the Russian Revolution* (Progress Books, 1967). Oscar Ryan a publié une biographie flatteuse intitulée *Tim Buck: A Conscience for Canada* (Progress Books, 1975). Tous ces ouvrages traitent du travail du parti communiste au Canada du point de vue communiste.

Dans *Fools and Wise Men, The Rise and Fall of One Big Union* (McGraw-Hill Ryerson Limited, 1978), David J. Bercuson présente un excellent exposé sur la *One Big Union* et sur la Conférence des syndicats de l'Ouest tenue à Calgary en 1919. Le compte rendu le plus fréquemment consulté sur la grève de Winnipeg est celui de D.C. Masters, *The Winnipeg General Strike* (University of

Toronto Press, 1973). Dans *Dangerous Foreigners, European Immigrant Workers and Labour Radicalism in Canada, 1896-1932* (McClelland and Stewart Limited, 1979), le professeur Donald Avery nous renseigne sur ce qu'était le parti communiste dans les années 1920: un mouvement de contestation sociale et politique pour les travailleurs qui ne parlaient pas anglais, surtout ceux des provinces de l'Ouest.

Deux excellents ouvrages traitent du rôle des communistes dans le mouvement ouvrier au Canada; ce sont *Canadian Labour in Politics* de Gad Horowitz (University of Toronto Press, 1968) et *Nationalism, Communism, and Canadian Labour* de Irving M. Abella (University of Toronto Press, 1973). Abella a documenté la contribution du parti communiste à l'établissement des syndicats industriels dans les années 1930 et 1940. L'histoire du parti communiste et du mouvement ouvrier en Colombie britannique est décrite par Paul Phillips dans *No Power Greater* (Vancouver, Boag Foundation, 1967); voir en particulier le chapitre IX.

Un certain nombre de travaux qui font autorité ont affirmé qu'un ou des membres du cabinet de King ont rencontré des représentants du LLP pour coordonner la stratégie électorale; voir notamment Avakumovic, p. 161. La déclaration de Robin Bourne a paru dans *The Globe and Mail*, le 24 juin 1981.

L'affaire *R. vs. Buck* est reproduite dans (1932) 57 Can. C.C. 290 (C.A. Ont.). La cause *Smith and Rhulands Ltd vs. The Queen* est reproduite dans (1953) 2 S.C.R. 95. La décision des *Benchers* dans l'affaire *Martin vs. Law Society of B.C.* se trouve dans (1949) 1 D.L.R. 105, et celle de la Cour d'appel de Colombie britannique dans (1950) 3 D.L.R. 173. L'affaire *Switzman vs. Elbling*, dite de la Loi du Cadenas, est rapportée dans (1957) S.C.R. 285. Je n'ai pas oublié que ce sont le juge en chef Lyman Duff et le juge Cannon qui ont d'abord avancé, dans *Reference re Alberta Legislation* (1938) S.C.R. 100, la notion voulant que la liberté d'expression ait été enchâssée dans l'A.A.N.B. en concomitance avec les institutions parlementaires. Le juge Rand a cependant donné à cette notion une expression unique et puissante dans la série de jugements auxquels renvoient les chapitres V et VI. Le professeur McWhinney a décrit le juge Rand comme un philosophe du droit dans *Judicial Review in the English-Speaking World*, (University of Toronto Press, 2e édition, 1960, p. 216).

*Chapitre VI: Les Témoins de Jéhovah: l'Église, l'État et la dissidence religieuse*

Le professeur M.J. Penton, de l'Université de Lethbridge, a écrit l'histoire la plus complète des Témoins de Jéhovah, dont il fait partie: *Jehovah's Witnesses in Canada: Champions of Freedom of Speech and Religion* (Macmillan of Canada, 1976). Je me suis basé sur ses récits pour ce qui concerne le traitement infligé aux Témoins pendant la Première et la Seconde Guerre mondiale, ainsi que leurs conflits avec la Commission de la radio entre les deux guerres. La critique que le professeur Tarnopolsky a faite de l'ouvrage de Penton est parue dans (1978), 59 *Canadian Historical Review*, 259.

Pierre Trudeau dans *Le fédéralisme et la société canadienne-française* et André Laurendeau dans *Ces choses qui nous arrivent* (Montréal, Éditions HMH, 1970) ont traité des grands problèmes qui préoccupaient les intellectuels du Québec sous le règne de Duplessis.

Dans *Développement et modernisation du Québec* (Montréal, Boréal Express, 1983), Kenneth McRoberts et Dale Posgate passent en revue les origines de la révolution tranquille et l'importance des changements qu'elle a causés. *La question du Québec* de Marcel Rioux (Montréal, Parti pris, édition augmentée, 1977) est un excellent précis d'histoire du Québec écrit par un *indépendantiste*[1]. Voir aussi *Le développement des idéologies au Québec: des origines à nos jours* de Denis Monière (Montréal, Éditions Québec-Amérique, 1977).

La cause *Boucher vs. The King* est reproduite dans (1951) S.C.R. 265. On trouvera l'affaire *Saumur vs. Québec* dans (1953) 2 S.C.R. 299, (1953) 4 D.L.R. 641. L'affaire *Procureur général c. Dupond* est reproduite dans (1978) 2 R.C.S. 770, et l'affaire *Roncarelli vs. Duplessis* dans (1959) S.C.R. 121. J'ai déjà traité de l'affaire *Dupond* dans (1980) 1 Supreme Court L.R. 503.

1. En français dans le texte.

*Chapitre VII: Démocratie et terreur: octobre 1970*

William Kilbourn a emprunté à une expression de Northrop Frye le titre de son anthologie *Canada: A Guide to the Peaceable Kingdom* (Macmillan of Canada, 1970). L'ouvrage est paru peu de temps avant la crise d'octobre.

Le professeur Denis Smith a critiqué la façon dont le gouvernement fédéral a agi pendant la crise d'octobre, dans *Bleeding Hearts, Bleeding Country: Canada and the Québec Crisis* (Hurtig, 1971). Qu'il s'agisse du recours à la Loi sur les mesures de guerre ou de l'intransigeance du gouvernement devant les exigences des ravisseurs, le professeur Smith juge sévèrement la conduite de Trudeau. En particulier, l'ouvrage comporte une excellente analyse des visées politiques du FLQ. On trouvera dans *Rumours of War* (James Lorimer & Company, 1971) de Aubrey Golden et Ron Haggart un compte rendu détaillé des événements de la crise. Défenseurs des libertés civiles, les auteurs ont conçu leur livre de façon à mettre en relief les questions que la crise a soulevées en regard des droits de la personne. La deuxième édition, publiée en 1978, comporte une introduction pénétrante de Robert Stanfield. Les chroniques écrites par James Eayrs pendant la crise sont reproduites dans *Greenpeace and Her Enemies* (House of Anansi, 1973). Un certain nombre d'articles sur les événements d'octobre, d'abord parus dans *Canadian Forum*, ont été regroupés dans *Power Corrupted*, publié sous la direction de Abraham Rotstein (New Press, 1971). Les différents auteurs ne sont pas tendres envers Trudeau et son cabinet. À vrai dire, Trudeau a peu de défenseurs. À peu près personne n'a entrepris la défense systématique de ses politiques. Par contre, Gérard Pelletier en a fait l'apologie dans *La crise d'octobre* (Éditions du Jour, 1971). John Gellner a écrit un ouvrage sur la guérilla urbaine, *Bayonets in the Streets* (Collier-Macmillan of Canada Ltd., 1974), qui comprend une analyse intéressante de la crise d'octobre. On trouvera aussi un examen impartial de la crise dans l'ouvrage de Richard Gwyn, *Le prince* (trad. Claire Dupond, France-Amérique, 1981). Les citations tirées des premiers écrits de Trudeau proviennent du chapitre IV de *Les cheminements de la politique* (Éditions du Jour, 1970), recueil d'articles rédigés pour le journal *Vrai* publié par Jacques Hébert.

La crise d'octobre a suscité beaucoup d'écrits juridiques. Dans *The Canadian Bill of Rights* (McClelland and Stewart Limited, coll. «The Carleton Library», 2e édition refondue, 1976), le professeur Walter Tarnopolsky présente un excellent exposé sur la crise et les droits de la personne. De cet ouvrage ont été tirées les statistiques concernant les arrestations faites au Québec. L'argumentation développée par le professeur Noel Lyon sur la validité du Règlement concernant l'ordre public a été publiée dans le *McGill Law Journal*, Vol. 18, n° 1, p. 1361; cette argumentation fut rejetée par la Cour d'appel du Québec dans l'affaire *Gagnon et Vallières c. La Reine*, (1971) C.A. 454. Le décret adopté en Colombie britannique est évoqué dans *Jamieson vs. A.G.B.C.*, (1971) 5 W.W.R. 600. Ce décret a été révoqué en 1972. Le professeur Herbert Marx a écrit un certain nombre d'articles sur la crise d'octobre: «The Apprehended Insurrection, of October 1970 and the Judicial Function» (*University of British Columbia Law Review*, Vol. 7, p. 6.); «Human Rights and Emergency Powers», *The Practice of Freedom, Canadian Essays on Human Rights and Fundamental Freedoms* (R. St. J. Macdonald et John P. Humphrey réd., Butterworth and Co. [Canada] Ltd., 1979). Les conclusions de la Commission McDonald ont été publiées dans *Le rapport de la Commission d'enquête sur certaines activités de la Gendarmerie royale du Canada* (Approvisionnements et Services Canada, 1981).

*Chapitre VIII: Les Indiens nishgas et les droits ancestraux*

Étant donné que j'ai représenté les Nishgas devant les tribunaux dans l'affaire des Indiens nishgas, j'ai surtout consulté mes propres notes et me suis fié à ma mémoire des événements.

Le professeur Douglas Sanders a rédigé un résumé de l'affaire dans ses aspects juridiques et politiques, paru dans *British Columbia Studies*, n° 19, Autumn, 1973, p. 1. L'affaire des Nishgas est connue sous le nom de *Calder vs. Attorney-General of British Columbia*, et est reproduite dans (1969) 8 D.L.R. (3d) 59; 71 W.W.R. 81 (Cour suprême de Colombie britannique); (1970) 13 D.L.R. (3d) 64; 74 W.W.R. 481 (Cour d'appel de Colombie britannique); (1973) R.C.S. 313, 34 D.L.R. (3d) 145, (1973) 4 W.W.R. 1 (Cour suprême du Canada).

L'ouvrage de J.E. Chamberlin, *The Harrowing of Eden, White Attitudes Towards Native Americans* (Seabury Press, 1975), fait autorité sur les rapports entre Blancs et Autochtones depuis les débuts de la colonisation en Amérique du Nord. Dans *Native Rights in Canada* (General Publishing Co. Limited, 2e édition, 1972), Peter Cumming et Neil Mickenberg traitent en profondeur des questions juridiques et constitutionnelles reliées au titre ancestral, bien que cet ouvrage ait été publié avant l'arrêt de la Cour suprême du Canada dans l'affaire Calder.

On trouvera les quatorze traités concernant la partie sud de l'île de Vancouver (1850-1854) dans *Papers Connected with the Indian Land Question 1850-1875* (Victoria, Queen's Printer, 1875). Les professeurs H. Hawthorn, C. Belshaw et S. Jamieson font un survol de l'histoire et de la condition indiennes en Colombie britannique dans *Indians of British Columbia* (University of British Columbia Press, 1965). Dans *Struggle for Survival* (University of Toronto Press, 1961, édition augmentée, 1973), F.E. La Violette traite des cultures indiennes et de l'éthique protestante en Colombie britannique. Dans *The Fourth World* (Collier-Macmillan of Canada Ltd., 1974), George Manuel, avec la collaboration de Peter Posluns, raconte son combat et celui des organismes indiens de Colombie britannique pour faire modifier la Loi sur les Indiens; il évoque également la résurgence dans le débat public, au cours des années 1960, des revendications territoriales. Les Nisghas ont réaffirmé leur position dans le *Mémoire du Conseil tribal Nishga* présenté au Comité spécial mixte du Sénat et de la Chambre des communes sur la Constitution du Canada, le 15 décembre 1980. En août 1981, le gouvernement fédéral a nommé un représentant pour entamer avec les Nishgas le processus de négociations sur leurs revendications. Le gouvernement de la Colombie britannique n'a pas accepté d'être partie à ces négociations, bien qu'il se soit engagé à participer, aux côtés d'Ottawa, aux discussions avec les Indiens de la province pour régler la question des terres retirées aux réserves par la commission McKenna-McBride.

Je recommanderais plus particulièrement deux ouvrages. Le livre de Wilson Duff, *The Indian History of British Columbia, Volume 1, the Impact of the White Man* (Victoria, Queen's Printer, 1965), devait être le premier volume d'une série qui demeura incomplète, en raison du décès prématuré de l'auteur. L'œuvre du professeur Duff restera personnelle et tout à fait remarquable. Dans *Land, Man and the Law* (University of British Columbia Press, 1974), R.E. Cail traite de la vente des terres de la Couronne en Colombie britannique, de 1871 à 1913. Avec cette étude, Cail peut être considéré comme le chef de file dans ce domaine; le compte rendu qu'il donne du développement des politiques de la province en rapport avec le titre ancestral est en tous points excellent. Alan Smith, dans un article intitulé «The Writing of British Columbia History» (paru dans *British Columbia Studies*, n° 45,

Spring, 1980), met à nu l'incapacité jusqu'à tout récemment des historiens à considérer les Indiens autrement qu'en marge de l'histoire de la province. À cet égard, on peut aussi consulter le livre de Robin Fisher: *Contact and Conflict. Indian-European Relations in British Columbia, 1774-1880* (University of British Columbia Press, 1978). Dans *Indians at Work* (New Star Books, 1978), Rolf Knight raconte avec simplicité l'histoire des travailleurs autochtones en Colombie britannique, de 1858 à 1930. (On consultera avec profit le compte rendu que fait de ce livre Reuben Ware, dans *British Columbia Studies*, n° 46, Summer, 1980, page 99.)

J'ai utilisé dans le chapitre VIII diverses expressions employées dans *Le Nord: terre lointaine, terre ancestrale. Rapport de l'enquête sur le pipeline de la vallée du Mackenzie* (Approvisionnements et Services Canada, 1977), puisqu'elles me semblent encore pertinentes. L'expression «mythe, légende, histoire et droit» est tirée de l'arrêt du juge Brian Dickson dans l'affaire *R. vs. Sutherland*, (1980) S.C.C.D. 6187-01.

*Conclusion: vers le régime de la tolérance*

Les pourparlers que le premier ministre Trudeau a tenus avec les premiers ministres des provinces au début de novembre 1981 ont été d'une importance cruciale dans l'élaboration de la Constitution et de la Charte des droits et libertés. Leurs résultats immédiats ont été considérables: apparition de la clause dérogatoire; droit de désaccord des provinces; changements à la procédure de modification; disparition des clauses reconnaissant aux autochtones les droits ancestraux et issus de traités; reconnaissance des droits des femmes, mais non leur enchâssement. Le tollé de protestations qui n'a pas tardé à suivre dénonçait surtout que les droits des Autochtones soient passés sous silence et que les droits des femmes n'aient pas été enchâssés dans le texte constitutionnel. On connaît la suite: les droits des femmes ont été enchâssés; les premiers ministres ont convenu de rétablir, avec des réserves, les droits des Autochtones. Le fait remarquable à propos des réactions de l'opinion publique après l'accord du 5 novembre reste qu'au Canada anglais peu se sont préoccupés que le droit de veto soit refusé au Québec. Il est vrai que le premier ministre Lévesque avait six mois plus tôt renoncé à ce droit; n'oublions pas cependant qu'il l'avait fait au moment où sept premiers ministres des provinces anglophones avaient rejoint Lévesque dans un front uni des provinces contre la Charte des droits proposée. Quand ses alliés d'un jour se rallient à la procédure de modification proposée par M. Trudeau, le premier ministre du Québec ne tarde pas à se rendre compte de son erreur. On sait comment a réagi le Québec. Personne, au Canada anglais, n'a manifesté la moindre inquiétude; les voix qui se sont élevées pour demander que le droit de veto du Québec soit rétabli provenaient quasi exclusivement du Canada français. L'idée des deux peuples fondateurs, le concept de la dualité canadienne, ont trouvé peu de partisans chez les Anglophones, au Parlement comme à travers le pays. On peut consulter à ce sujet l'article de Gérard Bergeron, «Québec in Isolation», et celui de Donald Smiley, «A Dangerous Deed: the Constitution Act, 1982», parus dans l'ouvrage collectif *And No One Cheered* (Macmillan of Canada, 1983).

# Appendice

## LOI CONSTITUTIONNELLE DE 1982

### PARTIE I

### CHARTE CANADIENNE DES DROITS ET LIBERTÉS

Attendu que le Canada est fondé sur des principes qui reconnaissent la suprématie de Dieu et la primauté du droit :

*Garantie des droits et libertés*

Droits et libertés au Canada

**1.** La *Charte canadienne des droits et libertés* garantit les droits et libertés qui y sont énoncés. Ils ne peuvent être restreints que par une règle de droit, dans des limites qui soient raisonnables et dont la justification puisse se démontrer dans le cadre d'une société libre et démocratique.

*Libertés fondamentales*

Libertés fondamentales

**2.** Chacun a les libertés fondamentales suivantes :

*a*) liberté de conscience et de religion;

*b*) liberté de pensée, de croyance, d'opinion et d'expression, y compris la liberté de la presse et des autres moyens de communication;

*c*) liberté de réunion pacifique;

*d*) liberté d'association.

*Droits démocratiques*

Droits démocratiques des citoyens

**3.** Tout citoyen canadien a le droit de vote et est éligible aux élections législatives fédérales ou provinciales.

Mandat maximal des assemblées

**4.** (1) Le mandat maximal de la Chambre des communes et des assemblées législatives est de cinq ans à compter de la date fixée pour le retour des brefs relatifs aux élections générales correspondantes. (80)

Prolongations spéciales

(2) Le mandat de la Chambre des communes ou celui d'une assemblée législative peut être prolongé respectivement par le Parlement ou par la législature en question au-delà de cinq ans en cas de guerre, d'invasion ou d'insurrection, réelles ou appréhendées, pourvu que cette prolongation ne fasse pas l'objet d'une opposition exprimée par les voix de plus du tiers des députés de la Chambre des communes ou de l'assemblée législative. (81)

Séance annuelle

**5.** Le Parlement et les législatures tiennent une séance au moins une fois tous les douze mois. (82)

*Liberté de circulation et d'établissement*

**Liberté de circulation**

**6.** (1) Tout citoyen canadien a le droit de demeurer au Canada, d'y entrer ou d'en sortir.

**Liberté d'établissement**

(2) Tout citoyen canadien et toute personne ayant le statut de résident permanent au Canada ont le droit :

*a*) de se déplacer dans tout le pays et d'établir leur résidence dans toute province;

*b*) de gagner leur vie dans toute province.

**Restriction**

(3) Les droits mentionnés au paragraphe (2) sont subordonnés :

*a*) aux lois et usages d'application générale en vigueur dans une province donnée, s'ils n'établissent entre les personnes aucune distinction fondée principalement sur la province de résidence antérieure ou actuelle;

*b*) aux lois prévoyant de justes conditions de résidence en vue de l'obtention des services sociaux publics.

**Programmes de promotion sociale**

(4) Les paragraphes (2) et (3) n'ont pas pour objet d'interdire les lois, programmes ou activités destinés à améliorer, dans une province, la situation d'individus défavorisés socialement ou économiquement, si le taux d'emploi dans la province est inférieur à la moyenne nationale.

*Garanties juridiques*

**Vie, liberté et sécurité**

**7.** Chacun a droit à la vie, à la liberté et à la sécurité de sa personne; il ne peut être porté atteinte à ce droit qu'en conformité avec les principes de justice fondamentale.

**Fouilles, perquisitions ou saisies**

**8.** Chacun a droit à la protection contre les fouilles, les perquisitions ou les saisies abusives.

**Détention ou emprisonnement**

**9.** Chacun a droit à la protection contre la détention ou l'emprisonnement arbitraires.

**Arrestation ou détention**

**10.** Chacun a le droit, en cas d'arrestation ou de détention :

*a*) d'être informé dans les plus brefs délais des motifs de son arrestation ou de sa détention;

*b*) d'avoir recours sans délai à l'assistance d'un avocat et d'être informé de ce droit;

*c*) de faire contrôler, par *habeas corpus*, la légalité de sa détention et d'obtenir, le cas échéant, sa libération.

**Affaires criminelles et pénales**

**11.** Tout inculpé a le droit :

*a*) d'être informé sans délai anormal de l'infraction précise qu'on lui reproche;

*b*) d'être jugé dans un délai raisonnable;

*c*) de ne pas être contraint de témoigner contre lui-même dans toute poursuite intentée contre lui pour l'infraction qu'on lui reproche;

*d*) d'être présumé innocent tant qu'il n'est pas déclaré coupable, conformément à la loi, par un tribunal indépendant et impartial à l'issue d'un procès public et équitable;

*e*) de ne pas être privé sans juste cause d'une mise en liberté assortie d'un cautionnement raisonnable;

*f*) sauf s'il s'agit d'une infraction relevant de la justice militaire, de bénéficier d'un procès avec jury lorsque la peine maximale prévue pour l'infraction dont il est accusé est un emprisonnement de cinq ans ou une peine plus grave;

*g*) de ne pas être déclaré coupable en raison d'une action ou d'une omission qui, au moment où elle est survenue, ne constituait pas une infraction d'après le droit interne du Canada ou le droit international et n'avait pas de caractère criminel d'après les principes généraux de droit reconnus par l'ensemble des nations;

*h*) d'une part de ne pas être jugé de nouveau pour une infraction dont il a été définitivement acquitté, d'autre part de ne pas être jugé ni puni de nouveau pour une infraction dont il a été définitivement déclaré coupable et puni;

*i*) de bénéficier de la peine la moins sévère, lorsque la peine qui sanctionne l'infraction dont il est déclaré coupable est modifiée entre le moment de la perpétration de l'infraction et celui de la sentence.

**12.** Chacun a droit à la protection contre tous traitements ou peines cruels et inusités. **Cruauté**

**13.** Chacun a droit à ce qu'aucun témoignage incriminant qu'il donne ne soit utilisé pour l'incriminer dans d'autres procédures, sauf lors de poursuites pour parjure ou pour témoignages contradictoires. **Témoignage incriminant**

**14.** La partie ou le témoin qui ne peuvent suivre les procédures, soit parce qu'ils ne comprennent pas ou ne parlent pas la langue employée, soit parce qu'ils sont atteints de surdité, ont droit à l'assistance d'un interprète. **Interprète**

### *Droits à l'égalité*

**15.** (1) La loi ne fait acception de personne et s'applique également à tous, et tous ont droit à la même protection et au même bénéfice de la loi, indépendamment de toute discrimination, notamment des discriminations fondées sur la race, l'origine nationale ou ethnique, la couleur, la religion, le sexe, l'âge ou les déficiences mentales ou physiques. **Égalité devant la loi, égalité de bénéfice et protection égale de la loi**

(2) Le paragraphe (1) n'a pas pour effet d'interdire les lois, programmes ou activités destinés à améliorer la situation d'individus ou de groupes défavorisés, notamment du fait de leur race, de leur origine nationale ou ethnique, de leur couleur, de leur religion, de leur sexe, de leur âge ou de leurs déficiences mentales ou physiques. **Programmes de promotion sociale**

*Langues officielles du Canada*

Langues officielles du Canada

**16.** (1) Le français et l'anglais sont les langues officielles du Canada; ils ont un statut et des droits et privilèges égaux quant à leur usage dans les institutions du Parlement et du gouvernement du Canada.

Langues officielles du Nouveau-Brunswick

(2) Le français et l'anglais sont les langues officielles du Nouveau-Brunswick; ils ont un statut et des droits et privilèges égaux quant à leur usage dans les institutions de la Législature et du gouvernement du Nouveau-Brunswick.

Progression vers l'égalité

(3) La présente charte ne limite pas le pouvoir du Parlement et des législatures de favoriser la progression vers l'égalité de statut ou d'usage du français et de l'anglais.

Travaux du Parlement

**17.** (1) Chacun a le droit d'employer le français ou l'anglais dans les débats et travaux du Parlement. (83)

Travaux de la Législature du Nouveau-Brunswick

(2) Chacun a le droit d'employer le français ou l'anglais dans les débats et travaux de la Législature du Nouveau-Brunswick. (84)

Documents parlementaires

**18.** (1) Les lois, les archives, les comptes rendus et les procès-verbaux du Parlement sont imprimés et publiés en français et en anglais, les deux versions des lois ayant également force de loi et celles des autres documents ayant même valeur. (85)

Documents de la Législature du Nouveau-Brunswick

(2) Les lois, les archives, les comptes rendus et les procès-verbaux de la Législature du Nouveau-Brunswick sont imprimés et publiés en français et en anglais, les deux versions des lois ayant également force de loi et celles des autres documents ayant même valeur. (86)

Procédures devant les tribunaux établis par le Parlement

**19.** (1) Chacun a le droit d'employer le français ou l'anglais dans toutes les affaires dont sont saisis les tribunaux établis par le Parlement et dans tous les actes de procédure qui en découlent. (87)

Procédures devant les tribunaux du Nouveau-Brunswick

(2) Chacun a le droit d'employer le français ou l'anglais dans toutes les affaires dont sont saisis les tribunaux du Nouveau-Brunswick et dans tous les actes de procédure qui en découlent. (88)

Communications entre les administrés et les institutions fédérales

**20.** (1) Le public a, au Canada, droit à l'emploi du français ou de l'anglais pour communiquer avec le siège ou l'administration centrale des institutions du Parlement ou du gouvernement du Canada ou pour en recevoir les services; il a le même droit à l'égard de tout autre bureau de ces institutions là où, selon le cas :

*a*) l'emploi du français ou de l'anglais fait l'objet d'une demande importante;

*b*) l'emploi du français et de l'anglais se justifie par la vocation du bureau.

Communications entre les administrés et les institutions du Nouveau-Brunswick

(2) Le public a, au Nouveau-Brunswick, droit à l'emploi du français ou de l'anglais pour communiquer avec tout bureau des institutions de la législature ou du gouvernement ou pour en recevoir les services.

**21.** Les articles 16 à 20 n'ont pas pour effet, en ce qui a trait à la langue française ou anglaise ou à ces deux langues, de porter atteinte aux droits, privilèges ou obligations qui existent ou sont maintenus aux termes d'une autre disposition de la Constitution du Canada. (89)

Maintien en vigueur de certaines dispositions

**22.** Les articles 16 à 20 n'ont pas pour effet de porter atteinte aux droits et privilèges, antérieurs ou postérieurs à l'entrée en vigueur de la présente charte et découlant de la loi ou de la coutume, des langues autres que le français ou l'anglais.

Droits préservés

*Droits à l'instruction dans la langue de la minorité*

**23.** (1) Les citoyens canadiens :

Langue d'instruction

*a*) dont la première langue apprise et encore comprise est celle de la minorité francophone ou anglophone de la province où ils résident,

*b*) qui ont reçu leur instruction, au niveau primaire, en français ou en anglais au Canada et qui résident dans une province où la langue dans laquelle ils ont reçu cette instruction est celle de la minorité francophone ou anglophone de la province,

ont, dans l'un ou l'autre cas, le droit d'y faire instruire leurs enfants, aux niveaux primaire et secondaire, dans cette langue. (90)

(2) Les citoyens canadiens dont un enfant a reçu ou reçoit son instruction, au niveau primaire ou secondaire, en français ou en anglais au Canada ont le droit de faire instruire tous leurs enfants, aux niveaux primaire et secondaire, dans la langue de cette instruction.

Continuité d'emploi de la langue d'instruction

(3) Le droit reconnu aux citoyens canadiens par les paragraphes (1) et (2) de faire instruire leurs enfants, aux niveaux primaire et secondaire, dans la langue de la minorité francophone ou anglophone d'une province :

Justification par le nombre

*a*) s'exerce partout dans la province où le nombre des enfants des citoyens qui ont ce droit est suffisant pour justifier à leur endroit la prestation, sur les fonds publics, de l'instruction dans la langue de la minorité;

*b*) comprend, lorsque le nombre de ces enfants le justifie, le droit de les faire instruire dans des établissements d'enseignement de la minorité linguistique financés sur les fonds publics.

*Recours*

Recours en cas d'atteinte aux droits et libertés

**24.** (1) Toute personne, victime de violation ou de négation des droits ou libertés qui lui sont garantis par la présente charte, peut s'adresser à un tribunal compétent pour obtenir la réparation que le tribunal estime convenable et juste eu égard aux circonstances.

Irrecevabilité d'éléments de preuve qui risqueraient de déconsidérer l'administration de la justice

(2) Lorsque, dans une instance visée au paragraphe (1), le tribunal a conclu que des éléments de preuve ont été obtenus dans des conditions qui portent atteinte aux droits ou libertés garantis par la présente charte, ces éléments de preuve sont écartés s'il est établi, eu égard aux circonstances, que leur utilisation est susceptible de déconsidérer l'administration de la justice.

*Dispositions générales*

Maintien des droits et libertés des autochtones

**25.** Le fait que la présente charte garantit certains droits et libertés ne porte pas atteinte aux droits ou libertés — ancestraux, issus de traités ou autres — des peuples autochtones du Canada, notamment :

*a*) aux droits ou libertés reconnus par la proclamation royale du 7 octobre 1763;

*b*) aux droits ou libertés acquis par règlement de revendications territoriales.

Maintien des autres droits et libertés

**26.** Le fait que la présente charte garantit certains droits et libertés ne constitue pas une négation des autres droits ou libertés qui existent au Canada.

Maintien du patrimoine culturel

**27.** Toute interprétation de la présente charte doit concorder avec l'objectif de promouvoir le maintien et la valorisation du patrimoine multiculturel des Canadiens.

Égalité de garantie des droits pour les deux sexes

**28.** Indépendamment des autres dispositions de la présente charte, les droits et libertés qui y sont mentionnés sont garantis également aux personnes des deux sexes.

Maintien des droits relatifs à certaines écoles

**29.** Les dispositions de la présente charte ne portent pas atteinte aux droits ou privilèges garantis en vertu de la Constitution du Canada concernant les écoles séparées et autres écoles confessionnelles. (91)

Application aux territoires

**30.** Dans la présente charte, les dispositions qui visent les provinces, leur législature ou leur assemblée législative visent également le territoire du Yukon, les territoires du Nord-Ouest ou leurs autorités législatives compétentes.

Non-élargissement des compétences législatives

**31.** La présente charte n'élargit pas les compétences législatives de quelque organisme ou autorité que ce soit.

*Application de la charte*

Application de la charte

**32.** (1) La présente charte s'applique :

*a*) au Parlement et au gouvernement du Canada, pour tous les domaines relevant du Parlement, y compris ceux qui concernent le territoire du Yukon et les territoires du Nord-Ouest;

*b*) à la législature et au gouvernement de chaque province, pour tous les domaines relevant de cette législature.

Restriction

(2) Par dérogation au paragraphe (1), l'article 15 n'a d'effet que trois ans après l'entrée en vigueur du présent article.

Dérogation par déclaration expresse

**33.** (1) Le Parlement ou la législature d'une province peut adopter une loi où il est expressément déclaré que celle-ci ou une de ses dispositions a effet indépendamment d'une disposition donnée de l'article 2 ou des articles 7 à 15 de la présente charte.

Effet de la dérogation

(2) La loi ou la disposition qui fait l'objet d'une déclaration conforme au présent article et en vigueur a l'effet qu'elle aurait sauf la disposition en cause de la charte.

Durée de validité

(3) La déclaration visée au paragraphe (1) cesse d'avoir effet à la date qui y est précisée ou, au plus tard, cinq ans après son entrée en vigueur.

Nouvelle adoption

(4) Le Parlement ou une législature peut adopter de nouveau une déclaration visée au paragraphe (1).

Durée de validité

(5) Le paragraphe (3) s'applique à toute déclaration adoptée sous le régime du paragraphe (4).

*Titre*

Titre

**34.** Titre de la présente partie : *Charte canadienne des droits et libertés.*

PARTIE II

DROITS DES PEUPLES AUTOCHTONES DU CANADA

Confirmation des droits existants des peuples autochtones

**35.** (1) Les droits existants — ancestraux ou issus de traités — des peuples autochtones du Canada sont reconnus et confirmés.

Définition de «peuples autochtones du Canada»

(2) Dans la présente loi, «peuples autochtones du Canada» s'entend notamment des Indiens, des Inuit et des Métis du Canada.

# Index

## Cahiers du Québec

1
Champ Libre 1:
*Cinéma, Idéologie, Politique*
(en collaboration)
**Coll. Cinéma**

2
Champ Libre 2:
*La critique en question*
(en collaboration)
**Coll. Cinéma**

3
Joseph Marmette
*Le chevalier de Mornac*
présentation par:
Madeleine Ducrocq-Poirier
**Coll. Textes et Documents littéraires**

4
Patrice Lacombe
*La terre paternelle*
présentation par:
André Vanasse
**Coll. Textes et Documents littéraires**

5
Fernand Ouellet
*Eléments d'histoire sociale du Bas-Canada*
**Coll. Histoire**

6
Claude Racine
*L'anticléricalisme dans le roman québécois 1940-1965*
**Coll. Littéraire**

7
*Ethnologie québécoise 1*
(en collaboration)
**Coll. Ethnologie**

8
Pamphile Le May
*Picounoc le Maudit*
présentation par:
Anne Gagnon
**Coll. Textes et Documents littéraires**

9
Yvan Lamonde
*Historiographie de la philosophie au Québec 1853-1971*
**Coll. Philosophie**

10
*L'homme et l'hiver en Nouvelle-France*
présentation par:
Pierre Carle
et Jean-Louis Minel
**Coll. Documents d'histoire**

11
*Culture et langage*
(en collaboration)
**Coll. Philosophie**

12
Conrad Laforte
*La chanson folklorique et les écrivains du XIXe siècle, en France et au Québec*
**Coll. Ethnologie**

13
*L'Hôtel-Dieu de Montréal*
(en collaboration)
**Coll. Histoire**

14
Georges Boucher de Boucherville
*Une de perdue, deux de trouvées*
présentation par:
Réginald Hamel
**Coll. Textes et Documents littéraires**

15
John R. Porter et Léopold Désy
*Calvaires et croix de chemins du Québec*
**Coll. Ethnologie**

16
Maurice Emond
*Yves Thériault et le combat de l'homme*
**Coll. Littérature**

17
Jean-Louis Roy
*Edouard-Raymond Fabre, libraire et patriote canadien 1799-1854*
**Coll. Histoire**

18
Louis-Edmond Hamelin
*Nordicité canadienne*
**Coll. Géographie**

19
J.P. Tardivel
*Pour la patrie*
présentation par:
John Hare
**Coll. Textes et Documents littéraires**

20
Richard Chabot
*Le curé de campagne et la contestation locale au Québec de 1791 aux troubles de 1837-38*
**Coll. Histoire**

21
Roland Brunet
*Une école sans diplôme pour une éducation permanente*
**Coll. Psychopédagogie**

22
*Le processus électoral au Québec*
(en collaboration)
**Coll. Science politique**

23
*Partis politiques au Québec*
(en collaboration)
**Coll. Science politique**

24
Raymond Montpetit
*Comment parler de la littérature*
**Coll. Philosophie**

25
A. Gérin-Lajoie
*Jean Rivard le défricheur*
suivi de *Jean Rivard économiste*
Postface de
René Dionne
**Coll. Textes et Documents littéraires**

**26**
Arsène Bessette
*Le Débutant*
Postface de
Madeleine
Ducrocq-Poirier
**Coll. Textes et Documents littéraires**

**27**
Gabriel Sagard
*Le grand voyage du pays des Hurons*
présentation par:
Marcel Trudel
**Coll. Documents d'histoire**

**28**
Věra Murray
*Le Parti Québécois*
**Coll. Science politique**

**29**
André Bernard
*Québec: élections 1976*
**Coll. Science politique**

**30**
Yves Dostaler
*Les infortunes du roman dans le Québec du XIXe siècle*
**Coll. Littérature**

**31**
Rossel Vien
*Radio française dans l'Ouest*
**Coll. Communications**

**32**
Jacques Cartier
*Voyages en Nouvelle-France*
texte remis en français moderne par:
Robert Lahaise et
Marie Couturier
avec introduction et notes
**Coll. Documents d'histoire**

**33**
Jean-Pierre Boucher
*Instantanés de la condition québécoise*
**Coll. Littérature**

**34**
Denis Bouchard
*Une lecture d'Anne Hébert*
*La recherche d'une mythologie*
**Coll. Littérature**

**35**
P. Roy Wilson
*Les belles vieilles demeures du Québec*
Préface de
Jean Palardy
**Coll. Beaux-Arts**

**36**
*Habitation rurale au Québec*
(en collaboration)
**Coll. Ethnologie**

**37**
Laurent Mailhot
*Anthologie d'Arthur Buies*
**Coll. Textes et Documents littéraires**

**38**
Edmond Orban
*Le Conseil nordique: un modèle de Souveraineté-Association?*
**Coll. Science politique**

**39**
Christian Morissonneau
*La Terre promise: Le mythe du Nord québécois*
**Coll. Ethnologie**

**40**
Dorval Brunelle
*La désillusion tranquille*
**Coll. Sociologie**

**41**
Nadia F. Eid
*Le clergé et le pouvoir politique au Québec*
**Coll. Histoire**

**42**
Marcel Rioux
*Essai de sociologie critique*
**Coll. Sociologie**

**43**
Gérard Bessette
*Mes romans et moi*
**Coll. Littérature**

**44**
John Hare
*Anthologie de la poésie québécoise du XIXe siècle (1790-1890)*
**Coll. Textes et Documents littéraires**

**45**
Robert Major
*Parti pris: Idéologies et littérature*
**Coll. Littérature**

**46**
Jean Simard
*Un patrimoine méprisé*
**Coll. Ethnologie**

**47**
Gaétan Rochon
*Politique et contre-culture*
**Coll. Science politique**

**48**
Georges Vincenthier
*Une idéologie québécoise de Louis-Joseph Papineau à Pierre Vallières*
**Coll. Histoire**

**49**
Donald B. Smith
*Le «Sauvage» d'après les historiens canadiens-français des XIXe et XXe siècles*
**Coll. Cultures amérindiennes**

**50**
Robert Lahaise
*Les édifices conventuels du vieux Montréal*
**Coll. Ethnologie**

**51**
Sylvie Vincent et
Bernard Arcand
*L'image de l'Amérindien dans les manuels scolaires du Québec*
**Coll. Cultures amérindiennes**

**52**
Keith Crowe
*Histoire des autochtones du Nord canadien*
**Coll. Cultures amérindiennes**

**53**
Pierre Fournier
*Le patronat québécois au pouvoir: 1970-1976*
**Coll. Science politique**

**54**
Jacques Rivet
*Grammaire du journal politique à travers* Le Devoir *et* Le Jour
**Coll. Communications**

**55**
Louis-Edmond Hamelin
*Nordicité canadienne*
Deuxième édition revue
**Coll. Géographie**

**56**
René Lapierre
*Les masques du récit*
**Coll. Littérature**

**57**
Jean-Pierre Duquette
*Fernand Leduc*
**Coll. Arts d'aujourd'hui**

**58**
Yvan Lamonde
*La philosophie et son enseignement au Québec (1665-1920)*
**Coll. Philosophie**

**59**
Jean-Claude Lasserre
*Le Saint-Laurent grande porte de l'Amérique*
**Coll. Géographie**

**60**
Micheline D'Allaire
*Montée et déclin d'une famille noble: les Ruette d'Auteuil (1617-1737)*
**Coll. Histoire**

**61**
Harold Finkler
*Les Inuit et l'administration de la justice*
*Le cas de Frobisher Bay, T.N.-O.*
**Coll. Cultures amérindiennes**

**62**
Jean Trépanier
*Cent peintres du Québec*
**Coll. Beaux-Arts**

**63**
Joseph-Edmond McComber
*Mémoires d'un bourgeois de Montréal (1874-1949)*
*Préface de Jean-Pierre Wallot*
**Coll. Documents d'histoire**

**64**
Maurice Cusson
*Délinquants pourquoi?*
**Coll. Droit et criminologie**

**65**
Fernand Leduc
*Vers les îles de lumière*
*Ecrits (1942-1980)*
**Coll. Textes et Documents littéraires**

**66**
André Bernard et Bernard Descôteaux
*Québec: élections 1981*
**Coll. Science politique**

**67**
Franklin K.B.S. Toker
*L'église Notre-Dame de Montréal son architecture, son passé*
Traduit de l'anglais par Jean-Paul Partensky
**Coll. Beaux-Arts**

**68**
Chantal Hébert
*Le burlesque au Québec*
*Un divertissement populaire*
Préface de Yvon Deschamps
**Coll. Ethnologie**

**69**
Robert Harvey
Kamouraska *d'Anne Hébert: Une écriture de La Passion*
**Coll. Littérature**

**70**
Tardy, Gingras, Legault, Marcoux
*La politique: un monde d'hommes?*
**Coll. Science politique**

**71**
Gabriel-Pierre Ouellette
*Reynald Piché*
**Coll. Arts d'aujourd'hui**

**72**
Ruth L. White
*Louis-Joseph Papineau et Lamennais*
*Le chef des Patriotes canadiens à Paris 1839-1845*
*avec correspondance et documents inédits*
**Coll. Documents d'histoire**

**73**
Claude Janelle
*Les éditions du Jour*
*Une génération d'écrivains*
**Coll. Littérature**

**74**
Marcel Trudel
*Catalogue des immigrants 1632-1662*
**Coll. Histoire**

**75**
Marc LeBlanc
*Boscoville:*
*la rééducation évaluée*
Préface de
Gilles Gendreau
**Coll. Droit et criminologie**

**76**
Jacqueline Gerols
*Le roman québécois*
*en France*
**Coll. Littérature**

**77**
**Jean-Paul Brodeur**
*La délinquance de*
*l'ordre*
*Recherches sur les*
*commissions d'enquête I*
**Coll. Droit et Criminologie**

**78**
Philippe Aubert de Gaspé fils
*L'influence d'un livre*
*Roman historique*
Introduction et notes
par André Senécal
**Coll. Textes et Documents**
**littéraires**

**79**
Laurent Mailhot
avec la collaboration de
Benoît Melançon
*Essais québécois 1837-1983*
*Anthologie littéraire*
**Coll. Textes et Documents**
**littéraires**

**80**
Victor Teboul
*Le Jour*
Emergence du
libéralisme moderne
au Québec
**Coll. Communications**

**81**
André Brochu
*L'évasion tragique*
Essai sur les romans
d'André Langevin
**Coll. Littérature**

**82**
Roland Chagnon
*La scientologie: une nouvelle*
*religion de la puissance*
**Coll. Sociologie**